Einaudi. Stile

CW00548069

Maurizio de Giovanni
Souvenir
per i Bastardi di Pizzofalcone

Einaudi

© 2017 Giulio Einaudi editore s.p.a., Torino
Published by arrangement with The Italian Literary Agency, Milano
www.einaudi.it

ISBN 978-88-06-23138-5

Souvenir

A Severino e a Gigi.
Tanti rimpianti,
nessun rimorso.

I.

La luna faceva la sua parte, enorme e ferma nello spazio a illuminare il silenzio della tarda sera di primavera.

Era di per sé uno spettacolo e avrebbe meritato tutta l'attenzione di un pubblico, anche perché gli alberi e la leggera brezza si impegnavano a fornirle una cornice degna della fama del luogo. E in effetti la ragazza che passeggiava lenta nel giardino in direzione del parapetto sembrava essere lí proprio per questo, per assistere alla rappresentazione della natura che inscenava il celebre viale d'argento sulla distesa scura, con un mormorio di foglie in sottofondo e una canzone appassionata in lontananza.

Forse, però, qualcosa non funzionava nello spettacolo diretto dalla luna, poiché la ragazza, invece di affacciarsi sospirando sul panorama mozzafiato, lanciò un rapida occhiata attorno a sé e s'incamminò svelta dal lato opposto, verso un piccolo fabbricato in muratura. La luna, e il mare che luccicava sotto, si guardarono perplessi e non dissero niente, attendendo gli eventi.

Avevo il cuore in gola. Te l'ho scritto mille volte, lo so, ma ciò che ricordo di quel momento sono il rumore del battito nelle orecchie e il respiro corto che mi portava la fragranza di tutti quei fiori.

La ragazza, dopo un ultimo sguardo dietro le spalle, aprí la porticina di legno e s'infilò all'interno. Un ambiente quadrato, la parete di fronte trovata a tentoni, la mano che tasta il muro in cerca di un pulsante. Il rumore sordo del macchinario che si mette in funzione. Un fruscio all'esterno, il fiato che si blocca, gli occhi spalancati nel buio. Niente. Magari un gatto, un ramo che asseconda il vento. La ragazza contava i secondi. Poi il ronzio si fermò. Veloce, lei s'infilò nell'ascensore.

Mai. Non arrivavi mai. Mi chiedevo se saresti venuta, alla fine. Poteva essere successo di tutto, lui poteva averti fermata, potevi non essere riuscita a liberarti. Potevi semplicemente aver cambiato idea.

Nell'ascensore c'erano una lampadina impolverata, che emetteva una luce fioca, e uno specchio. La ragazza si guardò. I capelli rossi fiammeggiavano fluenti, il piccolo naso impertinente tirava appena in su il labbro superiore. Si intravedevano le minuscole lentiggini da bambina sulle guance. Gli occhi verdi ispezionarono gli abiti: la lunga gonna a pieghe, la cintura alta, la camicetta bianca. Slacciò un altro bottone, mostrando l'attaccatura del florido seno. Strinse le labbra, trasse un sospiro e, con un gesto rapido, alzò la gonna, si sfilò le mutandine e se le appallottolò in tasca.

Le cose, pensò, o si fanno o non si fanno. E poi, non c'è tempo.

Lo decisi in un attimo, davanti allo specchio dell'ascensore. Lo so, avrai pensato che ero una donna facile. Che ero la tipica straniera frivola che voleva divertirsi, chissà quan-

te volte ti è capitato, prima e dopo. Invece no, non era cosí.
Era solo che ti volevo, ti volevo tanto. E non c'era tempo.

Con un sussulto la cabina si fermò. Aprí la porta e si
ritrovò in un tunnel scavato nella roccia; in fondo si intravedeva il chiarore della luna, che non aveva smesso di
chiedersi dove fosse finita quella ragazzina sfacciata che
non le aveva concesso attenzione. Si frugò nella tasca, prese
un accendino e lo fece scattare, per illuminare il percorso.

Mi hai scritto che pensi che io ti abbia ritenuta una facile.
E invece mai, mai ho pensato una cosa del genere. Io, dal-
l'istante in cui ti ho vista al ristorante e prima che ti voltassi
a guardarmi, e che mi facessi quel sorriso, ho pensato che eri
una meraviglia della Terra, la rosa piú profumata del giardi-
no del Paradiso, che mai avrei ammirato niente di piú bello
di te. E cosí è stato. Quella cosa che dici, quel regalo mera-
viglioso, non contò nulla. Noi siamo stati nudi, io e te, dal
momento in cui ci siamo incontrati.

Quando arrivò al termine del tunnel spinse il cancelletto
e lo trovò aperto. Quindi c'era. Quindi era venuto. Quindi non aveva sognato, stava accadendo davvero. Appoggiò
la mano sulla roccia nuda, si tolse le scarpe e, tenendole
per i cinturini, mise i piedi sulla sabbia.

Era fresca, umida. L'estate era solo una promessa, la
sera sapeva ancora di incertezze, ma il mare mormorava
piú forte e piú vicino, adesso. L'odore magico e misterioso di sale e di alghe e di scogli le invase le narici renden-
dola viva e felice.

Si avviò a sinistra, lasciandosi il faro alle spalle. Concentrata, silenziosa, nessuna esitazione nei piedi, nelle
gambe toniche e nervose, appena un respiro ansioso a

sollevarle il seno. Era buio, e la luna e il mare, i soli che avevano il privilegio di vederla, pensarono all'unisono che era bellissima.

Ma com'è possibile, secondo te, che una notte, una singola notte, si espanda per sempre? Che si allarghi e si allunghi come un velo invadendo l'intera vita di una persona? Come può un ricordo, un singolo ricordo, piantarsi in un'anima cosí in profondità che nessuna corrente, nessun evento successivo è piú in grado di scalfirlo?

Le aveva detto: la terza grotta. Quelle che usano i pescatori d'inverno per tirare in secca le barche, hai presente? Gliel'aveva detto in un soffio, e lei non era nemmeno sicura di aver capito bene. Ma aveva solo quella notte, anzi, quel pezzo di notte, perché poi non avrebbero girato piú senza di lei, e tutto sarebbe stato difficile, forse impossibile. A lei toccava all'alba, di lí a tre ore almeno; adesso erano tutti presi dalle bizze del protagonista, che voleva si vedessero i bicipiti al chiaro di luna.

Nessuno sarebbe venuto a cercarla.

Riposati, le avevano detto. Se dormi bene, domani il tuo viso sarà meraviglioso.

Contando le grotte, correndo in punta di piedi con le scarpe in mano, sorrise perfida.

Ma ti ricordi? La luna, quella notte, sembrava una scena di cartapesta, come quando si giravano i musical in studio e noi danzavamo e cantavamo fingendo di essere all'aperto. Una luna immensa, rotonda e luminosa, immobile nel cielo come la promessa di un altro mondo. Ne ho viste di lune, sai, dopo. Ma una cosí no, non l'ho vista mai piú. Mai piú.

La terza grotta. Eccola. Rallentò. All'improvviso aveva paura, le parve che il cuore si fermasse. Si domandò se ne valesse la pena. Aveva lottato, aveva lavorato tanto per arrivare dov'era arrivata: valeva la pena correre quel rischio per una fantasia? In fondo era assurdo. In fondo era un incontro casuale, di quelli di cui, a casa, le sue amiche discorrevano con noncuranza sul bordo di una piscina, in attesa del terzo drink del pomeriggio, infiorettando i racconti con dettagli che risiedevano solo nei loro sogni. Lei no, lei non era cosí. Lei aveva tanto da perdere. Aveva tutto da perdere. Poi le tornò alla mente la supplica di quei meravigliosi occhi neri. La supplica, sí. Un desiderio cosí immenso da essere disperato. E la scoperta attonita di avere l'immagine riflessa di quel desiderio nella sua stessa anima, tale e quale come lo vedeva in lui.

Si rispose che sí, ne valeva la pena.

Ero sicuro che non saresti venuta, ora te lo posso confessare. Ci avevo riflettuto per tutto il giorno, mentre lavoravo, e per quella parte della notte. Mi ripetevo: penserà che io sia uno dei soliti italiani in cerca di un trofeo. Un altro bel ricordo, un'avventura di cui vantarsi al bar d'inverno, quando i locali sono chiusi e la città aspetta di tornare a vivere un'altra estate. Una di quelle che gli amici si mettono a ridere e non ti credono, poi tocca a loro raccontare e a te non credere, e via cosí fino all'alba. Io, invece, di te non ho raccontato niente; mi sono confidato solo con l'amico piú caro. Perché era ed è una cosa mia, mia e basta. Perché forse è stato un sogno, mi dicevo. Forse non è mai successo. Ero sicuro che non saresti venuta, poi sei apparsa, con le scarpe in mano. C'era la luna, ma tu eri bella come il sole.

Si videro. Due sagome nel buio, lei con la luna addosso, lui un contorno piú scuro all'entrata della grotta. Si videro. Lei si fermò, simile a un animale della foresta sorpreso dallo sguardo di un predatore. Lui si fermò, un pellegrino sorpreso da un improvviso incanto, un viaggiatore davanti a un meraviglioso, inatteso panorama.

Un attimo dopo erano una nelle braccia dell'altro, impazziti, le mani che vagavano sui corpi per controllare se tutto era vero, se tutto era reale.

Non ho mai capito dove si era nascosto. Ho percorso la spiaggia mille volte, puoi immaginare, ma non ho mai trovato l'angolazione precisa. È stato abile, bisogna ammetterlo: e la tentazione di andare a prenderlo per fargli una faccia di schiaffi e farlo pentire di essersi scelto quel mestiere da vigliacco l'ho avuta ogni giorno, da allora. Ma sarebbe servito soltanto a tirare di nuovo fuori la storia. A farti avere nuovi problemi, a farti subire nuove umiliazioni. Cosí non ci sono andato, ma avrei voluto. Avrei voluto. Al pensiero mi prudono ancora le mani.

Lui aveva preparato una coperta, l'aveva presa in prestito dallo stabilimento. Era a quadri gialli e azzurri come le cabine; la signora Cinzia, la proprietaria, le aveva fatte fare nella speranza di restare aperta anche quando gli altri chiudevano, alla fine dell'estate. Dalla grotta veniva un sentore di umido e muffa, di escrementi e di acqua stagnante, perciò l'aveva distesa sulla spiaggia, davanti all'entrata. Aveva pensato che a quell'ora, di notte, non ci sarebbe stato nessuno. Invece qualcuno c'era.

Ci perseguitavano, allora. Non è colpa tua, non devi avere questo peso sulla coscienza. Sono sicura che è stata Jobeth, la costumista, a vendersi la notizia. Eravamo amiche, ero cosí giovane e ingenua, le avevo detto che forse sarei andata a prendere un po' d'aria, se non riuscivo ad addormentarmi, di prepararmi le scarpe leggere, quelle che non si sporcavano con la sabbia. Fu lei a dirlo al paparazzo, ne sono certa. La sabbia, la spiaggia, la notte. E le altre grotte erano occupate dalle barche, no? C'era solo quella. Non è colpa di nessuno.

Quando il lampo scattò nel buio, una volta, non ci fecero caso; lo scambiarono per la lampara di uno dei pescherecci che solcavano l'acqua quasi ferma. L'uomo, appostato da ore dietro una delle cabine, intirizzito dall'umidità, poté smontare con calma la macchina dal treppiede, e rimettere tutto nella valigia per risalire sul sandolino e tornarsene al suo non lontano approdo, remando con attenzione e in silenzio.
Aveva il suo malloppo.

Amore mio, che meraviglia. Che magia. Tutto fu perfetto, la luna, il mare, i nostri sogni e la pelle. Tutto fu perfetto. E lo è ancora.

Fecero l'amore con furia, con la disperazione della loro età, con la paura che arrivasse qualcosa a interrompere l'incanto. Poi si sorrisero, in silenzio, accarezzandosi. E lo rifecero con calma e consapevolezza, quasi si fossero ritrovati dopo chissà quanta strada e chissà quanti anni, quasi non fossero cosí giovani.
Credettero che fosse per sempre, mentre era l'ultima volta.

Amore mio. Tutti questi anni insieme. Tutta la vita insieme, ci pensi? Amore mio.

La luna guardò il mare come a dirgli: vedi? Te l'avevo detto che questa era una notte d'amore. Lo sapevo. Il mare, scintillando gonfio di primavera, sospirò al pensiero dell'autunno che sarebbe arrivato.

II

L'agente Ammaturo Gerardo concluse il giro delle finestre. Era la prima cosa che faceva quando montava in servizio all'alba. La caratteristica migliore del commissariato di Pizzofalcone, il posto dei Bastardi, la Cayenna della polizia cittadina, era il panorama. Quindi valeva la pena aprire tutto e lasciar entrare sole e cielo e mare, cosí come si vedevano dall'antico palazzo un po' cadente arrampicato in cima alla collina. Chissà che fatica i muratori a costruirlo lassú secoli prima, Ammaturo ci pensava sempre. Aveva letto che utilizzavano muli e asini per trasportare le pietre di tufo. Doveva essere stato uno spettacolo.

Sta di fatto che la vista toglieva il fiato, normalmente. Uno sguardo sulla città affastellata, stretta e disordinata sulla riva del golfo, e la montagna e il porto operoso di prima mattina, le navi che andavano e venivano, le luci che cominciavano a spegnersi e i fari delle automobili già in colonna sulle strade principali.

Normalmente, sospirò Ammaturo. Perché oggi una nebbiolina figlia del caldo del giorno e del fresco della notte avvolgeva tutto. Che schifo, pensò. Sembra la Germania.

Ammaturo aveva dei cugini in Germania. Figli e nipoti di emigrati negli anni Sessanta e Settanta; parlavano solo tedesco e il dialetto di origine. Lui andava a trovarli ogni tre o quattro anni. Che cesso di posto, si diceva ogni volta. Certo, ordine e pulizia; certo, qualità della vita; certo, soldi e disponibilità di lavoro. Ma era meglio non aprire le finestre, a casa dei cugini, perché ti pigliava una tristezza che si attaccava alle ossa e non ti mollava piú. Cosí era, quel giorno di ottobre. Le sirene delle navi giungevano attraverso la foschia e tutto sapeva di Amburgo. Mancavano solo i würstel, pensò Ammaturo alzando gli occhi strabici al soffitto.

Poi squillò il telefono.

Alex Di Nardo si guardava allo specchio del bagno. Non le dispiaceva il turno di notte, perché fin da bambina riusciva a dormire ovunque.

Il fisico sottile e l'essere piccolina l'aiutavano, è vero: la scomoda brandina allestita nella stanza dell'archivio era piú che sufficiente per lei, e non si lamentava come Romano e Lojacono, che erano grandi e grossi. Maschi, del resto, quindi deboli e fragili e piagnoni. Lei era una donna, invece. Resistente, forte e determinata. La ragazza con la pistola, come la chiamava quel fesso di Aragona.

Una donna che aveva gli stessi gusti degli uomini, pensò sorridendo. Chissà i commenti, quando lo sapranno.

Con sorpresa si accorse di aver ragionato in termini di inevitabile futuro. Niente periodo ipotetico, di nessun grado.

La mente andò a Rosaria Martone, primo dirigente della polizia scientifica. Al suo viso, alle sue mani. Alla sua bocca, e a ciò che quella bocca sapeva fare.

Stava ancora sorridendo nell'istante in cui Ammaturo bussò alla porta.

Lojacono e Di Nardo raggiunsero il cantiere della metropolitana mentre la luce lattiginosa di quel mattino aveva ormai deciso di prendere il sopravvento.

Si erano incontrati sulle scale del commissariato, Alex che infilava la pistola nella custodia sotto l'ascella, l'ispettore che, come tante altre volte, arrivava al lavoro con un paio d'ore d'anticipo. Entrambi non parlavano molto, cosí lui le aveva chiesto di aggiornarlo lungo la strada e lei aveva laconicamente sputato poche frasi secche:

– Una telefonata al 113, l'hanno subito girata a noi perché siamo i piú vicini. Un uomo. Vivo, pare. Hanno chiamato l'ambulanza e magari è ancora sul posto. Steso sulla sabbia per il cemento, pieno di sangue. Forse picchiato. L'ha trovato il capocantiere. A qualche centinaio di metri da qui.

L'ambulanza, in effetti, c'era, ferma a sportelli aperti nell'area di carico e scarico del cantiere della metropolitana dell'ex piazza Santa Maria degli Angeli, ridotta da anni a una stretta viuzza per gli interminabili lavori. Intorno, già quattro curiosi: un paio di anziani, uno studente coi libri in mano e una donna con una sporta, che allungavano il collo tentando di sbirciare all'interno.

I poliziotti comparvero mentre due infermieri stavano mettendo in sicurezza un corpo su una barella, sotto le indicazioni preoccupate di un giovane medico con gli occhiali spessi. Lojacono mostrò il tesserino salutando con un cenno del capo.

– Buongiorno, dottore, commissariato di Pizzofalcone. Che mi sa dire?

Il medico lo fissò con gli occhi resi enormi dalle lenti e disse, in tono piatto:

– Maschio, tra i cinquanta e i sessanta. Respira appena, ecchimosi sul volto, una tibia fratturata e almeno un paio di costole rotte, credo. È privo di conoscenza, gli stiamo dando l'ossigeno. Adesso lo portiamo ai Pellegrini.

Alex sussurrò:

– Se la cava, sí?

Il giovane si strinse nelle spalle e salí sul mezzo dietro alla barella.

Lojacono riuscí a chiedergli:

– Aveva un portafogli, il cellulare...

Uno degli infermieri scosse il capo.

– Niente, manco l'orologio. Lo hanno ripulito per bene.

Gli sportelli si chiusero e l'ambulanza partí a sirene spiegate, compiendo una spettacolare retromarcia che costrinse a un salto di lato il gruppetto degli spettatori.

Alex e Lojacono si diressero all'ingresso del cantiere, ma un uomo di mezza età, con un casco giallo in testa, fece per bloccarli.

– Scusate, qua non si può entrare. Ci stanno misure di sicurezza e...

Alex gli mostrò il tesserino.

– Di Nardo, commissariato di Pizzofalcone. È lei che ha scoperto il corpo?

L'uomo annuí.

– Sí, sono Mascolo Ferdinando. Sentite, noi dobbiamo lavorare, teniamo delle scadenze, mica ci bloccate il cantiere, no? Già ho chiamato all'ingegnere, dice che arriva verso le undici perché sta di casa fuori città, ma io vorrei sapere con gli operai come mi devo regolare.

Lojacono lo fissò, serafico.

– Non è un problema suo, Mascolo. Ci vorrà il tempo che ci vorrà. Per stamattina può pure mandare via tutti: finché non accertiamo quello che è successo, qua non si muove nemmeno una pala. Abbiamo un ferito grave, che magari a quest'ora è morto. Mi pare abbastanza. A lei no?

Alex accennò un sorriso. Se le fossero piaciuti gli uomini, cosa che per fortuna non era mai accaduta, avrebbe scelto uno come il collega. Indecifrabile, all'apparenza sempre calmo, con quell'aria da bonzo buddhista accentuata dai lineamenti orientali, ma quando c'era da parlare parlava eccome. Alquanto affascinante, insomma.

Non a caso, di tutti i soprannomi attribuiti da Aragona, il Cinese era l'unico ad aver riscosso universale successo; anche la gente del quartiere, aveva scoperto Alex, lo chiamava cosí.

Mascolo accusò il colpo.

– Certo, certo, scusate. È che già siamo in enorme ritardo e...

Lojacono si guardò attorno.

– Io sono l'ispettore Lojacono, comunque. Questo è l'unico ingresso?

– Sí, e ho aperto io. Stamattina alle sei i catenacci erano a posto, nessuno li ha forzati.

– È sicuro?

– Sicurissimo. Da tre anni che sono il capocantiere, qui, so' entrati almeno quindici volte. Non riescono a fregarsi niente perché mettiamo gli attrezzi nei capanni, ma ci provano. È un quartiere pericoloso, questo, e...

L'uomo si accorse della gaffe e serrò la bocca con uno scatto. Alex chiese, fissandolo storto:

– E allora com'è arrivato dentro, il tizio? Volando?

Lojacono intervenne con un mezzo sorriso:

– Probabile, – disse, e si rivolse a Mascolo. – Dov'era? Là, vero?

Indicò un cumulo di sabbia nei pressi dello steccato che delimitava l'area dei lavori, al centro della quale si apriva il profondissimo cratere della metropolitana. L'operaio rimase sorpreso.

– Sí, proprio là sopra. Ma voi come lo...

L'ispettore si avvicinò al punto in questione e fece un cenno ad Alex.

– Vedi? Nessun segno di trascinamento dal cancello a qui, nessuna orma recente; con tutta questa terra e questa calce le impronte delle scarpe si vedrebbero bene. Nessun segno di colluttazione, nessuna traccia di corpi contundenti, niente di niente. E il cumulo di sabbia, un cono perfetto, ha la cima spianata. Lo hanno gettato dall'altra parte, dalla strada. Mascolo, c'eravate ieri?

Il capocantiere, che aveva ascoltato con crescente rispetto, si riscosse.

– Sí, ispetto', anche se era domenica. Abbiamo finito verso le dieci. A volte continuiamo di notte, ma giú in fondo. Adesso no, però, stiamo aspettando una trivella nuova.

Lojacono si toccò l'orecchio, pensoso.

– Quindi durante la notte. È successo altrove e l'hanno portato fin qui.

Nel frattempo Alex aveva chiamato la volante, che era subito giunta. Il gruppetto dei curiosi ammontava ormai a una dozzina di persone.

Lojacono disse alla collega:

– Vai tu in ospedale? Io mi assicuro che il sito sia sotto sorveglianza e torno in commissariato. Ci sentiamo piú tardi.

Alex partí velocemente verso la Pignasecca, dove si trovava l'ospedale dei Pellegrini.

III.

Il vicecommissario Giorgio Pisanelli ricevette la notizia del ritrovamento del ferito nel cantiere della metropolitana con un sospiro.

– Ecco, è arrivato ottobre. Lo sapevo.

Dalla scrivania di fianco alla sua, Ottavia Calabrese rispose con un'espressione mesta e dolce al tempo stesso.

Erano i due veterani della squadra, a Pizzofalcone da anni, quelli che si erano fatti fregare sotto il naso da quattro colleghi falsi e vigliacchi a cui non mancavano di indirizzare maledizioni ogni giorno. Se l'erano vista brutta nella lunga e tortuosa inchiesta seguita agli avvenimenti, ma ora avevano riscoperto la voglia di lavorare e non avrebbero piú permesso che le faccende personali li distraessero da quanto avveniva in ufficio.

– In effetti era strano che non fosse ancora accaduto niente, – replicò Ottavia. – Il mese di ottobre qui a Pizzofalcone è da sempre il piú intenso. Come se i criminali si risvegliassero dopo le vacanze con un po' di ritardo.

Il collega annuí.

– E invece quest'anno nisba, silenzio assoluto. L'archivio non è mai stato cosí in ordine.

Francesco Romano entrò nella stanza con un sorriso stampato in volto.

– Buongiorno a tutti. Pisane', non pronunciare la parola archivio che mi viene l'orticaria.

Lo spettacolo di Romano che sorrideva era cosí insolito che quasi non lo riconobbero.

Pisanelli commentò, con tono grave:

– Uè, Roma', tu sei ragazzino e lo ignori, ma una volta ci stava un'attrice che si chiamava Greta Garbo. Splendida, per carità, ma sempre in lacrime perché le davano solo parti drammatiche.

Romano lo fissò perplesso.

– E allora?

– E allora a un certo punto girò un film, *Ninotchka*, in cui finalmente si faceva una risata. Non hai idea dello scalpore, pure sui manifesti e sui giornali scrissero: «La Garbo ride!»

Romano si grattò la testa.

– Pisane', ma ti senti bene? Che significa questa storia?

Ottavia agitò una mano nell'aria.

– Lascia stare, France'. Quello, Giorgio, vuol dire che siamo contenti che stai un po' piú sereno, tutto qua.

L'uomo si mostrò sinceramente meravigliato.

– E che c'è di strano? Io sono sempre sereno. Sereno e tranquillo.

Mentre stavano ridendo, sulla porta si profilò la sagoma dell'agente scelto Marco Aragona che, sorpreso, si tolse con un ampio gesto gli occhiali azzurrati e disse:

– Ecco qua, mi fa piacere che vi divertiate invece di lavorare. Tanto ci sta sempre il povero Aragona a mettere a posto l'archivio. E a che si deve la festa?

La novità nell'abbigliamento di Aragona per l'autunno-inverno era costituita da una sciarpa multicolore che, come lo stesso Marco aveva sommariamente spiegato a Ottavia giorni prima, era stata acquistata su internet ed era identica a quella indossata da un poliziotto nordeuropeo in una celebre fiction televisiva. A nulla era valso fargli notare che il clima, a certe latitudini, tendeva a essere diverso da quello della città di mare dove si trovavano. La parte, aveva precisato Marco, implicava sacrifici, e non era questione di forma, ma di sostanza: il crimine guardava la Tv e, in modo subliminale, avrebbe compreso anche da questi segnali di essere destinato alla sconfitta.

Per ora, in quel mite ottobre, gli unici effetti della sciarpa sull'agente scelto erano stati un colorito vagamente cianotico, un'imperlatura della fronte sopra i famosi occhiali e qualche starnuto derivante dai peli che si intrufolavano nelle narici, dando l'impressione di un avanzato stato influenzale nella realtà dei fatti inesistente.

Romano si voltò a squadrarlo.

– Uè, Arago', ti sei svegliato pure stamattina. Per tua norma l'archivio sta a posto: riflettevamo proprio sull'idea di assegnarti l'incarico di disordinarlo, cosí puoi ricominciare da capo. Che te ne pare?

Marco sbuffò.

– Roma', quasi quasi ti preferivo incazzoso. Sei diventato insopportabile da quando ti sei fatto simpatico come un comico televisivo. Ma si può sapere che vi ha preso a tutti quanti? Va bene che qua non succede piú nulla di serio e stimolante e sembra di stare in un quartiere residenziale di Zurigo, però siamo o non siamo i Bastardi? Dovremmo essere sempre sul pezzo, nervosi, arrabbiati col mondo, invece eccoci a chiacchierare e a *pazziare* in ufficio neanche fossimo al catasto. Che tristezza. E poi: a casa non vi vogliono proprio, che arrivate tutti qua all'alba? – Si bloccò e si guardò intorno circospetto, quindi aggiunse: – Ma il capo c'è?

Ottavia scosse la testa.

– Non ancora, doveva prima passare in questura, lo hanno chiamato ieri sera tardi. Niente di urgente, credo.

Pisanelli intervenne:
– E comunque, Marcoli', ti puoi consolare: qualcosa è successo. Stamattina all'alba, alle sei, per essere precisi, hanno trovato un uomo nel cantiere della metropolitana, su un cumulo di sabbia. Aragona esibí una smorfia incuriosita, e per sottolinearla inghiottí qualche pelo della sciarpa, con un conseguente accesso di tosse. Quando riuscí a placarlo, esclamò:
– Era ora! Un morto? E com'è morto? Ammazzato? Non è che era un semplice drogato o un ubriaco? Ha forzato l'ingresso? C'era qualcuno, con lui?
Romano lo fissò con aperto disgusto.
– Ma guardatelo, l'avvoltoio. Sei contento se fanno la pelle a qualcuno?
Aragona, imbarazzato, si rimise gli occhiali.
– No, che c'entra? È che uno pure si annoia a stare in ufficio e basta.
Pisanelli soggiunse:
– Comunque sono andati Alex, che aveva il turno di notte, e Lojacono, che era già arrivato e adesso sta tornando in ufficio, cosí ci aggiorna. Non sappiamo altro.
Come evocato per magia, l'ispettore entrò nella stanza togliendosi il soprabito. Rivolto al corridoio disse:
– Ammaturo, per favore, un caffè. Fallo doppio, ché ne ho bisogno.
Prima ancora che l'agente rispondesse spuntò anche il commissario Palma; appariva di fretta, ed era aggrondato.
– Allora? In questura ho saputo che abbiamo richiesto una volante per una cosa al cantiere della metro a Santa Maria degli Angeli...
Lojacono confermò:
– Sí, capo, vengo da lí. Di Nardo era con me, ha seguito l'ambulanza in ospedale. C'era la vittima di un pestaggio,

un uomo tra i cinquanta e i sessanta. Messo male. Addosso niente portafogli, niente documenti e niente telefono.

Palma assunse un'aria interrogativa.

– Cioè hanno assalito uno nel cantiere della metro? Un operaio?

– No. Non c'erano segni di colluttazione, nemmeno hanno rotto i catenacci all'ingresso. Secondo me l'hanno picchiato altrove e lo hanno gettato al di là della recinzione; per fortuna è atterrato sulla sabbia. Nelle condizioni in cui era, una caduta dall'alto su una superficie diversa poteva essergli fatale.

Aragona parlò da dietro la sciarpa.

– Una rapina finita male, è evidente. Lo hanno derubato, lui ha reagito e lo hanno riempito di botte. Qual è il dubbio?

Lojacono si strinse nelle spalle.

– E tu, rapinatore, dopo aver ripulito uno e averlo pestato quasi a morte perché quello ha resistito ti prendi la briga, invece di dartela a gambe lasciandolo sul posto, di trascinarlo in un cantiere? Perché correre un rischio del genere? A parte che il tizio era abbastanza grosso, perciò dovevano essere almeno in due per sollevarlo e fargli fare un volo come quello, mi pare un comportamento strano.

Pisanelli, che aveva assistito al dialogo placidamente concentrato, si inserí.

– Il cantiere è sulla via di passaggio, anche di notte non ci si può certo fermare a lungo. Hanno agito in fretta.

Lojacono era come al solito impassibile.

– Penso anch'io. E penso che, secondo logica, l'aggressione dev'essere avvenuta poco distante. Che senso avrebbe avuto trasportarlo da lontano per lasciarlo in un posto con un accesso complicato?

Romano intervenne:

– A meno che non volessero gettarlo nel cratere della metro, che è profondissimo. Là sí, che lo ammazzavano.

Palma non era convinto.

– No, è troppo interno, non è possibile buttare dentro qualcuno senza avvicinarsi. E, a quanto dice Lojacono, non hanno forzato il cancello, o sbaglio?

Mentre l'ispettore faceva segno di no con la testa, il telefono squillò e Ottavia alzò il ricevitore.

– Commissariato di Pizzof... Ah, Alex, ciao. Dimmi... Sí, siamo tutti qua. Allora? Sí... Sí... Certo, glielo chiedo.

Mise una mano sul microfono e si rivolse a Palma:

– Capo, Di Nardo vuole sapere come regolarsi. Le hanno fornito solo qualche notizia approssimativa, basta o deve rimanere ad aspettare?

Palma era indeciso.

– Quali notizie approssimative?

Ottavia riportò la domanda ad Alex e attese la risposta.

– Sí, certo. Immagino. E quindi... Va bene, sí. Aspetta un attimo.

Guardò gli altri e disse:

– L'uomo è in terapia intensiva. Ha fratture e vari traumi, ma quello che preoccupa è la testa, ha preso una botta seria ed è incosciente. In coma, insomma. E...

Si interruppe per ascoltare Alex alla cornetta. Annuí diverse volte, poi continuò:

– Allora, pare che la situazione sia molto grave. Lo hanno stabilizzato, ma siccome ai Pellegrini non c'è la neurochirurgia adesso lo trasferiscono al Cardarelli.

Palma scambiò uno sguardo con Lojacono, quindi concluse:

– Dille di andare con lui. Pretenda di entrare nella stessa ambulanza, o al limite salga su un taxi e le vada dietro.

Poi, una volta al Cardarelli, ci ricontatta. Io nel frattempo sento la procura, cosí ci prepariamo a ogni evenienza.

Ottavia riferí, aggiungendo di suo:

– Mi raccomando, stai attenta. E se hai bisogno di aiuto avvertici subito.

Aragona commentò:

– Mammina veglia su di te, Calamity. Gioca qua attorno e non ti allontanare.

Palma lo fulminò con un'occhiata.

– Arago', non fare lo spiritoso. Anzi, dopo vieni nel mio ufficio ché ti devo dire una cosa. Intanto, Lojacono, tu prendi Romano e vai nei dintorni del cantiere, magari qualcuno ha visto il movimento di scarico corpi di stanotte. Giorgio, tu fai un paio delle telefonate tue, portiamoci avanti col lavoro.

Ottavia chiese, all'improvviso e d'impulso:

– Capo, stai bene?

Tutti si voltarono stupiti. Lei sbatté le palpebre, confusa; le scappò una mezza risata.

– Ha ragione Marcolino, sono proprio una specie di mammina. Scusami, è che... in questura, tutto bene?

Palma le sorrise, un po' tirato.

– Non è che ogni volta che mi chiamano in questura è per dirmi che ci vogliono chiudere, Otta'. Tranquilla. Era solo per darmi indicazioni su alcune cose di competenza di altri ma che investono pure il quartiere. Tutto qui, niente di cui preoccuparsi. Ora telefono in procura poi, tra dieci minuti, Aragona da me.

E se ne andò, lasciandosi alle spalle un imbarazzato silenzio.

Ottobre, a quanto pareva, si stava mettendo al lavoro.

IV.

Angela contava le mattonelle e si chiedeva cosa sarebbe successo.

Erano le due principali attività della sua giornata, oltre a parlare col bambino. Ma adesso lui stava dormendo e non voleva disturbarlo.

In realtà non sapeva se stesse davvero dormendo, e nemmeno se nella condizione in cui si trovava si dormisse o no. Non ci aveva mai pensato, e ormai era troppo tardi per domandarlo a qualcuno, magari a quel gentile, giovane dottore che aveva incontrato un paio di volte all'inizio. Però le piaceva immaginare che in effetti funzionasse proprio come all'esterno, e che quindi lui avesse i suoi cicli di sonno e di veglia, l'ora dei pasti, il tempo dei giochi eccetera. Per questo preferiva parlargli quando presumibilmente non lo disturbava.

Le mattonelle del pavimento invece si potevano disturbare in qualsiasi momento, perciò le contò di nuovo: sedici, lungo la parete che vedeva stando a letto distesa sul fianco sinistro, la posizione per lei piú comoda. Sedici quadrati di venti centimetri di diagonale disposti a formare dei rombi. Quindi tre metri e venti. Senza bisogno di contarle ancora, ricordò che il pavimento, ai piedi dell'altra parete, quella piú lunga, aveva ventuno mattonelle. Quindi quattro metri e venti. La stanza pertanto misurava tredici metri e quarantaquattro centimetri quadrati.

I numeri. Ad Angela i numeri erano sempre piaciuti da morire. Si capivano subito, lei e i numeri; ogni volta che li incontrava, ogni volta che entrava in un sistema numerico si sentiva veramente libera.

Libera.

All'improvviso le venne da piangere, ma ricacciò le lacrime in gola.

Si alzò, facendo piano, e girò attorno lo sguardo nella sua prigione. Quattro pareti, la porta che non c'era. Una finestra sbarrata, la fitta grata di metallo che tiene ferma l'asse di legno, il filo sottile di luce e di aria nella parte superiore. I mobili addossati ai muri: l'armadio, il cassettone, il tavolo vecchio con un velo di polvere; piú tardi l'avrebbe pulito con la pezza che stava sullo schienale dell'unica sedia. Cercava di tenere in ordine la stanza, anche se pareva fosse la sola ad averne cura. Sul tavolo, su quel velo di polvere, il piatto vuoto e il bicchiere sporco di latte della colazione che le era stata portata puntualmente, come ogni mattina, e che aveva divorato. La fame non le era passata, anzi, andava aumentando.

Diventerò enorme, si disse.

E, come la colazione, puntuale arrivò la domanda nella sua mente, affilata come una lama, abbagliante come il raggio di sole che le sarebbe piaciuto veder entrare dalla finestra sbarrata: cosa sarebbe successo, adesso? Come si sarebbe conclusa la storia?

Non avrebbe voluto pensarci, e comunque la parte razionale di lei era consapevole che non c'era una risposta. Ma proprio non poteva fare a meno di chiederselo, giorno dopo giorno, ora dopo ora. E immaginava scenari, circostanze, incontri di volta in volta positivi, in cui tutto andava bene e tutto si risolveva, e lei e il bambino passeggiavano su ponti sconosciuti davanti al mare tenendosi per mano e chiacchierando; o negativi, in cui finiva ammazzata dentro un fosso di una brulla e desolata campagna.

Le parve di sentire un rumore dall'altra parte del muro: una sedia che era stata spostata, forse. Si chiese quale fosse lo stato d'animo di là. Se ci fosse preoccupazione, paura, se addirittura si stesse valutando qualche terribile alternativa. Quella era la cosa che la terrorizzava di piú: che a un certo punto si aprisse la porta che non c'era e venissero a prenderla, nel silenzio, nella notte.

Si accorse che il bambino era sveglio, o che almeno si muoveva. – Ciao, Mimí, – mormorò.

Era stato facile dargli un nome. Sapeva che, nella situazione precedente, le sarebbe stato impedito: figurarsi se la sua opinione, il suo pensiero avrebbe contato qualcosa, soprattutto nelle faccende importanti.

Ma nel contesto attuale poteva fare di testa sua, senza ostacoli. Almeno questo.

– Sai, Mimí, – sussurrò guardando verso la parete con l'armadio, – oggi sarà una bella giornata. Riposerò, magari rileggerò qualcuno di quei vecchi giornali accatastati per terra. Oppure accenderò la radio, a bassissimo volume cosí nessuno sente, e riprenderò contatto col mondo.

Chissà che succede fuori, Mimí. Chissà che cosa troveremo, se mai usciremo di qui.

Si passò la mano sul ventre, non aspettandosi risposte. E invece avvertí un altro impercettibile movimento.

– In prigione tu e in prigione io, Mimí. Madre e figlio insieme. Che ne sarà di noi?

E riprese a contare le mattonelle.

v.

Alex Di Nardo attendeva nella stanzetta appena fuori dal complesso operatorio dell'ospedale Cardarelli. In quel luogo il personale non autorizzato non aveva libero accesso, ma lei si era qualificata a muso duro e l'avevano lasciata passare.

Nella vita di Alex episodi simili erano una costante. Per quanto andasse indietro con la memoria, ricordava da sempre la sensazione faticosa di dover dimostrare quanto l'apparenza contrastasse con la sostanza: una ragazza piccola, riservata, i grandi occhi spesso persi nel vuoto o rivolti verso il basso per evitare contatti diretti, per tentare di non essere notata. Il corpo sottile, gli abiti anonimi, le scarpe di foggia maschile. Nessuna concessione alle mode, niente tatuaggi o piercing; un trucco leggero e poco colorato. Un solo gioiello al collo, un ciondolo d'oro a forma di pistola appeso a una catenina.

Invece Alex era un poliziotto. Un poliziotto vero, di quelli spigolosi e intransigenti. Sapeva cavarsela in un corpo a corpo, sapeva dove colpire, sapeva come far male. Aveva un forte, innato senso della giustizia, che a volte prescindeva dalla legge. E questo non mancava di metterla nei guai, come il suo curriculum testimoniava. Aveva sempre desiderato essere un poliziotto, e lo era diventata.

L'odore di disinfettante pizzicava le narici, la luce al neon era forte e diffusa. Non c'erano punti nascosti, in quella stanza. Non c'era nulla che non fosse netto, stagliato sullo sfondo, immediatamente identificabile. Nulla fuori posto.

Tranne lei, pensò. Tranne la solita Alex Di Nardo, fuori posto ovunque. Solo in mezzo a quell'armata irregolare e disordinata che erano i Bastardi di Pizzofalcone si sentiva a suo agio; nel commissariato più scalcinato della città, quello dietro al quale l'intero corpo della polizia di Stato aveva chiacchierato e riso per mesi e mesi, aspettandone la chiusura. Però erano ancora lí, pensò Alex. E nessuno rideva piú.

Perché certe volte, rifletté, il passato smette di assomigliare al presente. Non sempre, anzi, quasi mai: ma qualche volta sí.

Prese il cellulare e scorse le foto. Era riuscita a scattarne alcune da vicino alla vittima del pestaggio quando lo avevano liberato dal tubo che gli avevano messo in bocca per trasferirlo in sala operatoria attraverso un corridoio. Certo, c'erano i segni delle percosse e l'occhio sinistro era circondato da un profondo alone bluastro, ma Alex si augurava che fosse riconoscibile. Perciò aveva inviato le immagini a Ottavia. Sperava che, mentre lei restava in attesa di scoprire se stessero indagando su un omicidio o su una rapina aggravata o su chissà quale altro reato, i colleghi potessero cominciare a chiedere in giro se qualcuno l'avesse visto.

Il passato, si disse oziosamente. Il passato recente, il passato remoto. Chissà che cosa era successo a quel poveretto, chissà chi era. Nessun documento, niente telefono o anelli o orologio. Niente di niente. Una camicia a quadri, piuttosto brutta secondo Alex, un paio di jeans, una felpa col cappuccio. Tutto strappato, insanguinato, sporco di terriccio. Niente passato. Un presente di dolore, e forse niente futuro.

Magari, pensò rivolgendosi idealmente alla vittima, è proprio il passato che ti ha portato qui, sul dannato tavolo di una dannata sala operatoria. Il passato che non può essere cancellato di colpo. Le venne in mente una faccia austera e severissima: un militare dagli occhi di ghiaccio. Per un sorriso di quella faccia, per un cenno di rigida approvazione proveniente da quel mento, Alex era ciò che era. Anzi, non era ciò che era, a essere precisi.

Una porta di sicurezza si aprí con forza alle sue spalle e lei sobbalzò, girandosi e mettendosi istintivamente in posizione di difesa. L'uomo che era entrato, col camice verde, il cappellino colorato e la mascherina abbandonata sul collo, si stava asciugando le mani con una salvietta di carta. Al gesto della donna le portò in alto. La squadrò, curioso e un po' inquieto.

– Salve. Lei è la poliziotta, vero? Io sono il dottor Caruso. Mi hanno detto che aspettava notizie, vengo in pace.

Alex si rilassò, imbarazzata.

– Mi scusi, dottore. Sono l'agente Di Nardo del commissariato di Pizzofalcone, ero soprappensiero.

L'altro sorrise. Aveva circa quarant'anni e un viso simpatico.

– Si figuri, questo è un posto pericoloso, io l'ho sempre sostenuto. Meglio stare in guardia. Faccio parte della squadra che sta operando l'uomo che avete trovato. Il primario mi ha mandato a riferirle com'è la situazione al momento.

Alex estrasse dalla tasca un taccuino e una penna.

– La ascolto.

– Allora: le dico subito che è conciato male. Presenta escoriazioni ed ecchimosi un po' ovunque. Abbiamo eseguito una Tac total body e per fortuna la milza è intatta e non ci sono emorragie interne gravi. Diverse costole sono fratturate, la quarta, la quinta, la sesta e la settima

a destra, la terza a sinistra. Tibia e perone a destra, il terzo medio distale, senza scomposizione in frammenti. Tutta roba seria, ma nulla di irrimediabile.
– E allora?
Il dottore fece una smorfia.
– Il problema piú grosso emerso dagli accertamenti, quello contro cui combatteremo per alcune ore e che non ha un esito scontato è il motivo per cui il paziente è arrivato in ospedale già in coma. C'è un voluminoso ematoma extradurale sinistro, con frattura temporo-parietale e un piccolo focolaio contusivo.
Alex sbatté le palpebre, la penna sospesa sul foglio.
– Che significa, dottore?
Caruso sospirò, triste.
– Che gli hanno rotto la testa, e che un piccolo frammento di osso ha provocato una lacerazione del parenchima cerebrale, la materia di cui è fatto il cervello.
Il dottore accompagnava le parole muovendo le mani, mimando un modello tridimensionale dell'organo. A un certo punto le prese con delicatezza taccuino e penna.
– Posso, vero? Cosí è piú chiaro.
Iniziò a disegnare con tratti rapidi. Alex osservava attenta.
– La lacerazione ha provocato un'emorragia. L'ematoma comprime l'encefalo da questa parte, – tracciò una freccia, – e sposta la linea mediana lateralmente.
Alex chiese, a bassa voce:
– Quindi?
– Quindi dobbiamo aprire, e i miei colleghi lo stanno facendo adesso, con un'incisione cutanea sul sito, poi eseguiremo una craniotomia sottostante rimuovendo il frammento osseo, evacuando l'ematoma ed emostatizzando i punti di sanguinamento; chiudendo cioè i vasi lacerati.

– Ah.

– Poi completeremo la sintesi della frattura apponendo delle placchette in titanio. Qui, e qui.

Riconsegnò la penna e il taccuino ad Alex, sorridendo soddisfatto come se l'intervento fosse già stato completato con successo.

La Di Nardo domandò, timidamente:

– Dunque ci sono buone possibilità che si riprenda, ho capito bene?

Caruso spalancò gli occhi.

– No, evidentemente non mi sono spiegato. L'operazione è difficile, molto difficile. Non so prevedere se il paziente ce la farà, se si sveglierà e se riporterà danni permanenti. Questo non dipende da noi, purtroppo.

– E da chi dipende?

Il medico si strinse nelle spalle.

– Dal Padreterno, per chi ci crede. Dalla fortuna. Piú probabilmente dal caso. Chi lo sa. Certo di botte gliene hanno date, a quel disgraziato. Avete idea di chi sia stato?

Alex scosse il capo.

– Ancora no. Ma lo prenderemo.

Caruso si grattò il mento.

– Li prenderete, vuole dire.

– Perché?

Di nuovo il sospiro triste.

– Perché le percosse sono tante, e da entrambi i lati. Pugni e calci. Io non sono un medico legale, ma a occhio e croce non sono stati usati corpi contundenti o armi da taglio; però i colpi sono troppi per essere stati inferti da una persona sola. Secondo me erano almeno in due. Ora mi scusi. Devo tornare di là.

Alex fissò il cervello della vittima disegnato sul taccuino.

– Un'ultima cosa, dottore. Quanto crede che durerà l'intervento? Mi conviene aspettare o vengo piú tardi? Con la mano sulla maniglia della porta che dava alle sale operatorie, Caruso rispose:

– Può andare. Qua ne abbiamo per un po'. Ammesso e non concesso che sopravviva.

VI

Ottavia aveva inoltrato alla squadra, in maniera informale, le fotografie che le erano arrivate da Alex. I colleghi erano ammutoliti di fronte a quelle immagini: il volto tumefatto, l'espressione fissa con gli occhi semichiusi.

Sembrava morto.

Però non lo era, quindi i Bastardi si attivarono secondo un piano che Palma organizzò in fretta.

– Allora, giacché per fortuna in questo periodo non abbiamo indagini in corso e quello che c'è da fare è routine, su questa ricerca ci mettiamo tutti. Giorgio, tu vai da solo, che la gente ha fiducia in te e parla meglio a quattr'occhi; Lojacono e Romano, voi fate il consueto giro: case da gioco, sale bingo e zona borghese, vedete se c'è qualche notizia. Arago', esci pure tu, vattene un'oretta nei vicoli ché ti fa bene; la cosa che ti devo dire te la dico dopo. Tu, Otta', telefona alla questura e agli altri commissariati, verifica se ci stanno segnalazioni di persone scomparse di recente; magari controlla qualche vecchia denuncia, potrebbe essere un barbone, anche se, stando a quanto ha riferito Alex, era vestito decentemente. Se scoprite qualcosa, chiamate subito.

L'aria di ottobre era diventata piuttosto incerta, ora che si avvicinava la sera. C'era umidità, e addirittura una nebbia sottile che faceva vedere la nuvola del fiato.

Ma era ancora piuttosto caldo; la temperatura rimaneva nettamente al di sopra della media del periodo, come diceva il meteo.

Pisanelli non ricavò granché dalle sue fonti abituali. Il quartiere sapeva del ritrovamento, perché nulla che uscisse dall'ordinario poteva mai passare inosservato, eppure pareva fosse qualcosa di esterno alle normali rotte della malavita residente. Perfino Samuele, l'anziano ciabattino che resisteva con la sua «Rapida» nel vico Lungo Cedro, e che era l'incarnazione del detto «anche i muri hanno orecchie», scosse il capo dopo aver guardato la foto della vittima che Ottavia aveva stampato.

– E che ti devo dire, Pisane', io questo non l'ho mai visto. A parte che lo hanno *intommato* di mazzate e magari non lo riconoscerebbe nemmeno la mamma, non ho sentito niente su questa faccenda. Perché, chi dovrebbe essere?

Pisanelli si strinse nelle spalle.

– E se lo sapevo venivo qua da te, Samue'? È una cosa strana, lo hanno trovato senza documenti nel...

– ... Cantiere della metropolitana, lo so, questo me l'hanno detto a prima mattina. Che poi quel maledetto posto ormai è un problema; si vanno a drogare, buttano la *monnezza*, si appostano nascosti dietro al muro e saltano addosso alle persone. Pare un asilo per i *malamente*, come se ce ne fosse stato bisogno.

Il vicecommissario sospirò.

– E dillo a me. Comunque è insolito, perché lo hanno ripulito di tutto e quindi parrebbe una rapina, ma dopo lo hanno buttato oltre la recinzione, e questo significa che lo hanno trasportato fin là invece di lasciarlo dove lo hanno aggredito. Non si spiega.

Il ciabattino era rimasto seduto al suo banchetto. Spesso con Pisanelli discuteva di come, dopo anni e anni in cui guadagnava pochissimo perché costava meno comprarsi un paio di scarpe nuove che aggiustare le vecchie, da un po' la gente aveva ripreso a chiedere le riparazioni. Non a tutti la crisi fa male, ridacchiava. Da parte sua, Giorgio era ben contento che Samuele, persona onesta anche se burbera, restasse su piazza, fornendo una sponda ai rumori e ai mormorii del quartiere.

Muovendo solo gli occhi vispi al di sopra delle lenti allocate sulla punta del naso, e senza smettere di piantare chiodini per fissare una tomaia, l'artigiano replicò:

– Non c'è niente che non si spiega, Pisane'. Magari la cosa non è quello che sembra, tutto qui. Magari quello è andato a sfottere qualcuno che non doveva. Troppe mazzate per una rapina: non ne vale la pena. Basta una coltellata, no? E questo coltellate non ne ha avute.

L'uomo possedeva la rara abilità di parlare, in modo perfettamente comprensibile, tenendo fra le labbra almeno cinque o sei chiodini sottili, quelli detti *semmenzelle*: man mano che li utilizzava, li sostituiva pescandoli rapido da un cassettino del banco. A volte Pisanelli pensava che avrebbe dovuto vendere i biglietti per esibirsi mentre lavorava: in fondo, era uno degli ultimi esemplari di una specie in via d'estinzione.

– Quindi, Samue', non hai sentito niente? Siamo sicuri?

La tecnica di Pisanelli era consolidata. Ogni giorno faceva il giro dei suoi «amici», gente che frequentava da decenni. Queste visite erano così ben cadenzate e frequenti che nessuno, e in nessun caso, avrebbe saputo distinguere una richiesta d'informazioni da una semplice chiacchierata tra vecchi conoscenti.

– No, Pisane'. Niente di niente. Però il quartiere bolle, lo sai. I Sorbo si sentono in pericolo. I tuoi della Direzione distrettuale stanno lavorando bene.

Si riferiva alla procura antimafia, e i Sorbo erano il clan egemone della zona da piú di dieci anni. Pisanelli si chiese quale fosse il collegamento.

– E questo che ci azzecca con la storia del cantiere?

Il ciabattino sembrava concentratissimo sul proprio lavoro. Fece una pausa, poi disse:

– Prendi 'sta scarpa, Pisane'. La signora che me l'ha portata mi ha detto: don Samue', vedete che si è staccata la tomaia. E invece il problema è il soprattacco, che si è consumato e la signora cammina un pochino storta: il piede preme all'esterno e il danno è una conseguenza. A volte il guasto pare uno, ma è un altro. Magari, pensando al contrario, uno risolve le cose, non credi? E i Sorbo, magari, li colpisci di piú mettendo mano alle carte che alle pistole. Magari, dico.

Pisanelli rifletté su quella perla di saggezza, poi sorrise:

– Hai ragione Samue'. Io però oggi volevo solo notizie su questo povero cristo, niente di piú. Ti saluto.

Il ciabattino non aveva smesso di piantare chiodini.

– Ciao, Pisane'. E ricordati: io capita che cerco le cose nei punti sbagliati, e invece quelle stanno dove devono stare. Perdo solo un po' di tempo, ma poi le trovo. Buona giornata.

Lojacono e Romano visitarono tutte le case da gioco, legali e illegali, del quartiere. L'idea di Palma era corretta: a volte qualche incauto si avventurava in quei luoghi da altri quartieri e veniva ripulito e picchiato, anche se non si arrivava mai a vedere gente ridotta come l'anonimo del cantiere della metro; e a volte un indizio saltava, perché, mirando alla sopravvivenza delle loro attività, i gestori stessi collaboravano per limitare gli episodi di violenza.

Ora, però, si trovavano di fronte a un muro di gomma. Nessuno conosceva il tizio, nessuno lo aveva incontrato, soprattutto nessuno aveva assistito all'operazione di scarico del corpo.

Dopo l'ennesimo tentativo andato a vuoto, Romano disse:

– Loja', qua non si *quaglia* niente. Chissà da dove l'hanno portato, questo fantasma. Secondo me il cantiere era solo il posto scelto per depistare.

Il Cinese annuí.

– Può darsi. In questo caso, prima o poi arriverà la segnalazione di un uomo scomparso e noi incroceremo il dato. Fino ad allora, però, il problema è nostro, e dobbiamo continuare a indagare.

– Va bene. Ma da questa feccia non caviamo nulla, credimi.

Lojacono sospirò lievemente.

– D'accordo, rientriamo. Speriamo che agli altri sia andata meglio.

Come talvolta accadeva, la traccia la trovò Aragona, per caso. Non aveva nemmeno provato a cercarla, in realtà, sicuro che nessuno, se pure avesse incrociato l'uomo prima del pestaggio, lo avrebbe riconosciuto dalla foto del volto tumefatto; e comunque non l'avrebbe detto a lui, che puzzava di poliziotto in gamba lontano un miglio (chissà quant'era un miglio, prima o poi doveva informarsi) e non era uno al quale il sottobosco criminale avrebbe mai dato confidenza.

Lui era quello cattivo, pensava. Il poliziotto che arriva con l'acume e l'intelligenza dove il crimine nasconde le informazioni e, se è necessario, tira fuori l'arma o anche solo le capaci mani per convincere i delinquenti a dichiarare quello che gli serve. Era l'uomo della fase successiva, non una spia che entra in amicizia coi farabutti.

Peraltro aveva serie questioni personali su cui riflettere, non poteva mica sprecare tempo a sventolare un foglio
con aria supplichevole davanti ai passanti come il pastore
di una chiesa evangelica la domenica mattina.

Primo: che accidenti voleva da lui Palma? Gli aveva an-
nunciato che doveva parlargli al ritorno dalla questura e
Marco sapeva che da quelle parti lo odiavano perché, per
invidia, affermavano che era raccomandato. Non poteva
venire niente di buono da questa cosa.

Secondo: Irina. La bellissima cameriera dell'hotel *Mediterraneo* di cui, ormai ne era certo, era innamorato, ma con
cui, per chissà quale motivo, stentava a prendere contatto. Dopo aver acquisito un elevato punteggio ai suoi occhi
risolvendo il caso dei cani rapiti, vicenda che, per inciso,
gli aveva procurato una brutta botta alla testa che ancora gli
doleva quando cambiava il tempo, proprio mentre era intento a elaborare una strategia per invitarla a cena, quella
era sparita dalla circolazione. Lui allora aveva raccolto il
coraggio e aveva chiesto informazioni a Peppino, il portiere di notte, giustificando la domanda come necessaria
a un'indagine riservatissima dell'immigrazione.

L'uomo aveva mostrato una fastidiosa reticenza, curata
con una banconota da cento euro che Aragona aveva mil-
lantato provenire da un fondo apposito e segreto in dota-
zione agli agenti speciali, poi gli aveva raccontato che Irina
era tornata in Montenegro per una questione personale.
Secondo Peppino, che buttò lí l'ipotesi con noncuranza,
causando all'agente scelto un accesso di tosse che lo aveva
quasi ucciso, aveva chiesto le ferie per andare a sposarsi.
Facevano tutte cosí: mettevano da parte un po' di soldi e
tornavano nei postacci infami dove erano nate per sposare un maledetto ubriacone. Il portiere aveva pronunciato
quelle parole ammiccando, ben consapevole delle opinioni

sugli immigrati che Aragona non mancava di condividere
nelle chiacchierate di fine turno, prima di ritirarsi nella
suite in cui abitava all'insaputa dei colleghi; una sistemazione costosa finanziata dalla mamma, la quale non sopportava l'idea che il figlio unico e amatissimo vivesse nel
disagio. Stavolta, però, l'agente scelto lo aveva fissato con
freddezza, intimandogli di informarlo all'istante, e in via
riservatissima, di qualsiasi novità in merito.

– Ma perché, dotto', che ha fatto Irina? Tra tante di-
sgraziate che vengono a mangiare il pane nostro, lei mi pareva un poco piú onesta e *faticatrice*. Mi sono sbagliato, eh?

Aragona aveva farfugliato qualcosa sull'impossibilità di
dare informazioni relative alle indagini; ma aveva lasciato
intuire che non era certo Irina, bensí qualcuno che lei poteva conoscere a essere oggetto di attenzione. Che Peppino
doveva farsi i fatti suoi, e che lo teneva d'occhio.

Preso da simili pressanti questioni, Marco decise di sfuggire all'umidità entrando in un bar, per lasciar trascorrere
il tempo necessario a giustificare un ritorno privo di risultati. Si avvicinò alla cassa e, dall'interno della sua sciarpa
nuova, disse:

– Pfpffè.

La donna dal fisico imponente che sedeva dietro il bancone lo squadrò con diffidenza, e rispose:

– Che?

Aragona emerse dall'indumento, sputacchiò qualche
pelo e ripeté, irritato:

– Caffè. Non ci sente, signo'?

Le dimensioni della donna erano notevoli. Sembrava che
il bugigattolo della cassa le fosse stato montato attorno; era
inverosimile che fosse passata dal piccolo sportello.

– No, giovino', siete voi che parlate male con quel-
l'obbrobrio davanti alla bocca. Ma che è, state raffreddato?

Aragona si tolse gli occhiali con un gesto lento e la fissò col famoso sguardo indagatore che aveva selezionato, tra una decina di possibilità, allo specchio della propria stanza.

– Per sua norma, cara signora, questa sciarpa costa quanto tutto il locale qua. Ed è anche un modo per mettere subito in chiaro che non sempre uno si vuole far riconoscere.

Quella si illuminò.

– Ah, ho capito, siete un attore comico! Lo dovevo immaginare, tenete una faccia che fa cosí ridere! Prego, accomodatevi, che bella cosa che siete venuto da noi!

Aragona trasecolò.

– Ma quale attore comico! Io sono un agente speciale, e mi trovo nel pieno di un'indagine: come si permette?

La donna spalancò occhi e bocca, e il suo viso rotondo ospitò altri tre cerchi perfetti.

– Veramente? E che è successo, che abbiamo fatto noi? Guardate che siamo gente onesta e…

Aragona, esasperato – anche perché, nell'ulteriore tentativo di parlare, la sciarpa, che pareva dotata di vita propria, gli era di nuovo penetrata in bocca – non trovò di meglio che sbattere sul bancone il foglio con la fotografia della vittima del pestaggio.

– Rtfutfff! – disse.

La donna gettò uno sguardo sull'immagine ed emise un urlo soffocato:

– Uh, madonna, ma come lo hanno ridotto! *Puveriello*, una persona cosí garbata!

Marco si divincolò dal pericoloso accessorio che lo stava soffocando e continuò:

– Ecco perché sono in giro, non certo per far ridere e… Ma come, l'ha visto?

– Certo che l'ho visto. È venuto qua ieri… no, l'altro ieri. Si è pigliato un caffè, ci ha fatto pure i complimenti, un signore gentilissimo; ha detto che dalle parti sue il caffè fa schifo. Voleva sapere dov'era vico Egizio, il numero 15.

Aragona estrasse il taccuino e la penna e cominciò a prendere frenetici appunti.

– Le viene in mente qualche altro particolare, signo'? Che so, ha risposto al telefono? Indossava qualche indumento strano o...

– No, me lo ricorderei. Per esempio la sciarpa vostra, chi se la scorda piú?

Aragona socchiuse gli occhi, valutando l'ipotesi di ingaggiare una discussione sul gusto in materia di abbigliamento. Poi decise di desistere, per non distrarre la testimone.

– Ha nominato qualcuno, o qualcosa?

La donna scosse la testa.

– No, niente e nessuno. Però una cosa era chiara.

Marco stava per esplodere. Fece appello a un residuo di pazienza e chiese, calmo:

– Che cosa, signo'? Che cosa era chiaro?

– Parlava forestiero. Decisamente forestiero.

VII.

Lojacono e Romano furono gli ultimi a rientrare, mentre Alex stava relazionando sulle condizioni dell'uomo ferito.

– ... e quindi è stato necessario operarlo, cosí mi hanno spiegato. Dovevano rimuovere l'ematoma e il frammento di osso che l'ha provocato.

Ottavia chiese:

– Ma se si salva, rimarrà... Cioè, potrà essere di nuovo... come prima?

Palma le rivolse uno sguardo rapido. Sapevano tutti della menomazione del figlio di lei, Riccardo, gravemente autistico.

Alex si strinse nelle spalle.

– È presto per dirlo. Non sanno nemmeno se si risveglierà dall'anestesia.

Vedendo i due colleghi appena tornati, Palma li aggiornò:

– Potete anche non credermi, ma Aragona ha trovato una notizia interessante, ammesso che sia vera.

L'agente scelto protestò con vivacità:

– Ma come non è vera, capo? Ti assicuro che ci è voluta una lunga, approfondita indagine per ottenere questa informazione, ho dovuto torchiare la testimone che...

Pisanelli intervenne ridacchiando:

– Chi, Titina del *Bar degli Azzurri*? Quella ti stacca la testa con uno schiaffo, altro che torchiarla.

Palma minimizzò:

– Comunque, pare che già l'altro ieri, quindi il giorno prima di essere aggredito, l'uomo chiedesse in giro come raggiungere una strada del quartiere... – consultò un foglietto, ma Aragona lo anticipò con sussiego:

– Vico Egizio numero 15.

Palma annuí.

– Sí, vico Egizio 15. E un secondo dato importante è che parlava con accento straniero.

Romano chiese:

– Accento straniero di dove?

Pisanelli scosse il capo.

– Escludo che Titina sia in grado di dedurre la nazione di provenienza. Ha strumenti culturali limitati. Per carità, è una brava ragazza, ma piuttosto ignorante. Per lei esistono gli abitanti della città e gli stranieri. Magari il tizio è di Milano.

Lojacono, imperturbabile, cercava di ragionare.

– Però, posto per ipotesi che la vittima sia effettivamente straniera, lo scenario cambia. Le segnalazioni da controllare aumentano.

Ottavia s'illuminò, e cominciò a digitare freneticamente al computer. Aragona invece era perplesso.

– Perché dici cosí, Loja'? In che senso?

Fu proprio Ottavia a rispondergli:

– Nel senso che dobbiamo tener conto anche dei turisti che non sono rientrati nei luoghi di residenza provvisoria. Le navi da crociera ormeggiate nel porto, per esempio.

Palma aggiunse, deciso:

– Giusto. E non solo, bisogna anche considerare gli alberghi, i bed and breakfast, gli ostelli.

Alex integrò le informazioni:

– Un uomo tra i cinquanta e i sessanta, alto un metro e ottanta circa, di corporatura robusta.

44 MAURIZIO DE GIOVANNI

Ottavia, continuando a digitare, chiese:
- Colore degli occhi?
- Non lo so, non li ha mai aperti. Capelli lisci e lunghi.
Una camicia a quadri, un paio di jeans, una felpa col cappuccio...
Ottavia serrò le labbra, frustrata:
- Gli alberghi non segnalano niente. E dalla questura non arrivano indicazioni. Naturalmente ci stanno quelle vecchie, ma in tal caso diventa impossibile...
Lojacono d'un tratto esclamò:
- Ottavia, dài un'occhiata ai posti vicini. Le località turistiche, intendo. Ischia, Capri, Positano...
Romano non era convinto:
- E uno viene in città da Positano o da Pompei per visitare vico Egizio? È una viuzza buia in cui non c'è niente da vedere!
Pisanelli mormorò:
- Be', ha il suo fascino. Mi hanno detto che una volta c'era pure un casino, negli anni Cinquanta...
Aragona rise, sguaiato.
- E tu eri un cliente affezionato, eh?
Ottavia alzò una mano.
- Zitti! Forse ho qualcosa. State a sentire; è il sito di un giornale di Sorrento: apprensione per un turista statunitense, uscito ieri in taxi dall'hotel *Tritone* e non piú rientrato. I familiari hanno avvertito la polizia municipale e chiesto di comunicare l'eventuale avvistamento dell'uomo; hanno pure rilasciato una descrizione.
- Leggi, allora, - la esortò Alex.
Ottavia scorse la schermata e riprese a parlare.
- Dunque: si chiama Ethan Wood, nato il 18 febbraio del '63, residente a Los Angeles. Altezza un metro e ottantuno, peso novanta chili. C'è una foto.

Girò lo schermo verso gli altri, e tutti si avvicinarono. Dal display un viso squadrato sorrideva amichevole, un paio di occhiali scuri sulla fronte, il ciuffo di capelli un po' mosso dal vento.

La ragazza annuí, decisa.

– È lui.

Pisanelli confrontò l'immagine sul computer con la foto scattata da Alex in ospedale e stampata su carta.

– Dio mio, come l'hanno ridotto. Si riconosce a stento.

Palma batté le mani.

– Be', comunque l'abbiamo trovato. Lojacono e Di Nardo, voi che siete intervenuti per primi al cantiere mettetevi in macchina e andate subito a Sorrento in questo hotel *Tritone*. Lo so che è tardi, ma bisogna sentire i familiari, anche perché vorranno raggiungere l'uomo in ospedale. Partendo ora, potrete essere di ritorno per cena. Io chiamo la Piras e l'avverto: manco a farlo apposta è lei il magistrato di turno. L'aver risolto subito la questione dell'identità le sarà di aiuto.

– E noi, capo? – chiese Romano.

Palma consultò l'orologio.

– Voi, se tenete cose vostre da fare, fatele, ma occhio al telefono, perché se c'è bisogno vi chiamo. Tu, Ottavia, se puoi, trattieniti un altro poco, cosí presidi l'ufficio. Tu invece, Arago', vieni da me che ti dico quella famosa cosa.

L'agente scelto, che si era avviato alla porta, si fermò come congelato e abbassò le spalle.

– Sí, capo.

Di Nardo e Lojacono erano già usciti.

VIII.

Per un tacito accordo guidava Alex, e a Lojacono la cosa faceva piacere. La guida della collega era sicura e rispettosa delle regole, anche se veloce. Non come quella di Aragona, a strappi, irritante, nel modo in cui riusciva a esserlo l'agente scelto, e nemmeno come quella di Romano, che rispondeva a logiche tutte sue, con sorpassi a destra e passanti sfiorati.

Dopo una decina di minuti, Di Nardo disse:

– Siccome siamo fuori stagione e in un giorno feriale, ci metteremo una quarantina di minuti. D'estate possono volerci persino tre ore, per arrivare a Sorrento. Eppure sono meno di cinquanta chilometri.

Il Cinese scosse appena il capo. Aveva le mani sulle ginocchia, perfettamente allineate, la cintura allacciata e gli occhi obliqui fissi sulla strada.

– Questo posto è indecifrabile. Tu pensi di averlo capito e invece sei lontanissimo dalla realtà.

Alex sogghignò.

– Non ti sei proprio abituato, eh? Eppure ormai sei organico, hai ricominciato a lavorare. Piuttosto, come si è ambientata tua figlia?

– Non me ne parlare, sembra nata qui tanto è contenta. Ha un'amica del cuore, a scuola è partita benissimo; le piace tutto, addirittura il traffico caotico; sostiene che è pieno di vita. Io non riesco a capire. Eppure la città da cui proviene è l'opposto, piccola e tranquilla.

– Magari è proprio per questo. Quanti anni ha tua figlia?
Lojacono sorrise appena.

– Diciassette, ma si comporta come se ne avesse trenta.
Come se non fosse una bambina.

La Di Nardo divenne serissima.

– Ti prego, Lojacono, non dire cosí. Tu non puoi immaginare i danni che un padre può causare a una figlia non
volendo riconoscere che è cresciuta.

Il Cinese si voltò verso di lei un momento, ma la collega era concentrata sulla strada. Un muscolo le guizzava
vicino alla mascella.

– Non è questo, lo sai che non sono un prevaricatore.
Anzi. È che ci sono molti pericoli, e io rispondo della sua
sicurezza anche alla madre, che ha fatto l'impossibile, credimi, per impedirle di venire a stare qui.

– Lo so, hai paura. Ma sei sicuro che il tuo vero timore non sia di diventare meno indispensabile per lei? Perché guarda che non è cosí. Tu sarai sempre la persona
piú importante della sua vita, però devi lasciarla vivere.

Lojacono comprese infine, con ritardo, che Alex stava
parlando di sé stessa. Decise allora di annuire e di non aggiungere piú niente.

Come previsto arrivarono dopo quaranta minuti esatti.
Il clima era diverso da quello della città, ancora piú umido,
e il posto trasmetteva una sensazione di attesa. La gran
parte delle saracinesche era chiusa, molti tavolini di bar e
ristoranti erano coperti con teli di plastica.

L'hotel *Tritone* era in una posizione meravigliosa, nei
pressi di una piazza occupata perlopiú da alberi, aiuole e
panchine. Alex trovò facilmente un parcheggio e i due si
avviarono a piedi. Era sera, ormai quasi buio, e tuttavia
si intuiva un panorama fantastico, a picco sul mare. Il portiere, seduto a digitare sullo schermo di un cellulare, si

alzò quando Di Nardo e Lojacono entrarono sorridendo nell'ampia hall. Era un albergo di lusso, degno delle cinque stelle che sormontavano l'insegna.

Si qualificarono, e l'uomo si fece un po' piú serio. Poi sussurrò di attendere e chiamò il direttore, un signore alto ed elegante, con gli occhi chiari un po' acquosi e due grossi baffi.

– Salve. Sono Tarallo. Come posso aiutarvi?

– Ispettore Lojacono, del commissariato di Pizzofalcone, e la mia collega è l'agente Di Nardo. Siamo venuti per il vostro ospite scomparso: crediamo di avere delle notizie. Abbiamo letto che qui ci sono i suoi familiari, è corretto?

L'uomo parve quasi sollevato, per chissà quale motivo, e annuí con decisione.

– Ci sono la madre, la sorella e una persona di servizio. Occupano tre camere, compresa quella del signor Wood. Attendete qui, prego, avverto la signora.

I due si sedettero su un divano. Una musica diffusa inondava la sala deserta. Il portiere era rimasto in piedi a fissarli con un sorriso di plastica sul volto, come un manichino. Ad Alex sembrò inquietante.

Il direttore tornò accompagnato da una donna visibilmente agitata, di circa quarant'anni, bionda e graziosa, anche se un po' in carne.

– La signora Wood, sorella del signor Wood. L'ispettore Lojacono e l'agente Di Nardo, di un commissariato della città.

Lojacono precisò:

– Di Pizzofalcone, per l'esattezza.

La donna tese la mano e il poliziotto la strinse. Era gelida.

– Il signor Tarallo mi dice che forse voi sapete qualcosa di mio fratello, *that's right*? L'avete trovato? Come sta?

– Forse sí, signora. Purtroppo devo comunicarle che non è in buone condizioni, è stato oggetto di... insomma, lo hanno picchiato. Duramente. Ha subito un intervento e...

– Un intervento? *What does it mean?* Che significa un intervento?

Si era voltata verso il direttore, come se avesse bisogno di una traduzione. L'uomo allargò le braccia.

Alex provò a spiegare.

– Un'operazione chirurgica, signora. *Surgery*, credo si dica. Una cosa molto delicata, alla testa. Ma è vivo.

La Wood aveva spalancato gli occhi e portato una mano davanti alla bocca. Sembrava non riuscisse ad afferrare quello che i due poliziotti stavano dicendo.

– Mi capisce, signora? Forse l'italiano...

La donna si riscosse e allontanò la mano dal viso.

– Vi prego... chiamatemi Holly. Io capisco bene la vostra lingua. Mia mamma è originaria di qui. Noi abbiamo sempre parlato italiano, in casa. Io e... io e mio fratello.

Alex intervenne con dolcezza:

– Sono stata con lui in ospedale, signora. Stanno facendo il possibile, glielo garantisco.

Holly annuí piú volte, con movimenti nervosi. Lojacono e Di Nardo sapevano bene quello che provava: dall'angoscia per la scomparsa del fratello doveva passare alla preoccupazione per la sua incolumità. Stava rimodulando i suoi pensieri. Aveva bisogno di tempo.

– Avremmo necessità di qualche chiarimento, signora... Holly. Però possiamo rimandare un poco, se vuole, – intervenne l'ispettore.

Holly scosse la testa, decisa. Negli occhi le si leggeva una nuova determinazione. Era una donna pratica, e stava superando l'impasse velocemente.

– No, no. Io devo andare da lui. Subito. Le domande dopo. Prima voglio vedere Ethan.

Si girò e chiamò a sé una donna in camice che l'aspettava piú in là e che, per discrezione, non si era avvicinata. Cominciò a discutere fittamente con lei: si intuiva che le stava impartendo istruzioni. Quindi si voltò di nuovo verso Alex.

– Qual è l'ospedale? L'indirizzo? Vi prego.

Alex scambiò uno sguardo con Lojacono, che annuí, e disse:

– L'accompagno io, Holly. Ho l'automobile qua fuori.

L'ispettore si rivolse alla collega:

– Sí, pensaci tu. Io resto qui a raccogliere un po' di informazioni, poi torno per conto mio.

Holly fece un breve sorriso, ringraziando con un cenno del capo, e uscí con Alex.

IX.

Palma aggiornò per telefono la Piras sulle ultime novità riguardanti l'uomo vittima di percosse e ricevette le consuete istruzioni. Durante la conversazione, Aragona aspettò diligentemente, passando il peso del corpo da un piede all'altro.

La convocazione del capo lo preoccupava. A onta dell'elevata opinione che aveva di sé stesso, l'esperienza gli aveva insegnato a non contare sul riconoscimento dei superiori; in particolare quando c'era di mezzo la questura, una specie di luogo misterioso, politicizzato, pieno di leccaculo che, essendo lui un uomo d'azione, non aveva mai compreso a fondo.

E anche Palma, che per molti versi aveva dimostrato di essere corretto ed equanime, a volte sembrava incapace di dispensare giustizia.

Non sarebbe stato piú opportuno encomiarlo davanti ai colleghi per le informazioni in merito allo sconosciuto del cantiere? Ci era riuscito lui, proprio l'agente scelto (ma lui preferiva «agente S.», come Speciale) Aragona Marco; non l'esperto Pisanelli, scafato e noto in tutto il quartiere; non l'abilissimo Lojacono detto il Cinese, l'ispettore dal fiuto leggendario; non il forte Romano detto Hulk, l'uomo che si esprimeva a schiaffoni. Ci era riuscito lui. Si sarebbe aspettato un complimento, una pacca sulla spalla, e invece niente. Solo quella convocazione sbrigativa nella stanza delle torture.

Conclusa la telefonata, Palma lo fissò e gli fece cenno di sedersi.

Aragona si preoccupò ancora di piú.

– Senti un po', Arago', tu la sai la situazione nostra. Non siamo certo i piú popolari fra i membri della polizia di Stato della città. Si pensava che ci avrebbero chiuso subito, dovevamo portare avanti l'ordinaria amministrazione e basta. E lo sai perché proprio voi siete stati destinati qua?

Aragona si impettí.

– Ma questo era prima, capo.

Palma continuò, guardandolo storto:

– Perché nessuno vi voleva. Perché dove vi trovavate eravate considerati in esubero.

– Non tutti, capo, Pisanelli e Ottavia erano già…

– Pisanelli e Ottavia non si erano accorti di quello che stava succedendo, lo sai. I quattro colleghi commerciavano sotto i loro occhi la droga sequestrata e loro non lo hanno capito.

Aragona si agitò sulla sedia. Palma proseguí:

– Ma, come dici giustamente tu, questo era prima. Perché dopo avete dimostrato che non solo potevate gestire l'ordinaria amministrazione, ma anche quella straordinaria. Allora è stato deciso, e lo comunico a te per primo, di lasciare il commissariato aperto, e pienamente operativo, a tempo indeterminato.

Aragona rimase a bocca aperta. Poi balbettò:

– Da… davvero, capo? Ma… ma… questo è fantastico, no? Bisogna festeggiare!

Palma batté la mano aperta sul tavolo.

– No, invece! Non c'è niente da festeggiare se si viene giudicati idonei a svolgere il proprio lavoro, a fare quello per cui si è pagati.

Aragona incassò la testa nella sciarpa, terrorizzato. Il superiore proseguí, abbassando la voce:

– E poi, se lo vuoi sapere, io non mi fido. La notizia è informale, mi è stata data quasi di nascosto, non vorrei si trattasse di una mezza trappola. Lo sai che sono in tanti ad augurarsi il nostro fallimento, a sperare che commettiamo qualche fesseria.

Aragona ci pensò su, e fu sorpreso di trovarsi d'accordo col commissario.

– E allora perché... Cioè, come mai sono qui? La ringrazio per la confidenza, ma...

Palma annuí.

– Hai ragione: mo' ti spiego.

Si alzò, stringendo un foglio che aveva preso sulla scrivania.

– Dunque, tra tutti tu sei forse quello che è migliorato di piú. Ti avevano descritto come un deficiente irrimediabile, un raccomandato di ferro, un essere inutile dal quale non si poteva tirar fuori niente.

L'agente scelto protestò con forza:

– Ma è tutta invidia, capo! Dicevano cosí perché non mi hanno mai concesso un po' di fiducia. Come può uno dimostrare di essere bravo se non gli fanno mai vedere la strada, un criminale, una volante? Sempre dietro a una maledetta scrivania, sempre carte da mettere a posto, sempre...

Palma sorrise.

– E io invece la fiducia te l'ho data, no? Ti ho mandato per strada, ti ho permesso di mostrare le tue qualità. E devo ammettere che non mi hai deluso. Anche oggi, con questa cosa dell'uomo trovato nel cantiere... sei stato bravo, insomma. Proprio bravo.

Aragona esibí un largo sorriso, venato da alcuni lunghi peli della sciarpa.

- Grazie, capo. Grazie. Non mi aspettavo questo complimento, non ci avevo nemmeno pensato in realtà, ma grazie. Ho fatto solo il mio dovere, perché il dovere di un vero poliziotto è...
Palma sbuffò.
- Sí, sí, va be', mo' non ti allargare, sembri un pavone che fa la ruota. Ti devo dire un'altra cosa.
Picchiettò sul foglio che aveva in mano e continuò:
- Stamattina, in questura, mi hanno informato che nel quartiere, zona di competenza nostra, c'è un magazzino. Una specie di garage chiuso, qua ci sta l'indirizzo. Pare che qualcuno, non so chi, abbia riferito che ogni settimana in questo magazzino ci sta un movimento strano. Niente di pericoloso, né armi né droga, intendiamoci, ma borse e valigie che arrivano al porto, che come sai non è lontano, e passano le ispezioni perché è merce anonima regolarmente fatturata.
Aragona non capiva.
- E allora?
- E allora, semplicemente, vengono a prelevare questa merce per portarla chissà dove. Insomma, se ne perdono le tracce. E non molto tempo dopo alcuni negozi della provincia espongono borse e valigie di importanti e famosissimi marchi. Il sospetto è che si faccia qualche imbroglio con le bolle di carico, e che le borse siano false. Magari è una bufala, magari è vero. In questura vogliono che si sorvegli il magazzino, e vogliono che te ne occupi tu.
Marco spalancò gli occhi.
- Io, capo? E perché io?
Palma scosse la testa.
- Non lo so, e francamente ne sono un po' stupito. Ma hanno fatto proprio il tuo nome. Forse si stanno convin-

cendo anche loro che, in fin dei conti, sei uno di cui ci si
può fidare.

Aragona balzò in piedi.

– Non ti deluderò, capo. Puoi già dire in questura che
io smaschererò il traffico e che sgomineremo la banda.
I Bastardi di Pizzofalcone trionferanno ancora, non ci
sono dubbi e...

Palma lo guardò con un'espressione sconfortata.

– Ecco, me lo sentivo che era troppo pretendere un minimo di serietà. Mi fai pensare che sia meglio ignorare l'indicazione della questura e affidare l'incarico a un altro.

L'agente S. si appropriò del foglio che Palma teneva
fra le mani.

– E no, capo, troppo tardi. Sono informazioni riservate,
ed è meglio che solo uno le conosca. Non si può mai sapere.

Si allontanò velocemente, ma quando fu sulla soglia
della porta si girò, si produsse in un rigido saluto militare e dichiarò:

– Mpf, tmpf.

Poi, sputacchiando peli, ripeté:

– Sempre agli ordini.

Uscí mentre Palma, avvilito, si lasciava cadere sulla poltrona coprendosi faccia.

X.

Partite Alex e Holly, Lojacono restò col direttore dell'albergo, l'azzimato signor Tarallo, il quale parlava sottovoce anche quando non c'era nessuno che potesse origliare. Una caratteristica che, unita alla musica diffusa dagli altoparlanti nascosti nella lussuosa hall, costringeva l'ispettore a tendere le orecchie.

– Direttore, un paio di domande. Questi signori... – lesse dal foglietto su cui stava prendendo appunti, – Wood, madre, figli e badante, sono arrivati insieme?

– Certo, signore. Giovedí scorso, il 15, in tarda mattinata. Hanno occupato tre stanze: in una si è sistemata la signora con la badante, nelle altre i due fratelli.

– Ispettore, sono ispettore. Sono venuti senza preavviso, hanno prenotato su internet o...

L'uomo scosse lievemente il capo. Gli occhi acquosi e le movenze controllate accentuavano l'impressione di stare conversando con un anziano parroco.

– No, no, signore. Hanno riservato le camere per telefono; sono stato io a rispondere. Parlai con il signor Ethan: ricordo che ribadí la necessità di alloggiare proprio qui.

Lojacono era attentissimo.

– Proprio qui? Nel senso di Sorrento o...

– No, signore. Proprio qui, al *Tritone*. Mi disse che c'erano motivi affettivi.

Il poliziotto rinunciò a essere chiamato ispettore.

– E le disse quali fossero questi motivi?

– No, signore. E io, ovvio, non ho chiesto: la discrezione innanzitutto. Ma il *Tritone* è un albergo antico, abbiamo la discesa a mare, siamo abbastanza famosi e non ci sorprende che vogliano tornare da noi.

– I Wood erano habitué, quindi?

Tarallo si strinse lievemente nelle spalle, riuscendo a non variare la sua postura confessionale.

– Non che mi risulti, signore. Ho pure verificato: noi applichiamo agevolazioni ai clienti affezionati, ma non ci sono prenotazioni a nome Wood negli ultimi dieci anni, da quando cioè abbiamo archivi informatici. Prima non le saprei dire.

Lojacono, dopo una pausa, chiese:

– Ha qualcosa da segnalarmi sui comportamenti del signor Wood nei giorni precedenti a ieri? Qualcosa di strano, visite ricevute, contatti con qualcuno...

Il direttore spalancò gli occhi, scandalizzato.

– No, signore! Noi non sorvegliamo mica i nostri ospiti! Facciamo della riservatezza il nostro motto! Chi viene al *Tritone* sa bene di poter fare quello che crede; i dipendenti sono qui per garantire ogni tipo di privacy e...

Il Cinese alzò la mano per fermare il flusso di parole.

– Senta, Tarallo, chiariamo le cose. Io non sono un investigatore privato che indaga su un paio di corna, sono un rappresentante della polizia di Stato incaricato di far luce su un tentato omicidio, che forse a quest'ora è diventato un omicidio.

Aveva appositamente alzato la voce perché lo sentisse anche il portiere, al quale, infatti, si appannò il sorriso plastificato. Tarallo piegò il collo in avanti come se avesse ricevuto un colpo e disse:

– Certo, ispettore. Intendevo solo che noi, professionalmente... Vede, questi sono tempi duri, anche per i
grandi alberghi. La maggior parte ormai chiude da fine
ottobre a Pasqua, aprendo forse, e dico forse, nel periodo natalizio. Non è facile lavorare, per chi ha qualifiche
elevate. Il posto ce lo teniamo stretto, insomma. Non lo
mettiamo a rischio impicciandoci dei fatti altrui.

Con la coda dell'occhio, Lojacono percepí che il portiere si era messo ostentatamente a ordinare documenti.
Aveva le orecchie rosse.

Si rivolse di nuovo a Tarallo:

– Vorrei vedere la signora Wood.

L'uomo assunse un'aria compunta.

– Devo prima chiedere se è disponibile a...

– Allora non mi sono spiegato bene, Tarallo. Forse è meglio che chiami la procura per ottenere un mandato che, magari, comporti la chiusura temporanea di questo esercizio.

Il direttore sobbalzò, probabilmente piú per aver sentito
definire «esercizio» l'hotel che per la paventata chiusura.

– No, no, ispettore, per carità. Mi lasci solo avvertire
e andiamo su.

Tarallo esibí il proprio inglese alberghiero e compunto
con la badante, una graziosa trentenne in camice e cappellino di nome Elizabeth (*please, call me Beth*, disse sorridendo a Lojacono) Storm. La donna era già stata messa
al corrente dei fatti da Holly prima che questa partisse
con Alex, e appariva professionale e preparata; non c'era
traccia di panico, in lei.

Introdusse i due uomini nella suite facendoli accomodare
nel salottino che si trovava all'ingresso e, dopo aver scambiato qualche parola con Tarallo, si diresse verso la camera.

Il direttore informò Lojacono:

– La signorina è un'infermiera diplomata e non lascia mai sola la signora Wood. La signora è... Non capisce molto, insomma. È piuttosto svagata. La signorina Beth non le ha riferito del figlio, anche perché sarebbe inutile.

L'infermiera tornò spingendo una sedia a rotelle sulla quale era accomodata Charlotte Wood (il nome lo disse a bassa voce Tarallo). Lojacono restò sorpreso dalla raffinatissima bellezza della donna, che doveva avere quasi ottant'anni, ma ne dimostrava una ventina in meno. I grandi occhi verdi, il naso minuscolo e le labbra piene, aperte in un bellissimo sorriso, componevano un insieme di forte impatto. Da giovane, pensò Lojacono, doveva essere stata un vero schianto.

Beth sussurrò qualcosa alla signora, che non pareva ascoltarla: fissava Lojacono in volto con un'espressione felice, come se fosse un vecchio amico.

– *Hi, Vittorio! How are you, my dear? I'm so happy to meet you! Thank you to be here!*

Lojacono batté le palpebre, colto in contropiede, e sorrise accennando un saluto col capo. La donna, continuando a sorridere a sua volta, agitò la mano davanti agli occhi.

– Oh, *forgive me*, scusami, dimentico sempre che non ti piace parlare inglese. E poi io sono italiana, *do you remember?* Carlotta. Che gioia vederti! Come stai? Sempre *so beautiful*, caro Vittorio. Mi piacerebbe chiacchierare e bere qualcosa con te, ma ho il set, mi capisci? È cosí tardi, giriamo di notte e devo ancora truccarmi. Sono brutta, vero?

Lojacono scosse vigorosamente la testa.

– No, no, lei è... tu sei bellissima, come sempre. Scusami per il disturbo.

La donna gli inviò un bacio soffiato sulla punta delle dita. Beth guardò l'ispettore con una smorfia triste e, ricevuto il suo silente assenso, riportò la carrozzella all'interno della suite.

Tarallo tossicchiò, imbarazzato.
– Certo, ridursi cosí... Vive in un mondo tutto suo.
La mattina si fa accompagnare in giro qua attorno, va in
giardino. È voluta andare perfino in spiaggia, ieri. Pio-
vigginava e la figlia non era d'accordo, ma lei si è messa a
piangere e... Se penso a chi è stata, a quella grandezza...
Lojacono era disorientato.
– Perché, scusi, chi è stata?
Tarallo lo squadrò, sorpreso.
– Ma come chi è stata, ispetto'? Non l'ha riconosciuta?
Non ha collegato?
– Per la verità no, io...
– Lei è *quella* Charlotte Wood! L'attrice! Una delle piú
grandi star di Hollywood, ha fatto decine di film di suc-
cesso tra gli anni Sessanta e Settanta. È mai possibile che
non se la ricordi?

Lojacono esonerò Tarallo dal compito di scortarlo all'u-
scita e lo invitò a rimanere lí per controllare se la famosis-
sima attrice, che lui, non molto appassionato di cinema,
non rammentava minimamente, avesse bisogno di qualcosa. Lo fece anche perché gli erano rimaste impresse le
orecchie rosse del portiere, e voleva approfondire il motivo di quell'improprio afflusso di sangue.
Si avvicinò al banco e chiese:
– Il suo nome, per piacere?
Subito le orecchie riacquistarono il colore porpora.
– Io... io sono Tonino, ispetto'. Antonio, Petrone Antonio, ma mi chiamano tutti Tonino. A servirvi.
Lojacono annuí, tacendo. L'esperienza gli aveva insegnato che non c'era minaccia peggiore, da parte sua, che
fissare qualcuno annuendo e senza dire niente. Lo aiutavano i tratti orientali, forse, ma era piuttosto raro che le

informazioni non venissero spontaneamente a galla quando assumeva quell'atteggiamento.

– Allora, Tonino: voglio sapere tutto di quello che ha fatto Ethan Wood da quando è arrivato qua; e anche quello che hanno fatto le donne.

L'uomo si passò un dito nel colletto, come per prendere aria.

– Ma... niente di che, ispetto'. La signora, la vecchia, dico, esce a passeggio con la figlia e l'infermiera, stanno sempre insieme. Pranzano e cenano al ristorante dell'albergo. Lei, la signora, sembra felice di essere qui; la figlia si annoia, legge giornali, parla al telefono in americano. L'infermiera, be', lei lavora e... Il lavoro è lavoro.

Di nuovo Lojacono annuí tacendo. Le orecchie di Tonino divennero ancora piú rosse.

– Mi racconti di lui. E badi a non dimenticare alcun dettaglio.

L'uomo cominciò, ma la voce gli venne fuori stridula e tossí. Allungò la mano sotto la mensola, prese un bicchiere d'acqua, ne bevve un sorso, poi riprese:

– Ispetto', e chi l'ha visto mai? Dopo il primo giorno in cui si è sistemato in camera e ha organizzato tutto per la madre e la sorella è sempre uscito presto e tornato tardi, quindi...

Lojacono comprese che era il momento di mettere l'uomo alle strette. Il suo intuito gli suggeriva che il buon Tonino aveva qualcosa da dire, solo che questo qualcosa era in contrasto con qualcos'altro. Occorreva aiutarlo a vincere i tentennamenti, e in fretta, perché se fosse arrivato Tarallo, con la sua aria clericale, nessuna confidenza sarebbe piú emersa dalla bocca del portiere. Il poliziotto scelse dunque di essere diretto.

– Petrone: io devo sapere che ha fatto Ethan Wood, con chi ha parlato, chi ha incontrato da quando è arriva-

to qui. Se lei non mi dice adesso quello che sa e poi viene
fuori che è stato reticente, io le faccio un culo cosí. Mi
sono spiegato, sí?

Pronunciò la minaccia senza cambiare né tono di voce
né espressione, sussurrando, quasi stesse porgendo delle
condoglianze. E chiedendosi con blando interesse se un
uomo potesse essere colpito da ictus alle orecchie.

In un piagnucolio, Tonino rispose:

– Vi prego, ispetto', ma che ne so io? Vi assicuro che
quel paio di volte che l'ho incrociato, per nemmeno un
minuto, non l'ho visto parlare con nessuno, neanche al
telefono, ma per carità, non mi rovinate per favore.

– Non mi faccia perdere tempo, Tonino. Che cosa sa?

L'altro tirò il fiato e lanciò uno sguardo nella hall vuota
immersa nella musica.

– Il giorno dopo l'arrivo, Wood è venuto da me e mi ha
chiesto quale fosse la maniera migliore di raggiungere la
città, il centro. Il quartiere di Pizzofalcone in particolare.

Ci siamo, pensò Lojacono.

L'uomo continuò:

– Io forse gli avrei dovuto dire dei mezzi pubblici,
ci sta la vesuviana e ci stanno i pullman, ma la clientela nostra non è gente che va con la vesuviana. Certo, i
cinesi risparmiano pure i centesimi, ma gli americani in
genere... Wood parla un italiano perfetto, sapete, cioè
si sente l'accento, ma si capisce benissimo quello che dice. Io allora gli ho suggerito di pigliare un taxi: pagate un
poco di piú, ma viaggiate comodo –. Si fermò un istante
per prendere un altro sorso d'acqua e un po' di coraggio.

– Mo', noi ci abbiamo una convenzione con una cooperativa di taxi. Dobbiamo, *dovremmo* contattare sempre loro. Io però tengo un cognato che ci ha una macchina sua
e lavora solo su chiamata. Mia moglie, mi dovete credere,

è un vero guaio. Se non faccio lavorare il fratello almeno un paio di volte alla settimana, mi distrugge.

Bingo, esclamò fra sé e sé il poliziotto.

– E allora, invece della cooperativa, ho cercato a mio cognato Gigino. Che subito è arrivato.

– Quanto tempo è stato fuori, Wood?

– È partito la mattina presto, ispetto', e quando ho finito il turno, alle ventidue, non era ancora rientrato. Gigino mi ha detto la sera che gli aveva dato il suo numero, come fa sempre, cosí io non mi devo esporre troppo, almeno questo, e lo ha chiamato sia l'indomani sia ieri, sempre per andare in città. Io non so altro, ispetto'.

Lojacono rifletté, poi disse:

– Devo tornare in città, Petrone. Mi serve un taxi. E mi serve proprio quel taxi lí. Lo faccia venire subito, per cortesia.

Tonino aprí e chiuse la bocca, come un pesce in asfissia.

– Ispetto', vi prego, io dovrei chiamare la cooperativa e...

Lojacono annuí tacendo. Funzionò ancora una volta. Petrone, le orecchie prossime all'esplosione, prese il cellulare e telefonò al cognato.

XI.

Se l'era ripetuto un milione di volte almeno: non devo sembrare nervoso. Devo proporre una nuova immagine di me stesso: un uomo che sa gestire i momenti emotivamente piú intensi, che sa controllarsi.

L'assistente capo Romano Francesco, di anni quaranta, soprannominato Hulk per la facilità agli scoppi d'ira, che lo avevano portato a mettere le mani al collo di un dannato spacciatore durante un interrogatorio, sedeva con una rivista sulle gambe per la quale fingeva interesse estremo, lanciando distratti sorrisi alla bella donna che aveva di fronte. In realtà la rivista non l'aveva degnata di uno sguardo, sebbene la pagina alla quale era aperta mostrasse il nuovo amore di una famosa showgirl con un paio di sgranate foto notturne che potevano ritrarre chiunque. I sorrisi alla bella donna seduta davanti a lui erano veri, invece; anche perché la bella donna era Giorgia, la sua quasi-ex-moglie, e il luogo dove si trovavano era la sala d'attesa dell'avvocato Valentina Di Giacomo, la cui targa, all'esterno del palazzo, recitava: «Studio legale, specializzato in diritto di famiglia».

Era curioso che l'appuntamento presso quel tipo di professionista, piú volte sollecitato da Giorgia e al quale non si era mai presentato, ora fosse stato non solo richiesto, ma anche procurato proprio da lui, Francesco Hulk Romano. Inoltre la ragione della visita non era quella separazione che Giorgia pareva aver desiderato con tanta forza, ma il suo esatto contrario.

Romano non resistette, e lasciò andare gli occhi all'orologio che aveva al polso. Quasi mezz'ora di ritardo rispetto all'orario stabilito. Si mosse sulla poltroncina, un po' a disagio. L'ambiente era anonimo e disordinato, con uno sgangherato schedario che occupava quasi tutta la parete di lato, un divanetto, due poltrone anni Ottanta in velluto marrone con la seduta consumata e un tavolino basso pieno di giornali vecchi. Ad aprire la porta era stata una ragazzina magra, con gli occhiali e il profilo da roditore, il naso rosso per un raffreddore o un'allergia; li aveva fatti accomodare, poi se n'era tornata in qualche antro oscuro all'interno, dal quale proveniva il veloce picchiettare su una tastiera.

Dalla stanza chiusa dello studio dell'avvocato non giungeva alcun suono. Romano si chiese che cosa potesse stare facendo di cosí importante da farli attendere, giacché il telefono, a quanto aveva detto Palma, poteva squillare da un istante all'altro richiamandolo in servizio, e Giorgia aveva chiesto qualche ora di permesso dal suo lavoro precario presso uno studio di commercialista. Era davvero assurdo. Cosa credeva quella stronza, che non avrebbero pagato? Lui avrebbe versato fino all'ultimo soldo, ma voleva ricevere il servizio che gli era dovuto.

La rabbia che gli saliva in corpo era per lui una sensazione dolorosamente familiare; cercò di pensare ad altro con maggior forza. Giorgia dovette intuire qualcosa, perché distolse lo sguardo e si mise a fissare la polverosa finestra attraverso cui si percepiva il clima umido di quella sera di ottobre. Proprio quando Francesco aveva deciso di alzarsi per bussare alla porta dell'avvocato, questa si aprí e comparve una donna con un fazzoletto in mano, le guance arrossate e umide e un paio di occhiali da sole.

Mentre l'avvocato l'accompagnava all'uscita, Romano fece in tempo a distinguere l'alone bluastro che le lenti scure non riuscivano a celare del tutto.

Si sentí un verme schifoso, e per piú di un motivo.

La Di Giacomo li accolse sorridendo cordiale.

– Eccovi qui, siete stati puntuali, mi ha detto la signorina. Io no, mi dispiace; ma con questo maledetto mestiere si sa quando si comincia e non si sa mai quando si finisce.

Romano raccolse il coraggio e, evitando gli occhi della moglie, disse a bassa voce:

– Avvocato, lei lo sa che può contare su di me, vero? Professionalmente, intendo.

La Di Giacomo dapprima lo fissò perplessa, poi scoppiò in un'amara risata.

– Ah, ho capito, come poliziotto. Mi creda, dovrebbe comprare un altro cellulare solo per le mie chiamate. No, certe cose vanno risolte in modo diverso, altrimenti si corre il rischio di non risolverle affatto. Prego, accomodatevi. E, come al solito, scusate il disordine.

In effetti lo studio della Di Giacomo sembrava sempre essere stato oggetto di un attentato terroristico: i documenti e i fascicoli impilati erano un po' ovunque, inframmezzati da disegni infantili, fotografie e pupazzi di peluche. L'avvocato andò alla finestra e l'aprí, per cambiare l'aria appestata dal fumo.

– Non sono io, – si giustificò. – Io ho smesso da anni, ma alcune clienti non riescono a parlare se non fumano. Abbiate pazienza, adesso passa. Allora, come andiamo?

Romano aprí la bocca per rispondere, ma Giorgia l'anticipò:

– Tutto bene, avvocato. Siamo stati insieme dalla bambina, alla casa famiglia, quattro giorni fa. Era un po' raffreddata, ma sapesse com'era contenta di vederci! È incredibile: anche cosí piccola, è in grado di riconoscerci. Le abbiamo portato qualche tutina; è bellissima.

Francesco sorrise, intenerito da quanto Giorgia grande si stesse legando sempre di piú a Giorgia piccola, al di là delle sue piú ottimistiche attese. Tralasciò di precisare che era tornato da solo altre due volte alla casa famiglia, dopo la visita con lei.

Sorrise anche la Di Giacomo, mentre cercava la cartellina con sopra il nome «Romano».

– Sono felice di questo, bravi. La vostra presenza costante è fondamentale per l'adozione alla quale puntiamo.

Romano si fece attento.

– Sí, perché dev'essere chiaro, eh, avvocato? Che noi adottiamo la piccola Giorgia, che tutta la procedura...

La Di Giacomo li guardò da sopra le lenti appoggiate sul lungo naso.

– Sí, a essere sinceri questo discorso non mi piace. Mi sa di supermercato, coi prodotti in vetrina e i clienti che scelgono. Sono bambini anche gli altri, in attesa di una famiglia che li accolga.

Fu ancora Giorgia a rispondere:

– Certo, avvocato, ci mancherebbe. Ma lei sa che mio marito ha trovato la bambina in un cassonetto, e che se non fosse passato lui...

– Sí, signora. È questo che ci dà qualche chance; la singolarità del caso deriva proprio dalla situazione che ricorda lei. E appunto per tale motivo è importante che un rapporto tanto speciale sia stato condiviso con lei e coltivato mediante visite costanti. È una cosa che ci dà molta forza: per il magistrato del tribunale minorile tutto ciò conta eccome.

Giorgia allungò la mano e prese quella di Francesco, con una piccola stretta. Lui sapeva che voleva dargli coraggio, e gliene fu grato.

Non passava giorno che non si ponesse mentalmente al cospetto dello strano, enorme sentimento di tenerezza e di protezione che provava per quella bambina. Era una condizione talmente nuova e inattesa nella sua vita e nella sua personalità, per come conosceva sé stesso, che gli faceva quasi paura. Si sentiva responsabile nei confronti della piccola, ovvio, ma era anche geloso di lei, ed era terrorizzato all'idea che potesse succederle qualcosa di brutto in quel mondo terribile che lui affrontava ogni giorno.

La Di Giacomo lesse un documento e apparve soddisfatta. Alzò lo sguardo.

– Dunque, come sapete abbiamo presentato a vostra firma l'istanza di adozione, con le indicazioni circa la particolarità del caso. La nostra memoria era ampia e riportava le notizie che in queste eventualità vengono richieste: la solidità economica, la disponibilità di un appartamento decoroso e di spazio sufficiente, le vostre storie personali, il lavoro, le famiglie di origine. Tutto.

Romano si agitò sulla sedia.

– E andava bene, avvoca'? Noi abbiamo risposto con sincerità, non ci permetteremmo mai di…

La Di Giacomo scoppiò a ridere.

– E certo, signor Romano, che diamine! Figuratevi se ci mettiamo a dire fesserie al presidente del tribunale dei minori, che peraltro è una delle donne piú intelligenti e furbe che io abbia mai incontrato. Quella in due minuti vi smaschererebbe, nel colloquio.

– Il colloquio? – chiese Giorgia.

L'avvocato annuí.

– Questa è appunto la bella notizia che vi dovevo dare, la ragione per cui vi ho convocati qui. Il presidente del tribunale vuole incontrarvi. È un ottimo segno; indica che le procedure sono veloci e che potremmo avere novità a breve.

Romano cercava di controllare il cuore che gli era balzato in gola.

– E quando… che tipo di colloquio sarà, avvoca'? Verrà anche lei, no?

La Di Giacomo fece una smorfia.

– No, il presidente vuole parlare in privato con gli aspiranti genitori. Ve l'ho detto, è una donna molto in gamba. Capisce tutto al volo, e non delega niente. La presenza di un avvocato inquinerebbe forzatamente la sua impressione, e lei non consente inquinamenti.

Dopo un attimo di silenzio, Giorgia domandò:

– Ma cosa vuole appurare il giudice su di noi? Non è possibile evitare l'interrogatorio? In fondo abbiamo presentato i documenti e…

L'espressione dell'avvocato si indurí appena.

– Signora, non sarà un interrogatorio, ma un colloquio. Credevo di essermi espressa con chiarezza. E non si tratta di un evento aggirabile, perché è la richiesta del massimo organo preposto alle adozioni. Il presidente vuole approfondire un punto che evidentemente non le risulta chiaro e, se ci riflettete, bisognava aspettarselo.

Romano, con voce troppo bassa, chiese:

– Quale?

Gli occhi verdi della Di Giacomo lo fissarono, inespressivi.

– La solidità affettiva del vostro rapporto.

XII.

Sulle prime il tassista autonomo Gigino, come si definí con un certo orgoglio, credette che Lojacono fosse un normale cliente procurato dal basista e cognato Tonino. La cosa fu agevolata dall'accento siciliano, che l'ispettore aveva mantenuto, e soprattutto dal fatto che il poliziotto aveva accuratamente evitato che i due si parlassero in sua assenza. L'autista non aveva colto lo sguardo del portiere che tentava di avvisarlo, e nemmeno i suoi ammiccamenti; prelevò Lojacono con un sorriso largo e tenendogli aperto lo sportello della macchina bianca corredata di insegna taxi sul tettuccio, strategicamente non illuminata.

L'ispettore attese di essere in là col percorso prima di qualificarsi, e dovette ammettere che Gigino la prese con sportiva accettazione. Manifestò un evidente sollievo quando il poliziotto gli chiarí che non aveva il primario intento di contestargli un paio di reati di natura fiscale, a meno che non avesse mostrato qualche renitenza nella collaborazione che gli chiedeva.

– Ispetto', – commentò Gigino in via preliminare, – quello, mio cognato, è uno stronzo. Mi poteva mandare un messaggio per avvisarmi e io mi sarei regolato fingendo un impegno e non presentandomi proprio; ma non ha spirito d'iniziativa. D'altra parte si capisce dal fatto che si è sposato mia sorella che è un guaio passato. Va be', comunque il tizio, l'americano, l'ho portato in città tre volte e indietro due, perché la terza sera non è venuto all'appuntamento. Non è una cosa rarissima, a volte i turisti trovano qualche situazione interessante a livello di femmine o di maschi, a seconda dei gusti, e non si fanno riaccompagnare. Io prendo andata e ritorno anticipati, quindi non ci perdo niente, e loro rientrano a Sorrento con altri mezzi.

Lojacono annotava, in precario equilibrio perché l'automobile approcciava le curve con una certa allegria.

– Voi non potete capire, ispetto', che godimento è fare 'sta strada in questo periodo. Normalmente si butta il sangue, prima, seconda e stop, prima, seconda e stop, una tragedia vera; mo' invece guardate come si va, non ci sta nessuno, mezz'ora e siamo là. A proposito, andiamo a Pizzofalcone?

– Sí, proprio a Pizzofalcone. È quello che le chiese Wood quella mattina, no?

Gigino ridacchiò.

– Vedete? Voi siete siciliano, e usate solo il passato remoto: «le chiese», avete detto, e parlate dell'altro giorno. Noi invece diciamo, per esempio: l'anno scorso sono stato a Sorrento, passato prossimo. Non è un fatto di lingua, ma di filosofia. Per noi il tempo è...

– Senta, lei come si chiama?

– Cafiero Luigi, detto Gigino, servo vostro ispetto'.

– Ecco, allora, Cafiero, si attenga alle domande. Non stiamo facendo una passeggiata, la sto interrogando. È stato commesso un crimine, e lei ha diversi scheletri nell'armadio. Al posto suo non scherzerei, filosofia o non filosofia.

Le orecchie di Gigino restarono cromaticamente identiche, a differenza di quelle del cognato, ma la sua voce diventò piú ossequiosa.

– Certo, ispetto', per carità, figuratevi se non la prendo seriamente. Sí, l'americano appena montato in macchina mi ha dato un indirizzo di Pizzofalcone. Io però non ci potevo arrivare, perché è nella zona pedonale. Lo sapete che là sopra hanno modificato tutti i sensi per via del cantiere della metropolitana. Quel vicolo là, poi, è cieco, quindi irraggiungibile.

– L'indirizzo se lo ricorda?

– Ricordo la strada, vico Egizio, ma non il civico. Però posso risalire, se volete, perché il navigatore tiene in memoria le ultime destinazioni inserite.

– E lei usò il navigatore?

Gigino digitò sul display senza rallentare l'andatura di un metro all'ora.

– E certo, che vi credete, noi siamo moderni e tecnologici. Ecco qua: vico Egizio numero 15. Io però, vi ripeto, non ci potevo arrivare, perciò ho lasciato l'americano a piazza Carolina, alla base della salita che conduce a Pizzofalcone, e gli ho detto che lo avrei aspettato lí la sera alle sette.

Lojacono scriveva tutto.

– E lui si presentò puntuale?

L'autista rise di nuovo.

– Ecco, avete usato ancora il passato remot... Avete ragione, avete ragione, scusatemi. Sí, la prima sera è stato puntuale, e pure la seconda. Quello che cambiava era l'umore, però.

– In che senso?

– Nel senso che la mattina era bello vivace, mi pareva ottimista, pieno di aspettative, mi chiedeva notizie della città e pure di Sorrento: l'economia, i turisti. Al ritorno invece era taciturno, pensoso, mi sembrava pure incazzato. Io, se volete sapere, un'idea me la sono fatta.

Lojacono divenne attento.

– Cioè? Che idea?

L'autista prese un tono confidenziale.

– Secondo me c'entra il sesso, ispetto'. Quando uno va bello carico e torna malinconico, vuol dire che ci ha una femmina in capa. O altro, eh: di questi tempi non si può mai dire. Secondo me il tizio teneva un indirizzo di Pizzofalcone che gli aveva dato uno del paese suo, uno che aveva provato qualcosa di unico, di particolare: quello andava cercando. È un'opinione mia, ripeto: ma ne sono proprio convinto.

Il Cinese domandò:

– E da dove deriva la convinzione, Cafiero? Wood le ha accennato a una circostanza del genere o...

– No, no, per carità, ispetto', quello era muto come un pesce per tutto il tragitto del ritorno. Un paio di volte, come faccio sempre per mettere i clienti a loro agio, ho provato a portare la conversazione su cose di femmine, ma lui non mi rispondeva proprio. Il tassista sulle tratte lunghe, sapete, è un po' come il barbiere: deve conversare se il cliente vuole conversare, e si deve stare zitto se il cliente vuole stare in silenzio.

Lojacono apprezzò il raffinato ragionamento e pensò che in effetti la logorrea di Cafiero, se uno era di cattivo umore, doveva risultare parecchio fastidiosa.

– Le diede solo quell'indirizzo? Non nominò altri luoghi o persone o...

– Niente, ispetto'. Niente di niente. Ma sentite a me, informatevi sulle femmine. Quello era sempre sobrio, non beveva e non si drogava, nemmeno si addormentava, quindi non andava da qualche parte a farsi; e allora, dico io, perché tanta voglia di arrivare a Pizzofalcone che, senza offesa, in un'ora hai visto tutto quello che ci sta da vedere? E perché per tre giorni di seguito?

Già, si chiese Lojacono scorgendo le luci della città dal finestrino, perché?

XIII.

Ottobre, se volete, è sospeso nell'aria. Non si riesce a prenderlo tra le dita, ottobre.

Magari altrove, che la demarcazione tra estate e inverno è piú netta, che gli alberi sono tanti e diventano una danza di giallo e di rosso, ottobre ha una faccia definita e ti guarda austero e con sincerità.

Magari altrove, che ormai da tempo avete riposto tele e cotone e scarpe da piedi nudi, ottobre sa di primo freddo e di lana e naftalina, e porta la voglia di non lasciare letti e coperte e cuscini.

Magari altrove, che dell'estate resta solo un vago, lontanissimo ricordo, e il vento tagliente disegna lo spazio tra il portone e l'imbocco della metro, e anche sotto, quando l'odore di polvere nell'aria artificiale che ti viene incontro ha almeno il tepore della gente, ottobre ha il senso della voglia di piumoni e di latte caldo.

Ma qui, che c'è il mare a sussurrare tutte le avventure della spiaggia e del tempo appena passato che non vuole passare, che l'aria sa ancora di storie d'amore di un giorno e di tavolini e musica all'aperto, è difficile pretendere sincerità da ottobre. Qui che il vento è rimasto pieno di esotico profumo, qui che la sporadica pioggia continua a portare sabbia rossa del deserto, non si può pretendere che ottobre abbia il coraggio di guardarti in faccia.

Qui ottobre è sempre troppo carico di promesse non mantenute.

Ahmed non ha piú soldi. Nemmeno un centesimo. Ha speso l'ultimo euro per comprare mezzo litro di latte che gli hanno dato sottocosto, perché era scaduto da un giorno.

A letto, gli occhi spalancati in attesa dell'alba, ha ripassato ogni possibilità e non gli è venuta in mente alcuna soluzione. Ha provato di tutto. Prima il lecito: file interminabili alle porte dei cantieri, il retro di ristoranti e alberghi, garage aperti di notte. Poi l'illecito, quello piccolo e inoffensivo, sfidando tergicristalli in funzione, scope di portinai e caporali, scoprendo, negli occhi pieni di veleno e di fame degli altri come lui, che anche là, nella zona d'ombra appena oltre la soglia delle regole, i posti sono pochi e vince il piú feroce.

L'altro illecito, quello grosso, quello di sangue e polvere e siringhe sporche no, Ahmed non ce la fa. Non è per questo che ha perso un figlio piccolo, lasciato andare nelle onde quando ormai non respirava piú, mentre la moglie urlava come una sirena nella notte e l'uomo al timone ha cominciato: una, due, tre, mille bastonate finché lei ha smesso, perché c'erano gli altri due, la femminuccia e il piccolo attaccato al seno vuoto, che avevano ancora una speranza. Non è per portare morte in un paese nuovo, che è venuto.

E ora Ahmed fissa il soffitto aspettando un'alba che non arriva, steso su un materasso vecchio nel capannone abbandonato, lo stesso materasso dove riposano la femminuccia e il piccolo, che dorme sempre di piú, perché o dorme o mangia e di cibo non ce n'è. Ahmed ascolta i topi che corrono nella notte e intanto pensa alla moglie, che avrebbe fatto perfino la puttana, ma non aveva salute e se n'è andata da dieci giorni, in ospedale. Lui l'ha capito e l'ha salutata pochi minuti prima, altrimenti gli avrebbero chiesto dove portarlo, quel corpo distrutto da chissà quale assenza. La moglie: quella ragazza che gli teneva la mano, seduti a piedi scalzi davanti alla capanna a immaginare un paradiso che non esisteva, ma che loro avevano davanti agli occhi come fosse vero. La ragazza che non ha nemmeno visto morire.

Non è questo che voleva, Ahmed.

Ha combattuto per tutta l'estate, un po' di pomodori raccolti, la schiena spezzata e qualcosa da mangiare; ma ora è ottobre, e ottobre, anche se ha ancora l'odore del caldo, promette il freddo, e un altro inverno insormontabile.

Fra il rumore dei topi che corrono, Ahmed sparge sul materasso lercio la benzina che ha rubato. Pensa che i suoi bambini stanno sognando, che è bello sognare. Meglio adesso, pensa Ahmed. Meglio adesso.

Accende il fuoco, e si stende a sognare pure lui.

Perché ottobre è un fatto mentale, da queste parti. Non illudetevi di ritrovarlo nell'abbigliamento. Avete voglia di cambiarvi e ricambiarvi, sentirete sempre un po' caldo per esservi coperti troppo; ottobre qui vuole lana sottile e cotone pesante, non i maglioni e le sciarpe.

Ottobre, da queste parti, finge di essere aspro e invece è dolce, come un vecchio insegnante di liceo. È il vero capodanno, ottobre, con le abitudini dell'inverno che stentano a riprendere e la voglia di riposare che fa da sottofondo al lavoro.

Ottobre è traditore.

Mario ha un sacco di soldi.

Li ha sempre avuti, è nato ricco. Una volta un suo amico notaio, che dalla mattina alla sera si occupa di donazioni e testamenti, gli ha detto che la ricchezza dura in media tre generazioni. La prima crea, la seconda consolida, la terza sperpera. Naturalmente, dice il suo amico, dipende dall'entità dei patrimoni: la terza generazione può diventare anche la quinta, se i soldi sono tanti. Ma quello che conta è la memoria della povertà: se uno ce l'ha, diretta o indiretta, perché raccontata dai genitori, allora ne ha paura e non spende troppo.

Mario appartiene alla terza generazione, ma siccome il patrimonio è davvero grosso, allora ci vorrà tempo a mangiarsi tutto. Molto tempo.

Si volta a guardare i figli che sta accompagnando a scuola. Due, un maschietto e una femminuccia, una coppia, tutto perfetto come logico per lui. Non li affida all'autista, li porta e li va a prendere, ci tiene moltissimo. La terza e la quinta classe alla scuola in lingua inglese, perché devono essere almeno trilingue; la baby-sitter spagnola col diploma a integrarne l'istruzione. Si addormentano sempre, in macchina, pensa Mario sorridendo; basta un po' di musica a basso volume e loro dormono.

Osserva la grande strada libera e scorrevole, e ottobre, dai finestrini. La mente sfiora la ripresa dei mercati, i flussi finanziari e i movimenti dei titoli di Stato, ma non vi si sofferma. Va piuttosto all'estate appena terminata, alla bellezza profonda dell'Egeo dove sono stati in vacanza sulla lunga barca e al fatto che la moglie, la sua amata, dolce moglie gli ha detto che non vuole piú stare con lui. Mentre i bambini giocavano sul ponte, sotto la stretta sorveglianza della baby-sitter e di una signora di colore della Martinica assunta come supporto per le vacanze, mentre il sole mitigato dal vento provvedeva alla loro dorata e durevole abbronzatura, mentre Michael Bublé diffondeva ruffiane parole d'amore nell'aria rovente di agosto, la sua bella, giovane moglie gli confessava che intratteneva ormai da tre anni una relazione con un atletico commercialista incontrato in palestra. E che aveva deciso, con l'incipiente ottobre, di mettere fine all'ignobile farsa della loro vita in comune. Aveva usato proprio quelle parole: ignobile farsa.

Io non ho memoria della povertà, aveva pensato Mario, ricordando le parole del suo amico notaio. Forse, se ricordassi la povertà, troverei la forza di combattere. Perché se sei povero, se mangiare è il tuo problema, allora passa tutto in subordine. Anche l'amore. Anche ottobre con le sue promesse di solitudine. Anche ottobre, con la scia di felicità che trattiene.

Un commercialista. Io li ho sempre odiati, i commercialisti.

Mario sorride a ottobre, arrivato come una sentenza. E guidando la sua meravigliosa, potente auto accelera fino a duecento all'ora, puntando diritto al pilone del cavalcavia.

Perché quello che ha ottobre, e che non hanno gli altri mesi, è la sospensione tra passato e futuro.

Ottobre, piú di ogni altro periodo dell'anno, porta la rassegnazione per la fine di un momento e la certezza che il seguente è già cominciato. Non è settembre, che conserva le domeniche soffocanti e affollate, col sole che brilla sulle lamiere e tra i pontili, settembre che sa ancora di zuppa di cozze e di crema solare; e non è il novembre delle piogge sottili e delle strade lucide, il novembre delle matite temperate e delle mostre d'arte.

Ottobre ti spiega che non è piú il tempo di ricordare, che bisogna prepararsi a ciò che viene. E se non capisci, peggio per te.

Barbara pensa: la luce, in ottobre, funziona a modo suo. Declina le ore in maniera diversa, quasi avesse una nuova fretta disperata. Ottobre non ha pazienza, pensa Barbara. Forse perché tra una decina di giorni passerà il testimone a un novembre che sa di morte e di silenzio. Barbara pensa che ha paura di novembre e che ottobre in fondo, con la sua fretta, è da preferire.

Lo pensa guardandolo scorrere dietro la finestra della stanza a letto singolo dove il padre, a bocca spalancata, dorme gli interminabili ultimi giorni della sua vita. Ottobre muore fuori, il padre muore dentro. Barbara è circondata dalla morte.

Secondo il dottore può durare ancora mesi. Ché purtroppo, ha detto proprio cosí, purtroppo, il cuore è robusto e il quadro clinico generale, a parte il cancro, è molto buono. A parte il cancro, come fosse poco. Come fosse niente vedere ridotto cosí un uomo che rideva tanto forte da smuovere la terra, un uomo che la sollevava in aria e le toglieva il fiato, che le raccontava le piú belle favole del mondo, favole che mai piú ha sentito e che erano piú incantevoli delle *Mille e una notte*.

Barbara osserva il torace smagrito che si alza e si abbassa sotto il lenzuolo con un movimento ritmico e affaticato. Il tubicino alimenta di urine la sacca, piena a metà. Il tempo passa, l'orologio sul comodino scandisce i secondi con una vecchia lancetta, nessun display, nessun numero rosso in campo nero. La cara sveglia di papà. L'ha chiesta con uno degli ultimi soffi, con tracce di antica allegria nella voce. Ho letto là sopra tutte le mie ore, ha detto. Leggerò anche queste.

E invece non leggi piú niente, papà. C'è solo da aspettare. Ottobre è il mese dell'attesa.

Solo che il tuo ottobre è troppo lungo, papà. Senza piú favole da raccontare, senza piú sogni da vivere, senza piú speranze da coltivare. Troppo lungo, quest'ottobre di silente dolore e di lotta contro un cuore che resiste.

Barbara si alza dalla poltrona dove ha trascorso l'ennesima notte. Tic, tac: la sveglia dice che c'è ancora un'ora prima del giro dell'infermiera che cambierà la sacca e la flebo. Ottobre, nelle strade, sta per iniziare la sua annuale agonia.

Troppo tempo, papà. Troppi costi, questa clinica. Troppa fretta, i creditori. Troppo fermi nelle tue mani morte, i nostri soldi. Troppo ottobre ancora, prima che sia novembre.

Il cuscino sulla faccia. Ci vuole tanto, perché il maledetto cuore è troppo robusto. Troppo ottobre ancora.

Tic, tac, fa la sveglia. Barbara osserva con attenzione gli ultimi attimi. Chi l'avrebbe detto, papà, che avresti fatto prima tu di ottobre a finire. Tic, tac.

E ottobre scorre piano, tra promesse e disillusioni, tra passato e futuro. Niente come ottobre, per far ritornare il tempo che non c'è piú. Niente come ottobre, per riproporre un antico souvenir.

Nessun souvenir vale un ottobre. Perché è ottobre stesso, un souvenir.

Tic. Tac.

XIV.

La mattina dopo piovigginava. Non che facesse freddo.
Ma almeno quelle goccioline fastidiose allontanavano la
strana sensazione che l'estate potesse tornare di soppiat-
to, sorprendendo alle spalle la voglia di lavorare.

Pisanelli si guardò attorno, incredulo.

– Ma davvero? Non vi ricordate Charlotte Wood? E a
che serve la vostra vita, se non vi ricordate della Wood?

Aragona sbuffò, insofferente.

– Ma erano film col sonoro, Pisane'? Perché io il cinema muto...

Anche Romano allargò le braccia.

– Devo confessare che manco io l'ho mai sentita nominare.

Ottavia ridacchiò.

– Magari non come Giorgio, ma io della Wood ho letto qualcosa e devo aver visto un paio di film; li ridanno il
pomeriggio d'estate. Cantava pure, vero?

Pisanelli spalancò la bocca.

– Cantava? Certo che cantava, con una voce da usigno-
lo! E come ballava! Era bellissima. Uno spettacolo. Tra le
mie preferite.

Aragona sogghignò.

– Se quella mano potesse parlare, eh, Pisane', vecchio
maiale! Certo che essere ragazzini negli anni Cinquanta
dev'essere stata dura. Vi dovevate accontentare delle attrici dei musical, sai che palle.

Il vicecommissario lo rintuzzò, piccato.

– Non è questione di età. Il grande cinema è cultura e tu, non c'è niente da fare, Arago', sei gretto e ignorante. Lojacono intervenne:

– Lasciando da parte questi discorsi, bisogna capire qual è il legame della Wood con Sorrento, e in modo specifico con l'hotel *Tritone*. Quando ha chiamato per prenotare, il figlio, la vittima, ha detto che esistevano motivi affettivi per quella scelta, ma non risulta che qualcuno della famiglia sia stato ospite dell'albergo di recente. È un po' strano, no?

Ottavia scorreva lo schermo del suo magico computer, leggendo con attenzione. Dopo un po' si illuminò e disse:

– Ecco qui, forse ci siamo. Nel 1962, la Wood, che allora aveva ventiquattro anni e che, come dice Pisanelli, era bellissima, si trovava a Sorrento per girare *Souvenir*, uno dei successi che l'hanno resa celebre. Era sposata con Bill Wood, regista di quel film e anche dei suoi due precedenti. Erano marito e moglie già da tre anni. Mamma mia come si sposavano presto allora.

Alex scosse il capo.

– Praticamente una bambina.

Ottavia continuò a leggere:

– Fu una lavorazione burrascosa, qui non spiega perché, ma pare che le riprese durarono meno del previsto e che gran parte del film venne poi realizzato a Los Angeles. Rimasero a Sorrento solo un mese, in primavera. E sentite qua: Wood, il marito regista, aveva quasi trent'anni piú della moglie!

Palma chiese:

– E quanti figli hanno avuto?

Ottavia rispose:

– Uno, Ethan. L'altra figlia, Holly, è nata parecchi anni dopo dalla relazione della Wood, già vedova, con un attore che però non l'ha mai riconosciuta. Per questo la ragazza ha preso il cognome di lei, che aveva conservato quello del primo marito. Un bell'intreccio.

Lojacono domandò ancora:

– Ma qual era il nome da nubile della Wood?

Ottavia, dopo un paio di clic, disse:

– Castiglione. Carlotta Lucy Castiglione, nata a Brooklyn il 18 giugno del '38. I suoi venivano dalla Basilicata. Da Ruvo del Monte, per la precisione.

Il Cinese commentò:

– Ecco perché parlano tutti l'italiano. Ora resta da capire quali interessi avesse Ethan Wood a Pizzofalcone, in vico Egizio 15.

Pisanelli intervenne:

– Ieri sera ci sono passato, è un condominio piuttosto dignitoso, una serie di palazzi all'interno di un cancello. Ci abita parecchia gente di vari livelli sociali. Non ci sta il portiere, purtroppo, altrimenti qualcosa la potevamo sapere da lui. Solo muti, riservati citofoni.

Palma rifletté:

– Insomma, serve il solito, vecchio lavoro di gambe. Romano, Lojacono, andateci voi. Magari siete fortunati e scoprite che cosa cercava l'americano. Tu, Giorgio, senti un po' in giro se a quel civico c'è qualche movimento che abbia a che fare col sesso, case d'appuntamenti o cose del genere; hai visto mai che il tassista abusivo di Sorrento abbia ragione; quelli, col tempo, sviluppano un intuito formidabile.

Alex chiese:

– Io che faccio?

– Tu torna in ospedale, chissà che dalla sorella del ferito venga fuori un'idea, un'informazione. Possibile che non sapesse niente di queste scorribande del fratello? Fate tutti capo a Ottavia, come sempre, che riferisce a me.

Aragona disse:

– E io?

Palma lo fissò.

– Mi pare che tu abbia un impegno, no? O hai già dimenticato?

L'agente scelto si illuminò.

– È vero! Io ho una missione, mica come questi sfigati. Mi metto subito in moto.

Agguantò la sciarpa, se la avvolse attorno alla faccia, sputacchiò e uscí.

Avviandosi alla porta, Lojacono chiese sommesso a Palma:

– Il magistrato lo hai informato tu, vero?

– E certo che l'ho informato io, Loja', che ti credi, che siamo liberi professionisti? La Piras mi ha detto che se ci sono novità la devo cercare subito. E cosí ho intenzione di fare.

Il Cinese annuí, inespressivo, e si allontanò.

XV.

Non era stata facile l'estate, per Lojacono. Anzi, era stata incomprensibile, e lui odiava non capire quello che gli succedeva attorno.

Sapeva che la relazione con Laura Piras presentava dei problemi. Erano in fasi diverse della vita, avevano differenti esigenze e magari ci sarebbe voluto del tempo perché entrambi arrivassero alla stessa voglia di costruire qualcosa; ma gli sembrava naturale ritenere che ogni ostacolo fosse superabile quando si prova un sentimento vero ed escludeva di essersi sbagliato sull'entità di ciò che li univa.

Gli ostacoli. Mentre risaliva con Romano la strada che, un paio di traverse più in là, li avrebbe portati alla meta, l'ispettore considerò che quegli ostacoli dovevano essere esterni al rapporto tra loro due. C'era Marinella, certo, che si era trasferita da lui: un'adolescente piena di curiosità, mai in grado di valutare correttamente i rischi che la vita in quel posto comportava. Era semplice per Alex dirgli di concederle i suoi spazi e un livello accettabile di libertà, ma lui non poteva farci niente se ogni singolo crimine, ogni doloroso evento, ogni sofferenza alla quale assisteva si mostrava ai suoi occhi come un pericolo atroce per la ragazza. Era il padre, ed era un poliziotto.

Comprendeva che Marinella potesse rappresentare un limite per Laura. Non aveva figli suoi, forse non ne voleva; era votata al lavoro e all'affermazione professionale.

Gestire una relazione con un uomo che invece si sentiva prima di tutto un papà poteva essere tutt'altro che semplice. Ma cosa c'è di semplice, nella vita? Era forse meglio rinunciare, far finta di non provare nulla per ottenere in cambio un'esistenza tranquilla?

Il suo animo indagatore capiva fin troppo bene che non poteva essere Marinella la causa del loro allontanamento. Almeno, non l'unica.

Conclusa l'indagine sull'omicidio del panettiere, quando ormai era luglio, Laura aveva cominciato a negarsi. Aveva risposto alle sue telefonate con sempre minor frequenza e quando rispondeva parlava a monosillabi, inviando poi messaggi in cui si giustificava dando la colpa ai troppi impegni. Si erano visti pochissime volte, e dopo l'unica cena insieme lei era scappata via usando come scusa un'emicrania che, Lojacono ne era sicuro, non aveva affatto. Lo evitava, era chiaro: e lui non ne afferrava il motivo.

Come se non bastasse, aveva usato le ferie per aiutare Marinella nel trasloco. Era rimasto ad Agrigento per quasi un mese, cercando sé stesso in quelle strade note, sotto quel sole cosí familiare e non riuscendo a trovarsi. Ormai era uno straniero, lo leggeva negli occhi di amici e conoscenti, persone che erano cresciute con lui. Straniero come e piú di quanto non lo fosse in quella grande città che non era ostile, ma che non era la sua e forse non lo sarebbe stata mai, soprattutto adesso che Laura, isolana e straniera come lui, aveva deciso di lasciarlo andare alla deriva, senza compagnia, in quel mare di gente.

Si sentiva solo, pensò mentre leggeva i numeri civici. Adesso che era tornato operativo, che aveva sua figlia vicino, che era parte integrante di un organismo funzionante e vivo, si sentiva piú solo di quanto si fosse sentito nei lunghissimi mesi del suo esilio, relegato davanti a un com-

puter a giocare un eterno solitario con l'unico problema
di inventarsi ogni mattina un motivo per alzarsi dal letto.

Si sentiva solo perché aveva provato di nuovo quanto
fosse bello assaporare il calore di un corpo vicino, voltarsi verso un sorriso, fare programmi semplici per un fine settimana. Perché aveva pronunciato di nuovo la pericolosa parola che separa l'«io» e il «tu» dal prossimo,
quel pronome violento e dolcissimo che è «noi». Perché
aveva provato di nuovo un senso di condivisione che riteneva perduto. E adesso, adesso che era tornato a essere padrone del suo destino, che aveva ripreso a lavorare,
che stava riacquistando la stima e la considerazione della
gente, tutto svaniva per la seconda volta.

Allora aveva messo da parte l'orgoglio, quell'antica za-
vorra che troppo spesso lo aveva limitato nei rapporti sociali, e anche l'intransigenza assoluta che lo aveva spinto a
non volersi difendere dalle accuse che gli erano state get-
tate addosso: aveva alzato il telefono e l'aveva chiamata.

E aveva dovuto prendere atto che lei non voleva vederlo piú.

Non era stato facile, e non lo era ancora. Di notte sovente non riusciva a dormire, gli occhi aperti nel buio a
cercare un perché alla fine di quella che, si era convinto,
era stata solo un'illusione. Ma era possibile, si chiedeva,
che quei baci, quelle carezze e soprattutto quegli sguardi
fossero fatti di niente? Che fosse stato solo un passatempo,
un'ipotesi di vita nata e morta nello spazio di pochi mesi?

Si era sbagliato. Aveva annusato un profumo, aveva ac-
carezzato una pelle che pensava di aver riconosciuto, ma
non era cosí. Difficile rassegnarsi all'idea di essere stato
cosí stupido.

Il lavoro non li aveva piú messi in contatto, complice
quell'insolito periodo di calma e di tranquillità che aveva

attraversato il quartiere. Il silenzio che era calato tra loro doveva essere contagioso. D'altronde lui era solo un ispettore, un poliziotto qualsiasi di uno scalcinato commissariato: perché avrebbe dovuto immaginare di poter costituire un'alternativa di vita per il magistrato della procura della Repubblica piú ammirato e corteggiato della città? Fesso tu, ad averci sperato.

Fortuna che nessuno lo sapeva. Non si era confidato con anima viva, e al di là di Letizia, la bella ristoratrice di cui era diventato amico e che gli leggeva dentro, le persone attorno a lui non avevano capito che aveva in mente qualcuno.

E invece, anche se lo avrebbe negato pure di fronte al Padreterno, aveva qualcuno non solo in mente, ma anche nel cuore. E non era in grado di sotterrare quel pensiero nemmeno sotto i quintali di risentimento che continuava a covare.

Romano lo ridestò:

– Loja', che dici? Come procediamo? Loja', ci sei o no?

– Sí, ci sono, – rispose.

Ma non c'era. Non del tutto.

XVI

All'ottavo tentativo, Romano sbottò:

– Senti, Loja', o sono scemo io o stiamo facendo una caccia alle mosche. Non sappiamo cosa cerchiamo; la gente, appena sente che siamo della polizia, al di là di buongiorno e buonasera non va. Ma ti pare possibile che diciamo: salve, commissariato di Pizzofalcone, avete per caso visto un turista americano da queste parti?

Il Cinese inspirò profondamente.

– In effetti non si cava un ragno dal buco. Aggiustiamo un po' il tiro: qual è il bar piú vicino?

Romano si grattò la testa.

– Bar non ce ne sono, negli immediati dintorni, ma quello è un fruttivendolo. Va bene lo stesso?

Si avvicinarono al piccolo negozio, la cui merce, contenuta in cassette, occupava il marciapiede obbligando i rari passanti a una deviazione sulla carreggiata e i numerosi scooter a pericolose gimcane. Lojacono si rivolse a un uomo anziano, molto magro e con le mani sporche di terra, che disponeva grappoli d'uva secondo una scenografia accurata.

– Buongiorno. Avrei bisogno di un'informazione: ha per caso notato negli ultimi giorni un…

Senza voltarsi, l'altro rispose secco.

– Giovino', non ci serve niente. O comprate la frutta o ve ne andate a chiacchierare con chi non fatica.

Romano si mosse con rapidità, abbrancando il commerciante per la spalla e facendogli compiere una piroetta.

– Oh, zio, un poco di buona educazione, per favore. Altrimenti ci infastidiamo, ed è meglio non infastidire un poliziotto.

– Un po... Me lo potevate dire che eravate della polizia, scusate, uno sente una voce mentre sta lavorando... Come può sapere? A vostra disposizione, commissa'!

Lojacono lanciò una mezza occhiata a Romano, che allargò un po' le braccia come a dire: sono stato costretto.

– Ripeto: buongiorno. Come si chiama, lei?

– Sono Luca il fruttaiuolo.

– Il fruttaiuolo è il suo cognome? – lo fulminò Romano.

– Ah, volete sapere il cognome, io ho detto come sono conosciuto nel quartiere. Mi chiamo Guida. Luca Guida.

Lojacono annuí, soddisfatto. Sulla soglia del negozio era comparsa una donna scarmigliata, della stessa età di Luca, che osservava la scena con circospezione.

– Allora, Guida, negli ultimi giorni, diciamo fino all'altroieri, un uomo sopra i cinquanta, un cittadino americano, dovrebbe essere venuto nei paraggi a chiedere notizie di qualcuno che sta all'indirizzo di fronte, il 15. Per caso l'avete notato? Magari è passato di qua come noi per avere indicazioni o...

Fu subito chiaro che Luca il fruttaiuolo sapeva qualcosa, perché con gli occhi cercò la donna sulla porta, che strinse labbra e palpebre assumendo l'atteggiamento di chi si prepara alla battaglia. Era stato un attimo, ma valeva piú di ogni risposta.

– No, assolutamente, commissa'. Noi qua ci facciamo i fatti nostri, e non abbiamo visto niente. È vero, Conce'?

La richiesta di aiuto alla nominata Concetta non ricevette il conforto di una replica. La donna rimase immo-

bile come un'installazione in resina colorata, che avrebbe
potuto intitolarsi «La fruttivendola diffidente».

Romano considerò la questione grattandosi il mento,
poi si guardò attorno e si rivolse a Lojacono:

– Dunque, vediamo... Che ne pensi, Loja'? Occupazio-
ne abusiva di suolo pubblico; blocco del passaggio dei pe-
doni; esposizione di merce contro i regolamenti sanitari;
maneggio di alimenti senza rispetto delle prescritte nor-
me d'igiene. E questo solo a una prima occhiata. Immagina che godimento a spulciare un po' le fatture di carico e
scarico di questa bella frutta, e magari a rilevare da dove
proviene. Ho sentito che va di moda la verdura coltivata
in zone dove si sospetta il seppellimento abusivo di rifiuti
speciali. Chissà se...

La donna cacciò uno strillo.

– Noi siamo gente onesta! E voi non avete rispetto per
chi non vuole fare il delinquente, in questa città! Dovreste proteggerci, invece ci date addosso!

Romano la squadrò.

– Signo', qua nessuno vi vuole infastidire. Ma pure
noi stiamo lavorando, e allora facciamo che ci diamo tutti
una mano. Tra persone perbene ci si aiuta, no? Rispon-
dete in maniera soddisfacente alle domande del collega
e ce ne torniamo da dove siamo venuti.

Concetta che, non esistevano dubbi, era la testa pen-
sante dell'azienda, parlò senza esitare.

– L'americano, è così? Quello che hanno trovato nel
cantiere della metropolitana qua sopra con la testa rotta?

Lojacono assunse un'espressione rassegnata.

– Ecco, signora. Proprio quello.

Luca il fruttaiuolo cercò di imbastire una debole protesta:

– Conce', per favore, facciamoci i fatti nostri...

La donna proseguí come se non avesse sentito:

– Sí che l'abbiamo visto. Ma se vi diciamo quello che sappiamo, ci assicurate che ve ne andate e ci lasciate in pace? Già è difficile lavorare in queste condizioni, senza bisogno che vi mettete pure voi a...

Romano si portò le mani ai fianchi.

– Signo', forse non mi sono spiegato. Qua non ci sta nessuno scambio in corso. Voi ci dite quello che sapete e noi, forse, apprezzeremo l'onestà della collaborazione. E forse, ripeto forse, se ci riterremo soddisfatti, alla fine avremo faccende piú importanti da sbrigare che occuparci del negozio vostro. Ora ci siamo intesi?

Concetta annuí, rigida, si voltò ed entrò nel negozio. Romano e Lojacono la seguirono, mentre Luca rimase fuori a presidiare le cassette.

– Allora, è passato sabato mattina; cercava il numero 15. Ripeteva un cognome, Capasso, che, da quando stiamo qua, circa cinque anni, non abbiamo mai sentito. Poi ha letto qualcosa su un foglietto e si è avviato al civico. Ha citofonato ed è entrato.

Lojacono era concentratissimo.

– Una sola volta, ha citofonato?

Concetta annuí ancora.

– Una sola, commissa'. Sapeva a chi chiamare, e l'abbiamo scoperto pure noi, perché dopo un poco è uscito insieme alla persona, che teneva il motorino. *Alluccavano* tutti e due. Si stavano *appiccicando*, insomma.

Lojacono si girò verso Romano, che tradusse:

– Urlavano, stavano litigando –. Poi, rivolto alla donna, aggiunse: – Quindi l'americano l'aveva trovato a questo Capasso.

Lei scosse la testa. Il suo modo secco di muoversi, unito ai capelli grigi che cadevano a ciocche e al naso adunco, la rendevano somigliante a un capo indiano dei film western.

– No, commissa'. Ve l'ho detto, qua non ci abita nessun Capasso. Ne sono sicura.

Romano replicò:

– Non siamo commissari, signo', ma sia piú precisa: con chi litigava, allora, l'americano?

La donna esibí un inatteso, sdentato sorriso che aveva qualcosa di agghiacciante.

– Era il *ricchione*. Il *ricchione* che fa la puttana nell'appartamento al quarto piano. Si fa chiamare Mary.

Nello stesso istante squillò il telefono di Lojacono. Era Pisanelli.

XVII.

Il vicecommissario non aveva una vera e propria rete di informatori, ormai a Lojacono era chiaro. C'era voluto del tempo per realizzare che Pisanelli otteneva le notizie grazie al livello di fiducia che la gente del quartiere aveva raggiunto nei suoi confronti. E la cosa notevole era che in cambio non aveva mai concesso favori o girato la testa dall'altra parte, il metodo classico attraverso il quale un poliziotto riscuote benevolenza in un luogo dalla diffusa microcriminalità come quello.

Pisanelli era sempre sé stesso, corretto e scrupoloso, duro in caso di necessità, ma anche comprensivo, pronto a dare una mano, perfino paterno quando c'era bisogno di un consiglio. Non era raro che un genitore gli chiedesse aiuto, se un figlio frequentava cattive compagnie o cominciava a bazzicare certe zone.

Cosí, se si doveva arrivare a un'informazione riservata di cui qualcuno, nel quartiere, era a conoscenza, nella maggior parte dei casi non serviva nemmeno che lui uscisse per strada: bastavano un paio di telefonate a chi, per il «settore» specifico, era competente.

Nella fattispecie Pisanelli aveva chiamato Gioia, una che alle spalle aveva almeno un ventennio di mestiere a buon livello, quella che oggi si chiamerebbe una escort. Era stata un'istituzione, ai suoi tempi, e ora si godeva un sereno e agiato riposo in un condominio riservato nella parte alta di Pizzofalcone; era diventata una bella e gentile signora, anche piuttosto raffinata. Aveva un terrazzino da cui si vedeva il sole luccicare sul mare e coltivava un'incredibile quantità di piante.

Pisanelli se l'era immaginata dietro la finestra a guardar scorrere la pioggia sottile sulla città.

– Il 15, hai detto, Giorgio? Fammi pensare, è quel parco a metà del vicolo, di fronte al fruttivendolo, giusto?

– Sí, Gioia. Proprio quello. Non ci sta piú il portiere, là. Solo una griglia di dannati citofoni. Perciò ti disturbo. Siccome non sappiamo che ci andasse a fare il tizio che hanno ridotto in fin di vita, e siccome il tassista che ce lo accompagnava è convinto che andasse a put... che cercasse come divertirsi, insomma, ho pensato che...

Gioia era scoppiata a ridere.

– Sono onorata che tu abbia pensato a me, Giorgio. Dopo tanti anni che non esercito piú pensavo di essere stata dimenticata.

Pisanelli aveva subito replicato:

– Ma che dici, Gioia, tu sei indimenticabile anche per chi, come me, non ha mai... Ma noi siamo amici, no? E ho pensato, forse Gioia mi può aiutare.

La donna rifletté.

– Mmm, fammi pensare. Il 15. Guarda, non so esattamente se lavora là o ci abita soltanto, ma c'è una trans, una che si fa chiamare Mary, piuttosto nota nell'ambiente. Me ne parlava un'amica, una ragazza in gamba, manco piú tanto ragazza a dire il vero, che ho incontrato alcuni giorni fa al supermercato.

Pisanelli l'aveva ascoltata con attenzione:

– E perché ti ha nominato questa Mary?

– Si lamentava, sai, le solite cose. Coi comportamenti delle giovani d'oggi c'è sempre meno spazio per il mestiere, questo è un fatto. E i clienti abituali, che sono anziani e ricchi, cercano qualcosa di diverso e di trasgressivo, senza però voler correre rischi. Pare che questa Mary stia conquistando molto mercato. Per fortuna, secondo la mia amica, il grosso del suo lavoro è su Roma, quindi sta fuori per gran parte della settimana. Me ne parlava a titolo di esempio. Non mi risulta altro, in quel parco.

Pisanelli aveva esultato dentro di sé.

– Grazie, Gioia. Preziosa eri, preziosa sei rimasta.

– Grazie a te. Mi ha fatto piacere sentirti. Se ti va, qualche volta passa da me, che ti preparo un caffè.

– Da te? Tu sei pericolosa. Preferisco evitare.

– Credi? Non lo so. Meglio avere rimorsi che rimpianti, non pensi?

Incrociata l'informazione ricevuta al telefono da Pisanelli con quella estorta in maniera non del tutto ortodossa dalla fruttivendola, Lojacono e Romano si misero a spulciare il citofono con rinnovate speranze. Il cognome di Mary, sgorgato dalla bocca della signora Concetta come una parolaccia, era Esposito. Romano aveva borbottato che ne avrebbero trovati una ventina, e Lojacono aveva sospirato.

Invece c'era un solo Esposito, a schiaffeggiare il pregiudizio dei due investigatori. E la melodiosa voce profonda che rispose non mostrò sconcerto o preoccupazione, indicando con sicurezza: palazzina C, quarto piano, uscendo dall'ascensore a destra.

La persona che venne ad aprire la porta fu un'ulteriore sorpresa: una ragazza magra e gentile, dai tratti raffinati con un trucco leggero e un sorriso contagioso. Occhi neri, capelli castani fluenti sulle spalle e un tailleur grigio. Poteva essere un'agente immobiliare, una manager o un'insegnante universitaria.

– Prego, accomodatevi. Vi offro un caffè?

Solo la voce, scura e rotonda, tradiva la natura originaria di Mary: il tono basso e avvolgente ricordava quello di un baritono.

Lojacono scosse il capo.

– No, grazie. Siamo qui per alcune informazioni su...

Mary rise.

– Sí, sí, lo so. È già la terza volta, questo mese. Non si rassegnano, eh?

I poliziotti si guardarono. Romano chiese:

– Che volete dire, signori'? Chi è che non si rassegna?

La ragazza fece una smorfia.

– Sentite, io lo capisco che dovete fare il vostro lavoro. Non vi voglio ostacolare, ma nemmeno posso accettare questo accanimento. È ancora quella stronza del piano di sopra, eh? Allora, per cortesia, ditele che vi chiami quando e se vede o sente qualcosa di irregolare, perché io non faccio niente di male. È chiaro?

Lojacono disse:

– Signora, io non so a cosa lei si riferisca né chi sia quella del piano di sopra. Noi siamo qui per l'incontro, o dovrei dire lo scontro, che ha avuto l'altro giorno con un americano che riteniamo risponda al nome di Ethan Wood, qui all'esterno della sua abitazione.

Mary spalancò gli occhi.

– Ah, ma allora... Mi dovete scusare.

Li fece entrare in un salottino arredato in maniera sobria e piuttosto elegante. In tutta la casa c'era un sentore di lavanda. Si sedettero sul divano, e lei prese posto su una poltroncina.

– Io svolgo le mie attività a Roma. Intrattengo relazioni, mi occupo di pubblicità. Faccio le mie cose e sono... sono quello che sono. E finalmente sono felice. Non è sempli-

ce, lo sapete, non lo è mai stato. Ma vivo bene qui, e qui
voglio continuare a vivere, con tranquillità. In questa casa non ricevo nessuno, se non chi decido io, privatamente
e non per lavoro. Sono giovane, ho trentadue anni, credo
di poter fare quello che voglio, come chiunque.

Romano rispose, un po' sbrigativo:

– Signori', qua nessuno mette in discussione i vostri diritti. Abbiamo solo bisogno di sapere...

– Solo che quelle come me devono essere per forza put-
tane, drogate o...

Lojacono alzò una mano.

– Signora, per favore. Risponda alle nostre domande e
ce ne andiamo, lasciandola alla sua vita che, se non con-
travviene alla legge, non ci riguarda. È vero o non è vero
che ha incontrato un uomo, un americano, nella mattinata dello scorso sabato 17 ottobre? Che ha discusso con lui
animatamente, all'esterno?

Mary esitò un istante, poi annuí.

– Sí, è vero. E non credo sia illegale avere una discussione con qualcuno, peraltro civile. Se non si trattasse di
me, voi...

Romano la interruppe, secco:

– Signori', a noi chi siete e che fate per campare non ce
ne fotte proprio. Non è questo il momento né il posto per
le rivendicazioni dei diritti omosessuali: per favore, non
divagate. State ostacolando le indagini e questo sí che ci
fa incazzare. Mi sono spiegato?

Lojacono non concordava con la maniera sbrigativa che
Romano aveva di interrogare la gente, ma doveva ammettere che talvolta gli tornava molto, molto utile in quella città.

Mary capí che le conveniva collaborare.

– Sí, scusatemi. È che... sono abituata a dovermi difendere. È una cosa triste, ma è cosí. Sabato mattina io

ero pronta per uscire, dovevo partire; ho l'abitudine di andare con lo scooter alla stazione a prendere il treno. Ero in ritardo e arriva questo e si mette a chiedere di un certo Capasso: Capasso abita qui, perché non mi vuoi dire che abita qui, questa è casa sua... Io gli ho spiegato che non sapevo chi fosse questo Capasso e che qua ci abito io da sola da anni. Lui insisteva, ha cominciato a strillare, io l'ho mandato affanculo e me ne sono andata. Tutto qui.

Lojacono e Romano si guardarono. Romano mormorò:

– 'Azzo, proprio una discussione civile.

Lojacono intervenne:

– Le ha detto il nome di battesimo di questo Capasso? E perché lo cercava qui da lei?

Il transessuale scosse la testa.

– Gli risultava che questa fosse casa sua, sventolava un foglio scritto a penna, ci batteva la mano sopra. Io andavo di fretta, mica potevo stare lí a fargli una seduta psicanalitica.

Il Cinese rifletté, poi domandò:

– Da quanto tempo risiede qui, signora? L'appartamento è suo?

Mary si fece all'improvviso cauta e guardinga. Romano drizzò le orecchie come un cane da caccia nel bosco.

– Io... io sto qui da sei anni. No, l'appartamento non è di mia proprietà.

Attesero per un po' il seguito, ma pareva che la ragazza non avesse altro da dire. Prima che Romano esagerasse, Lojacono insistette:

– E allora di chi è, signora?

– Ascolti, io ho un regolare contratto di affitto e...

– Dunque non avrà difficoltà a risponderci, anche perché, in caso contrario, procederemmo a tutta una serie di verifiche.

In un sospiro, quella disse:
- La casa è di una mia amica che si chiama Angela.
Romano ruggí, esasperato:
- Angela come?
Per chissà quale motivo, Mary fissò il pavimento, quasi
stesse ammettendo una colpa.
- Angela Picariello.

XVIII

L'informazione era già stata trasmessa per telefono, quindi Lojacono e Romano, entrando nella sala agenti, trovarono i colleghi in fervida attività.

Ottavia digitava frenetica alla tastiera, reggeva la cornetta con la spalla e parlava sottovoce. Pisanelli era al cellulare, in piedi vicino al muro con una mano sull'orecchio libero per sentire meglio. Aragona cercava di comunicare usando l'apparecchio della scrivania, bofonchiando nella sciarpa e ripetendo piú volte le stesse frasi togliendosi la lana dalla bocca. La porta dell'ufficio di Palma era insolitamente chiusa.

Il primo a liberarsi fu Aragona.

– Ho parlato con Alex che è appena arrivata al Cardarelli, ci stava un traffico enorme; quella non sa guidare, se ero io ci mettevo due minuti. Dice che il tizio sta in terapia intensiva, e che non ci sono novità. Il capo mi ha chiesto di riferirle che la vittima forse andava a trans, cosí magari riusciva ad avere notizie dalla sorella.

Romano lo guardò come fosse un insetto.

– Ma è stato il commissario a raccontarti che Wood andava a trans? Non è affatto vero, cercava un certo Capasso e…

– No, era solo per Alex, che doveva farsi dire dall'americana perché il fratello era là. E quindi, perché andava a trans.

Romano chiese a Lojacono:

– Per favore, mi dài un motivo, uno solo, per cui non dovrei strozzarlo con quella merda di affare che ha intorno al collo?

Aragona si offese.

– Senti, che tu sia rozzo e tamarro lo posso accettare, in fondo sei pure una brava persona, ma ti pregherei di non criticare quello che non capisci. Sai quanto costa questo splendido indumento che ho fatto venire dalla Svezia perché ce l'ha uguale il detective Hollander nella serie *La neve insanguinata*?

Romano si lasciò cadere sulla sedia.

– Quanto costa costa, fa schifo lo stesso. Il capo dov'è?

Aragona indirizzò un cenno verso l'ufficio ma, prima che potesse aggiungere altro, Pisanelli terminò la sua telefonata.

– Pare sia vero che Mary non esercita in vico Egizio. È la sua abitazione. Riceve solo il fidanzato, però la signora del piano di sopra, che ha figli piccoli, non sopporta l'idea di quello che succede sotto i piedi suoi e fa le denunce a vanvera. I colleghi della questura mandano sempre qualcuno, tuttavia sono convinti che non ci sia né droga né prostituzione.

La porta di Palma si aprí e il commissario entrò nella sala. Vedendo Romano e Lojacono si illuminò.

– Ah, siete tornati. Com'è la storia della trans, allora? Aveva ragione il tassista?

Prima che Lojacono potesse rispondere, dalla stanza di Palma uscí una seconda persona. E il Cinese rimase senza parole, perché quella persona era Laura Piras.

Romano, invece, fu sollecito.

– Buongiorno, dottoressa. No, capo, secondo noi il tassista aveva torto. In realtà Wood cercava questo Capas-

so, e si è pure incazzato perché la trans, che come ci stava
spiegando Pisanelli non esercita la professione nello stabile, non ha voluto dirgli niente.

La Piras, evitando di incrociare lo sguardo di Lojacono,
peraltro fisso sulla parete davanti a lui, salutò sbrigativa:

– Buongiorno. Ascoltatemi bene, bisogna alzare la soglia
dell'attenzione, perché il consolato americano si è fatto vivo e ha inviato una persona all'ospedale e una all'albergo
di Sorrento. Pare che la Wood sia ancora popolarissima
negli Stati Uniti, anche se da qualche anno non compare
piú nelle trasmissioni televisive che evocano i favolosi anni Sessanta e...

Lojacono commentò con tono sommesso, ma in modo
da farsi sentire:

– Ci credo. È malata, completamente priva di consapevolezza. Vive in un mondo tutto suo.

La Piras, senza guardarlo e con una lieve incrinatura
nella voce, riprese:

– ... E quindi hanno formalmente richiesto che sia con-
dotta un'indagine accuratissima, con informative costanti. Hanno perfino messo a disposizione, ove mai servisse, le loro forze operanti in Europa.

Aragona era estasiato.

– Uè, dottore', i servizi segreti! Cioè, noi, i Bastardi di
Pizzofalcone, potremmo collaborare con la Cia? Che fi-
gata clamorosa!

La Piras si voltò con aria interrogativa verso Palma,
che allargò le braccia sconfortato, poi decise di ignorare il
commento e proseguí:

– La vicenda non va trattata come un semplice pestaggio:
si deve trovare chi è stato, e dimostrare che questa città
non è il Terzo Mondo. Perciò sono subito venuta qui, per
essere aggiornata sulle ipotesi. Che mi dite?

Ottavia continuava a parlare al telefono, digitando sempre sulla tastiera. Pisanelli si strinse nelle spalle.

– Dottore', per prima cosa abbiamo discusso la possibilità della rapina finita male, dato che Wood è stato ripulito: orologio, portafogli, cellulare. Forse ha opposto resistenza, e a volte, quando si resiste, la reazione è violenta.

Romano intervenne:

– Però ci sono troppe incongruenze. Perché correre il rischio di gettare il corpo in quel cantiere, che ha trasformato la piazza in un budello percorso dalla gente giorno e notte? E soprattutto, perché tante botte? Capirei se l'avessero accoltellato, ma l'hanno ridotto in quel modo a mani nude.

Palma aggiunse:

– Lojacono, che si è recato con Di Nardo a Sorrento dai familiari della vittima, ha scoperto che Wood era venuto nel quartiere con un taxi privato, dovrei dire abusivo, per ben tre giorni consecutivi.

La Piras scosse la testa.

– Ma questo che c'entra? L'uomo è stato rapinato, picchiato e mollato nel cantiere. È strano, d'accordo, ma non basta per far pensare a un regolamento di conti o a un'aggressione per altre cause.

Lojacono, seguitando a fissare la parete nella sua famosa imitazione di un Buddha alto, magro e coi capelli, disse a voce bassa:

– Tre giorni consecutivi in un quartiere dove quello che ci sta da vedere lo vedi in tre ore. Domande in giro. Un foglio con un indirizzo preciso da raggiungere: vico Egizio 15, palazzina C, quarto piano, uscendo dall'ascensore a destra. E un nome, Capasso, che non corrisponde a nessuno di quelli che abitano nel condominio. A me sembra più che strano.

La Piras era una pentola a pressione pronta per mettersi a fischiare.

– Queste sono chiacchiere. I fatti si limitano a un uomo in fin di vita che...

Lojacono, placido e zen:

– La persona che abita l'appartamento si è rifiutata di dare a Wood l'informazione che voleva; una cosa di poco conto, se ci pensate. È stata reticente e alla fine lo ha mandato a quel paese. Perché? E perché pure noi, quella stessa informazione, abbiamo dovuto praticamente estorcergliela? Non capisco il motivo di tanta riservatezza.

La Piras tacque, forse sperando nel soccorso di Palma, concentrato a esaminarsi le unghie.

Lojacono si voltò piano, puntando gli occhi a mandorla senza espressione sul viso del magistrato, che arrossí.

– Wood stava cercando qualcosa con determinazione; è venuto in Italia per questo, perché fin dal primo giorno non si è occupato d'altro. Ha portato qui la madre, che ha l'Alzheimer o la demenza senile o quello che è, la sorella e la badante perché in qualche modo le cose sono collegate, se no non avrebbe senso. Sabato mattina è stato a vico Egizio numero 15 e domenica notte l'hanno pestato, in maniera punitiva e non certo per rapinarlo. Portafogli, cellulare e orologio gli sono stati tolti solo per ritardare il riconoscimento e mascherare la scomparsa del foglio che portava con sé, quello con l'indirizzo, dove magari c'era il nome di battesimo di Capasso. Io sospetto che la Esposito, Mary per gli amici, sappia piú di quello che ci ha detto.

Nella stanza non volava una mosca. Anche Ottavia aveva finito di parlare al telefono e di digitare, e attendeva quieta. Lojacono riprese:

– Se i suoi amici americani vogliono davvero collaborare, dottoressa, potrebbero per esempio farci sapere se

Wood aveva affari qui a Pizzofalcone. Se la sua attività, qualunque fosse, prevedeva dei contatti con qualcuno in zona. Perché una cosa è certa: non era qui in veste di turista. La Piras si sforzava di tenere la mente concentrata sul lavoro, ma non le era facile. Sbatté le palpebre diverse volte in ricerca di una risposta tagliente, ma non la trovò. Ottavia ebbe pietà e le venne in soccorso:

– Alcune notizie le avrei anch'io, e mi sembrano in perfetto accordo con quello che ha appena esposto il collega. Posso, capo?

Palma le sorrise e lei riprese, consultando i suoi appunti:

– L'ufficio del Registro presso l'Agenzia delle Entrate, dove lavora un mio carissimo amico, mi ha fatto la cortesia di andare a vedere il contratto di locazione. Tutto regolare: Esposito Mario, nato il 13 febbraio del 1983, ha in fitto per originari quattro anni, rinnovati per altri quattro due anni fa, l'appartamento al quarto piano, scala C, eccetera. Locatore, ed è qui il bello, la sua amica Angela, il cui cognome però è Capasso, proprio come quello della persona che cercava il signor Wood e che Mary ha dichiarato di non conoscere.

Palma chiese, sorpreso:

– E che c'entra allora il cognome Picariello?

Ottavia, soave:

– È qui che viene la parte interessante. Capasso Angela, coetanea di Esposito, è coniugata dal 2006 con il dottor Picariello Nicola, commercialista.

La Piras spalancò la bocca.

– Picariello Nicola? *Quel* Picariello Nicola?

Come una maestra elementare di fronte a un'alunna particolarmente diligente, Ottavia annuí.

– Esatto, dottoressa. *Quel* Picariello Nicola. Il colletto bianco, il commercialista del clan Sorbo. L'uomo che, secondo la procura antimafia, si è occupato del traffico di denaro e degli investimenti derivanti dalla droga negli ultimi dieci anni. Latitante da sei mesi. Uno dei ricercati piú ricercati che ci siano.

Aragona non resistette:

– E diciamoglielo, a quelli della Cia, che si mettessero in fila dietro ai Bastardi di Pizzofalcone!

XIX.

Mentre attendeva nella saletta antistante il reparto di terapia intensiva Alex incrociò il dottor Caruso, il medico che l'aveva informata circa l'intervento per ridurre l'ematoma che premeva sul cervello di Ethan Wood. Il dottore la riconobbe e le si fece incontro.

– Ah, ecco la piccola poliziotta esperta in arti marziali. Come sta? Ancora qui, vedo.

Di Nardo ricordò l'istintiva posizione di difesa che aveva assunto quando si erano incontrati la prima volta e gli sorrise.

– Esperta io? No, dottore. Sono solo una che per carattere si aspetta il peggio. Come sta il signor Wood?

In borghese, cioè con il camice bianco ma senza la tenuta da sala operatoria, Caruso esibiva una disordinata chioma brizzolata nella quale passava spesso la mano, scompigliandola ulteriormente.

– Mah, non è che si possa affermare niente di sicuro. È sempre incosciente, bisogna tenerlo cosí in questa fase. In sé l'intervento è pienamente riuscito, ma il pericolo di vita c'è eccome e ci sarà per diversi giorni.

Alex diede cenno di aver capito e chiese:

– Quindi non è in grado di fare ipotesi su un'eventuale ripresa? Sa, è l'unico che potrebbe raccontarci quello che è successo e...

Caruso fece una risatina.

– Signori', mi accontenterei di poterle garantire che il paziente si risveglierà nel pieno possesso delle sue facoltà di qui a un anno, o due, o dieci. Significherebbe che tutto è filato liscio e che abbiamo lavorato alla perfezione. Allo stato attuale, però, se dovessi scommettere un euro sulla sua sopravvivenza me lo risparmierei.

– E alla sorella lo avete detto, dottore? Chissà come si sente.

– Certo che gliel'abbiamo detto. I familiari stretti devono sapere le cose come stanno. Il signor Wood potrebbe anche aprire gli occhi fra qualche giorno e chiedere quattro uova al bacon, un Big Mac o quello che cavolo sono abituati a mangiare dalle parti sue; ma io non credo saremo tanto fortunati. Con permesso, adesso mi scusi. Magari ci rivediamo.

Rimasta sola, Alex pensò che negli ultimi mesi aveva passato piú tempo negli ospedali che in qualsiasi altro luogo. L'infarto del padre e la lunga degenza; lei relegata nella sala d'attesa perché a lui avrebbe creato troppa tensione vederla dopo che era andata a vivere per conto suo, decisione interpretata come un atto di lesa maestà; le ore trascorse con la madre, e la scoperta che lei, Nora, era a conoscenza degli orientamenti sessuali della figlia, al contrario del Generale; l'uscita del padre dalla clinica e il faticoso, progressivo riavvicinamento fatto di silenziosi pranzi domenicali carichi di tensione. Non era stata un'estate senza pensieri, quella di Alex.

Come Dio voleva, però, era finita, e ora l'inizio reale della stagione la trovava indipendente, padrona della propria vita, con una casa sua e perfino un rapporto accettabile, se non addirittura affettuoso, con i suoi genitori. E poi c'era Rosaria. La sua Rosaria.

La porta si aprí e apparve Holly Wood, il viso stravolto dalla stanchezza e dalla preoccupazione. Si tolse la cuffia

e il camice monouso e scosse la testa in direzione di Alex.
Sembrava sul punto di scoppiare in lacrime.

– È cosí... *pale*. Come dite voi... pallido. È bianco come un morto. Respira in una macchina... Io... io non ce la faccio a vederlo in quelle condizioni...

Alex le si avvicinò e le poggiò una mano sulla spalla. La donna l'abbracciò e si mise a piangere singhiozzando, dando finalmente sfogo all'angoscia.

Quando si calmò Alex provò a rassicurarla, mentendo: il dottore non era affatto pessimista, c'era solo da aspettare.

Holly, soffiando in un fazzoletto, replicò:

– A me non ha detto questo. Ha detto che può morire...

Alex minimizzò:

– I medici parlano cosí per non creare aspettative, mi creda. Suo fratello si salverà. Noi però non abbiamo molto tempo: piú passano le ore, meno facile diventa individuare il colpevole. E siccome lui non può rispondere, deve aiutarci lei, signora.

La donna tirò su col naso.

– Avanti, allora. Che vuole sapere?

Alex si schiarí la voce.

– Prima di tutto abbiamo bisogno di conoscere il motivo della ripetuta presenza di Ethan a Pizzofalcone. È venuto nel quartiere per tre giorni consecutivi, come se cercasse qualcosa. Che cosa?

Holly scosse la testa, decisa.

– Io non lo so. Se lo sapessi ve lo avrei già detto.

Di Nardo non insistette.

– Va bene. Allora partiamo dall'inizio. Chi ha avuto l'idea di questo viaggio? Chi l'ha proposto? A quando risale il vostro precedente soggiorno qui?

La donna si sedette sulla panca di formica verde addossata alla parete.

– In realtà mio fratello e io non eravamo mai stati in Italia; mia madre non voleva tornare e non voleva che ci venissimo noi. Lei, come sa, è originaria del vostro paese, parla benissimo la lingua e ce l'ha insegnata, ma per qualche ragione aveva come un rifiuto.

– E cosa le ha fatto cambiare idea?

L'americana sospirò, gli occhi persi nel vuoto. Era stanchissima, e si vedeva.

– Mamma... mamma è stata una grande attrice. Immensa. Esistono ancora oggi dei fan club. Io e Ethan ci occupiamo di lei e delle sue cose. Lettere di ammiratori, incontri, premi... Ma adesso è ammalata. È iniziato tutto quattro anni fa, prima non ricordava i nomi, poi ha cominciato a perdere le cose... Ora vive in un passato tutto suo, da cui rientra solo ogni tanto. Ethan... lui voleva regalarle quel passato. Voleva farle vedere i luoghi dove... Dove era stata felice.

Alex chiese:

– E perché proprio Sorrento?

– A Sorrento Charlotte, mia madre, ha girato il suo film piú famoso, *Souvenir*. Tante volte ci ha raccontato che sono stati giorni meravigliosi, i piú belli della sua vita. Aveva ventiquattro anni, ci pensa? Una bambina. E ora...

Ricominciò a piangere, piano. Alex attese che si calmasse, sedendosi accanto a lei. Poi disse:

– Senta, signora. Suo fratello le ha mai parlato di Pizzofalcone? Sa se aveva affari, relazioni, amicizie con qualcuno da queste parti? Perché lei capisce che è parecchio strano questo suo continuo girovagare per il quartiere.

La risposta uscí dalla bocca di Holly con una brevissima, quasi impercettibile esitazione.

– Io... no. Vede, mio fratello e io ci vogliamo molto bene, ma fra noi c'è qualche anno di differenza; e siamo figli di padri diversi, anche se portiamo lo stesso cognome. Lui... non credo mi direbbe una cosa personale. Non mi farebbe una... confidenza, *right?* Una confidenza. Forse aveva qualcuno da salutare, forse voleva semplicemente vedere qualcosa... Ora, per favore, potete aiutarmi a cercare un taxi? Devo andare da mia madre, e comunque qui non mi lasciano rimanere.

Alex concluse:

– Sí, certo. Ma per favore, cerchi nelle cose di suo fratello e ripensi ai vostri discorsi degli ultimi giorni. Anche un piccolo dettaglio potrebbe aiutarci a scoprire come si sono svolti i fatti.

XX.

Angela spense la radio e si stese di nuovo sul letto.

I suoi movimenti si erano fatti cauti, lenti, come quelli degli anziani: una delle stranezze della nuova condizione.

La radio era un oggetto che non vedeva da anni; e in generale quella stanza con la porta che non c'era era immersa nel passato. Non un tempo antico, però. Vecchio.

Nell'altra vita, quella inconsapevole che aveva preceduto la reclusione e che forse non sarebbe tornata mai piú, gli occhi di Angela a stento si posavano sulle cose di uso comune. Era proiettata su un futuro che sembrava chiaro e netto, dai contorni definiti. Non aveva mai fatto caso all'obsolescenza, al superamento, alla sostituzione del vecchio col nuovo. Ora che aveva tempo per pensare, si chiedeva quando avesse visto l'ultima volta una radio come quella, con due rotelle, una per l'accensione e una per il volume, una manopola con dei numeri per le frequenze, un'antenna telescopica in metallo da orientare in continuazione per evitare suoni gracchianti.

Aveva avuto un'amica appassionata di modernariato; era anche appassionata di istruttori di aerobica, ma quello era un altro discorso. Mentre ascoltava il picchiettare della pioggia sottile e invisibile attraverso la finestra sbarrata, ricordava di averla accompagnata a una fiera all'aperto. Quando era stata rinchiusa nella stanza aveva avuto la stessa impressione di quel giorno: un mare di oggetti superati e senza piú senso, il cadavere ridotto in pezzi di un passato di cui solo un anziano nostalgico può voler tenere memoria. Chi l'avrebbe immaginato che reliquie come quelle sarebbero diventate anche il suo mondo?

Angela rifletté sul fatto che, inseguendo quei pensieri frammentari, stava scappando dalla realtà. Non voleva elaborare teorie, non voleva tirare dolorose conclusioni. Ma lei, Angela, era logica.

La radio aveva detto: turista americano. Aveva detto: ridotto in fin di vita. Aveva detto: Pizzofalcone.

Certo, poteva essere chiunque. Certo, quella città era tutta un rapinare, un derubare, un picchiarsi. Certo, non erano stati fatti nomi. Ma Angela era razionale, e i numeri in colonna andavano pur sommati: il totale era piú che sufficiente a fornire un'elevata probabilità che si trattasse di lui.

Era venuto, quindi. Alla fine era venuto. Questo la riempiva di gioia, le sembrava incredibile. La situazione, però, nel frattempo era cambiata; le cose erano precipitate e lei non era riuscita ad avvertirlo. Se era lui, e tutto la induceva a pensarlo, l'aveva cercata o almeno ci aveva provato. Non era sola.

O forse lo era, invece: in fin di vita, aveva detto la radio.

Si passò una mano sul ventre, distesa sul fianco con l'altro braccio sotto la testa. – Mimí, – disse a fior di labbra. – Mimí, che brutto mondo ti aspetta.

Con calma attese di sentir montare dentro di sé l'odio. Che puntualmente arrivò.

XXI.

La scoperta del legame, indiretto ma evidente, tra l'indagine sul ferimento («tentato omicidio», aveva puntualizzato Palma) di Ethan Wood e la latitanza di Nicola Picariello, uno dei piú famosi colletti bianchi della criminalità organizzata della città, apriva scenari imprevisti e inquietanti.

E, come al solito, implicava sovrapposizioni di strutture investigative.

La Piras aveva subito chiarito che doveva informare il procuratore, e che sarebbe stata coinvolta la Dda. Palma aveva sbuffato, scuotendo la testa:

– Prima gli americani, adesso l'antimafia. 'Sto Wood sta diventando un intrigo internazionale. Non staremo esagerando, dottore'? In fondo può trattarsi di un caso. È stato picchiato, non è stato ucciso. Forse sono tutte elucubrazioni: l'hanno rapinato vicino al cantiere e senza nemmeno pensarci l'hanno buttato dentro. Mo' mi pare che dobbiamo fare un'interrogazione parlamentare, per portare avanti un'indagine.

La Piras era scattata.

– Palma, qui non è questione di intrighi! Esistono le competenze, c'è gente che lavora su certe situazioni da anni; non possiamo correre il rischio di alterare quadri che vengono costruiti attraverso reti di informatori e ore e ore di interrogatori. Le priorità devono essere rispettate.

Lojacono era intervenuto, calmo, come parlando tra sé:
– Quindi un povero americano che sta morendo in ospedale, perché è stato pestato a morte mentre chiedeva informazioni, non è una priorità.

Laura rispose, velenosa:
– Questa è la solita cazzata di chi non ha una visione
complessiva degli eventi. Qui è implicata la moglie di un
latitante importantissimo, non una qualsiasi…

Sempre guardando davanti a sé, Lojacono la corresse:
– Un.

La Piras, interrotta a metà della frase, aggrottò la fronte. Romano sorrise, scuotendo la testa: eccolo qui, il solito Lojacono. Aragona ammiccò a Pisanelli, mimando un
«mamma mia» e agitando la mano. Alex, appena rientrata dall'ospedale, con il soprabito ancora addosso, fece una
smorfia e si mise a guardare la pioggia. Ottavia fissò Palma con aria supplichevole.

– Che accidenti significa? – domandò Laura quando si
riprese.

Lojacono ripeté:
– Un. La Esposito e anche la fruttivendola sostengono
che Wood voleva sapere di *un* certo Capasso. Non *una*
certa Capasso. E la Capasso è coniugata, come ci diceva
Ottavia, da quasi dieci anni con questo Picariello. È cosí?

Ottavia, sorridendo fiera, si affrettò a confermare.
– Sí, dal 2006.

Lojacono continuò, con voce piatta:
– Quindi stiamo parlando di altro, mi pare. Stiamo parlando di qualcosa di precedente. Dovremmo capire chi era
il proprietario dell'appartamento *prima* che la Capasso
in Picariello lo cedesse in locazione: suo padre? Suo zio?
Inoltre sarebbe meglio tornare dalla cara Mary, perché secondo la mia opinione, che spero non sia in contrasto con

le risoluzioni Onu e con l'onnipresente e onnicompetente Dda, non ci ha detto tutto.

La Piras sembrava sul punto di esplodere.

– E se Esposito fosse un informatore del clan? Non solo non servirebbe a niente parlarci di nuovo, ma fornirebbe indicazioni a quelli là su come muoversi. Potreste fare danni e...

Palma replicò, anche lui sommesso:

– Potreste? Siamo su posizioni diverse, dottore'? Siamo... subordinati, ora?

La Piras protestò:

– Palma, non dica fesserie anche lei! Sa bene che io non prendo ordini da nessuno, e ve l'ho dimostrato sempre, mi pare. Non dimentichiamo che se questo posto è aperto e funziona a pieno regime è anche merito mio.

Palma lasciò scorrere lo sguardo attorno, poi riprese:

– Sí, dottore'. Eccome. Ma proprio perciò dobbiamo lavorare con i criteri che decidiamo noi. Abbiamo trovato un uomo quasi morto, e lo abbiamo trovato nel quartiere: la gente potrebbe pensare che non siamo stati in grado di compiere il nostro dovere e concludere che questo non è un posto sicuro. Che non siamo capaci. E allora tanto varrebbe chiuderlo davvero, il commissariato di Pizzofalcone. Tanto, Bastardi eravamo e Bastardi restiamo.

Mai era accaduto che un discorso del genere fosse pronunciato davanti a tutti. E mai Palma aveva avallato quel particolare orgoglio, quel sentimento di appartenenza legato al soprannome. Aragona inspirò forte e gonfiò il petto, sorrise dietro la sciarpa e disse, piano:

– Mpf.

Laura scosse il capo.

– Non ci posso credere, davvero. Mi state chiedendo di autorizzare un'indagine basata sul nulla e che potrebbe mettere a repentaglio una grossa operazione organizzata da mesi? È cosí? Ho inteso bene?

Palma si voltò a guardare Lojacono, che intervenne:

– No. Non è cosí. Lei deve soltanto ottenere l'autorizzazione a interrogare la Picariello. Solo questo. E per una questione che non riguarda il suo stato attuale di moglie di un latitante, ma di figlia, nipote o sorella di *un* certo Capasso. Perché quello che dobbiamo scoprire è chi stava cercando, l'americano, e perché. E quali piedi ha pestato.

La Piras rifletté in silenzio, a lungo. Poi cominciò:

– Io devo? Non sta certo a lei, Lojacono, né a nessuno di voi spiegarmi quello che devo o non devo fare. Ma siccome, a quanto pare, mi tocca rendere conto a un consolato e non voglio riferire a un compunto diplomatico saccente che il suo concittadino è stato vittima di un ignoto, squallido rapinatore e che non siamo in grado di produrre le evidenze di un'indagine, correrò il rischio. Perché altrimenti le cose si perderanno nella nebbia della procura antimafia e io non ne saprò piú nulla. Cosí, almeno, avrò qualcosa da mostrare.

Quindi si rivolse a Palma:

– Mi ascolti bene: glielo dico davanti a tutti, cosí eviteremo la solita manfrina delle iniziative individuali di cui nessuno era a conoscenza. Tornate da Esposito, capite se ha tenuto nascosto qualcosa. E al limite risentite la sorella, quella Holly. Che poi dare il nome Holly a una che si chiama Wood di cognome è il massimo dell'autocelebrazione, per un'attrice. Sono le uniche due cose che potete fare. Sono stata abbastanza chiara o le serve un disegnino.

Palma, a disagio, si difese:

– Dottore', le risulta che siamo mai venuti meno alle sue istruzioni?

Laura ruggí:

– Sempre, cazzo. Sempre. E io non so perché ho sopportato, finora. Ma l'avverto, e avverto tutti: stavolta, quant'è
vero Iddio, se la fate fuori dal vaso, anche una goccia, vi
chiudo io personalmente e vi rispedisco dove eravate con
un calcio nel sedere.

Quando si arrabbiava l'accento sardo diventava piú forte. Continuando a fissare davanti a sé, quasi fosse su un
altro pianeta, Lojacono non poté fare a meno di pensare
che quella non era l'unica circostanza in cui ciò avveniva.

La Piras raccolse borsa e impermeabile e si avviò verso la porta.

Poi si bloccò e disse:

– Lojacono, accompagnami alla macchina. Cosí mi antici-
pi per filo e per segno che cosa intendi chiedere a Esposito.

Scese le scale in silenzio, i tacchi che ticchettavano rit-
mici sui gradini; l'ispettore la seguiva e taceva, in attesa.
Come furono nel cortile si voltò e sibilò a pochi centimetri dal viso di lui:

– Stammi bene a sentire: riprovaci e ti spezzo in due.
Mettimi ancora in difficoltà di fronte ad altre persone e
ti rovino. Mi hai capito?

Lojacono la fissò, non tradendo al solito alcuna emozione. Poi rispose calmo:

– Ti ricordo che non hai niente da rovinare, e non mi
fate paura né tu né nessun altro malato di carriera che gioca a chi ce l'ha piú lungo, anche se è femmina. E ti ricordo
pure, giacché sembra che tu l'abbia dimenticato, che io faccio il lavoro come lo so fare, cosí ho sempre fatto e cosí farò
sempre. Quindi voglio essere esplicito come lo sei stata tu:
per impedirmi di agire a modo mio mi devi sbattere fuori.
Non da Pizzofalcone, ma dalla polizia. Perché io di te me
ne fotto, e me ne fotto dell'intero Palazzo di Giustizia. In
realtà a voi, a te e ai tuoi amici, la giustizia non interessa.

Se avesse dato a Laura due schiaffi a mano aperta, là nel cortile del commissariato, lontano dagli sguardi dei colleghi e dell'autista di lei che l'attendeva accanto alla macchina, avrebbe sortito minor effetto.

La Piras sentí gli occhi riempirsi di lacrime, e le ricacciò indietro.

– Come ho potuto credere che tu fossi diverso dagli altri? Come ho potuto immaginare che con te sarebbe stato tutto perfetto? Tu prova a mettermi in difficoltà con la Dda e ti assicuro che...

Lojacono la squadrò.

– Ma da dove viene questa improvvisa sensibilità nei confronti dei tuoi colleghi magistrati? Ti serve cosí tanto pensare di essere perseguitata, di essere aggredita, per trovare la forza? Be', ti do una notizia, dottoressa Piras: qua non c'è nessuno che vuole metterti in difficoltà. Recupera dentro di te le ragioni per cui hai scelto di fare questo mestiere, piuttosto. Avevi voglia di verità, e per arrivare alla verità si segue la logica, non la politica. Ora, se permetti, devo andare a lavorare.

E si voltò per risalire le scale, dopo averla di nuovo schiaffeggiata senza nemmeno sfiorarla.

XXII.

Amore mio,

oggi piove. Quando piove qui è diverso da quando piove da te, dove le gocce sono estranee a tutta quella bellezza e paiono ospiti casuali e indesiderati, che però se ne andranno presto e cederanno di nuovo posto al sole e alla sabbia e al mare.

Quando piove qui sembra che sarà per sempre. Il grigio diventa ancora piú grigio, il nero ancora piú nero e l'oceano incombe e fa paura. E tu mi manchi ancora di piú.

Che cosa assurda, strana e immensa è questo nostro amore. Illogico e segreto, che travalica tempo e spazio. Che mondo meraviglioso il nostro, solo tuo e mio nonostante attorno a noi giri tanta gente, ci siano sorrisi e urla e lacrime e gioie che ci toccano, ma che subito vanno via, senza lasciare tracce. Come questa pioggia che cade a scrosci simile a un'inutile cascata.

La mia bambina compie tredici anni, oggi. È giovane, amore mio, e in lei riconosco qualcosa di me, lo vedo, ma c'è altro che è cosí estraneo da farmi paura. È una ragazzina un po' chiusa, che riflette prima di parlare. Io, lo sai, non ho questa abitudine.

Ethan invece va per la sua strada. È istintivo, pieno di fantasia e ha l'umore che sale e scende come il valore di un'azione instabile. Sono entrambi la mia gioia e anche il mio cruccio, perché penso che senza di me sarebbero in balia del vento come una barca a vela senza governo. Immagino che coi figli sia sempre cosí, che non si possa evitare.

Mi dà pena la solitudine. Che strano che una come me sia gravata da questo peso. Incredibile, vero? Sentirsi soli con tante persone vicino e tante cose da fare.

E invece la solitudine è il cancro di quelli come me. Sapessi in quanti, nel mio ambiente, si buttano su alcol e droghe pur di sopravvivere a questa schiacciante condizione.

Vista dall'esterno, la mia vita luccica. Servizi fotografici, mazzi di fiori, gioielli, ammiratori. E giornalisti, interviste, autografi e partecipazioni a programmi televisivi. Però sai, amore mio, è come un circo: come camminare in mezzo a tigri e leoni, acrobati che vivono appesi a un filo e a tanti, tanti pagliacci. Per fortuna c'è il set: lì puoi ricordarti di nuovo per quale motivo hai scelto di fare questo lavoro.

Subito prima che il regista dica «azione» mi metto le mani sugli occhi, in raccoglimento. L'ho sempre fatto, anche quando ero piccola e credevano che pregassi per non sbagliare le battute. Invece no, amore mio: io in quel momento entro nel personaggio, fisicamente, come se andassi in una casa; mi guardo attorno: soprammobili, stoviglie, tappeti e divani. Respiro l'odore, ascolto i rumori. È l'anima di un'altra, la vita di un'altra: io la indosso e diventa la mia per il tempo che sarà necessario, fino alla scena successiva. È questo che faccio, è questo che conta. Il resto, amore mio, è circo.

Che regalo straordinario della vita è stato incontrarci. Che meraviglia siamo noi due. Dico solo a te queste cose, apro solo a te la porta del mio cuore. Quello che i miei colleghi, i produttori, i registi cercano in fondo a una bottiglia, in una striscia di polvere o in un letto sconosciuto io lo trovo in queste lettere, in questo continuare a parlarci a dispetto delle nostre stesse esistenze.

Chissà, forse anche questa è una fuga, un modo di rifiutare la vita che ho in nome di quella che non ho ma che avrei dovuto e voluto avere.

Secondo te, amore mio, abbiamo sbagliato? Pensi che sarebbe stato giusto seguire l'arcobaleno costruito dalla luce di quell'incontro attraverso gli anni per cercare la nostra pentola d'oro? Trovare la forza di voltare le spalle alle comodità e alle ricchezze, alla fama e al legame coi luoghi, al mare e all'aria e alle automobili con autista? Rinunciare a ogni cosa pur di poter allungare una mano di notte e sfiorare la pelle di chi amiamo?

Forse sí, amore mio. Forse sí. Perché i debiti li abbiamo con noi stessi, prima che con gli altri. Se la mattina, nello specchio, vedi la stanchezza di due occhi che non hanno voglia di aprirsi al mondo falso che ti circonda, la colpa è tua e soltanto tua. Ma purtroppo il coraggio di scegliere tra i rimorsi e i rimpianti non è da tutti.

Perciò perdonami, amore mio. Perdonami se non sono lí con te adesso, proprio adesso. Se non sarò io a riconoscere le tue rughe, percorrendole intenerita con la punta di un dito dopo aver fatto l'amore, mentre la pioggia batte sui vetri come ora. Perdonami se non sarò io a condividere le tue preoccupazioni e le tue paure.

Perdonami.

E io cercherò di perdonare te.

XXIII.

Consapevoli di avere assai poco tempo, prima che la scure della procura antimafia si abbattesse sull'indagine avocando a sé la competenza o prima che la diplomazia americana richiedesse l'intervento di forze speciali, i Bastardi di Pizzofalcone si divisero i compiti per fare quello che dovevano il piú presto possibile.

D'altronde, e per fortuna, non c'era molto lavoro: ottobre procedeva sonnacchioso verso la fine, avvolto da una pioggerella fastidiosa e da una temperatura un po' piú alta della media.

Lojacono e Alex si avviarono in auto verso Sorrento, per provare a ottenere qualche informazione dalla signora Holly; Romano e Aragona andarono invece in vico Egizio numero 15: forse Mario Esposito in arte Mary sarebbe stato piú disponibile al dialogo rispetto alla volta precedente.

Palma si era espresso con chiarezza:

«Ragazzi, io la Piras non voglio inimicarmela. Va bene difendere le nostre convinzioni, ci mancherebbe altro, ma restare senza la minima protezione in procura sarebbe pericolosissimo; in questa fase siamo ancora troppo fragili. Perciò vedete quello che potete scoprire e poi facciamo il punto».

Esposito al citofono manifestò un certo fastidio, ma Romano riconobbe anche, nella voce, una vena di inquietudine, che parve piú evidente quando la sua faccia apparve per metà attraverso la porta socchiusa.

– Sentite, abbiamo già parlato e io non ho altro da aggiungere. Quindi, se non avete qualcosa da notificarmi, e in quel caso chiamerei subito il mio avvocato, non vedo perché dovrei farvi entrare.

Aragona fece correre lo sguardo lungo l'altezza di Mary, soffermandosi sui polpacci nudi e sulla vestaglia a fiori. Quindi si tolse gli occhiali col famoso gesto fluido e, sporgendo il collo in avanti per non rischiare un contatto con i peli della sciarpa (accorgimento perfezionato di recente e di cui era molto fiero), disse:

– Embè, Esposito, e proprio con me non vuole parlare? Ha parlato col mio collega che, mi creda, è meglio non fare incazzare e io non posso entrare?

La fronte di Mary si corrugò.

– No che non potete entrare. Questa non è mica la Corea del Nord. Una privata cittadina ha il diritto di...

Romano l'interruppe con decisione.

– Signori', qua si tratta di una cosa molto seria. C'è un uomo in fin di vita, che forse non si riprenderà mai. Lei, per quanto ci risulta, è l'ultima ad averlo visto cosciente e ci ha pure litigato in pubblico. Le conviene opporre tutta questa resistenza? Perché noi ce ne possiamo pure andare, ma se torniamo poi sono cazzi suoi.

Aragona ridacchiò sgangherato.

– Il che, a quanto vedo, magari gli farebbe piacere. Sa una cosa, Espo'? Io sono pieno di pregiudizi. Se c'è uno che vi perseguita, che non rispetta i vostri diritti, che fa apposta a darvi problemi, che vi discrimina, quello sono io. Sarà un piacere metterla in croce. Buona giornata.

Con enorme sorpresa di Romano, l'agente scelto inforcò di nuovo gli occhiali e si girò per andarsene. E la sorpresa dell'assistente capo fu ancora maggiore quando Esposito squittí:

– Un momento! Basta usare un po' di educazione. Accomodatevi, su, se no il palazzo intero mi fa una lettera di mancato gradimento. Quelli già rompono le scatole di continuo.

Aragona rivolse un sorriso soave al collega come a significare: visto? Romano scosse il capo e i due entrarono nell'appartamento.

Mary, senza invitare i poliziotti a sedersi, e restando lei stessa in piedi, disse:

– Ho da fare, devo uscire e sono in ritardo. Chiedetemi quello che mi dovete chiedere e poi, per favore, lasciatemi alle mie cose.

Aragona iniziò a gironzolare toccando soprammobili e suppellettili.

– Ma che carina, questa casa. E che buono, questo deodorante per ambienti. Proprio una bella sistemazione, signor Esposito.

Mary lo incenerí con lo sguardo.

– Meglio se sto zitta, – mormorò, e accostò i lembi della vestaglia.

Romano decise di intervenire.

– Allora, signorina, saremo rapidissimi, se lei collaborerà. Il signor Wood, quando è venuto, voleva notizie della famiglia Capasso che, come sa bene, è proprietaria di quest'appartamento e sua locatrice. Perché gli ha mentito?

Lei replicò, calma:

– Io non ho mentito affatto. Lui mi ha domandato di un certo Capasso Domenico, che io non ho mai conosciuto. Ho preso in fitto la casa da Angela Picariello e…

Aragona cominciò a palleggiare in aria con una statuetta di cristallo che raffigurava una pastorella.

– Caspita, pesante. Non credevo. Senta, Espo', lei non deve nemmeno provare a prenderci per i fondelli; in senso figurato intendo, non come è sua abitudine. Lo sappiamo tutti che Picariello è il nome da sposata e che il contratto è registrato a nome Capasso. Quindi risponda bene.

Sul «risponda bene» mancò la presa e la statuetta di cristallo cadde a terra e andò in mille prezzi. Esposito spalancò la bocca, fissando l'agente, che sorrise.

– Uh. Mi è scappata. Che peccato.

Romano si riscosse da un'espressione sconfortata e, fissando Aragona, disse a Mary:

– Proprio cosí, signorina. Lei ha firmato con Capasso Angela, non con altri. Torno a ripetere: perché ha mentito?

La ragazza non riusciva a togliere gli occhi dai frammenti sparsi sul pavimento. Aragona afferrò la scultura gemella, un pastorello, e ne studiò i particolari.

– Interessante, un pastorello e una pastorella a simboleggiare la doppia natura, maschile e femminile. Una... come si dice... metafora? Allegoria?

La ragazza si rassegnò.

– Io... io a questa Angela non l'ho mai vista. Cioè, l'appartamento è suo, per carità, però io ho sempre parlato col marito che, come sapete... va be', lo sapete chi è il marito. Per me il proprietario è Picariello.

Romano chiese:

– Cioè l'appartamento appartiene alla moglie ma lei ha trattato il prezzo con il marito e paga la pigione a lui?

– Io manco a lui vedo, lascio una busta coi soldi al portiere suo, a Monte di Dio 112, ogni mese e...

Aragona lanciò in aria la statuetta e la riprese al volo.

– Espo', sta dicendo che lei e questo Picariello vi parlate per buste e soldi? Non è che lo riceve e lo paga... da vicino?

Mary scosse il capo inorridita.

– Ma... come vi permettete, si può sapere? Solo perché sono una transgender devo essere per forza una puttana? Ancora a questo stiamo? Io...

Fu interrotta dal fragore della seconda statuetta che aveva raggiunto la prima sul pavimento. Romano sobbalzò, interrogandosi se non dovesse procedere all'immediato arresto del collega o piuttosto se non fosse meglio ucciderlo sul posto.

Aragona esibí un'espressione soave al di sopra della vaporosa sciarpa.

– Peccato, si è rotta. E d'altra parte come avrebbe sopportato la vita senza la sorellina? Meglio cosí, secondo me. Allora, stavamo dicendo che Picariello lei non lo vedeva mai. Chissà chi vede, invece. Perché mi sa che questo ottimo deodorante per ambienti in realtà è un profumo maschile, e se vado a vedere di là, in camera da letto, trovo un'altra bella statuina. Che dice, Espo', ci vado?

Mary cercava di controllare l'irrefrenabile tremolio del labbro inferiore. Scrutò Romano, come a chiedere aiuto, ma il poliziotto, in difficoltà, distolse lo sguardo.

Alla fine esclamò:

– No, per favore, di là c'è... c'è un amico che non si sente molto bene, volevo appunto... Non volevo mettervi fretta, ma siccome stavo cercando di... E comunque sí, Nicola Picariello qualche volta, ma assai raramente, veniva qua a riscuotere il fitto. Ma questo non vuol dire che facessimo affari insieme. Ci siamo conosciuti... molto tempo fa, io abitavo in un altro quartiere. Lui aveva questo appartamento sfitto da d'anni, da quando era morto il padre di lei, e io avevo bisogno di una casa. Il contratto l'ha voluto registrare lui, ci teneva che le carte stessero a posto. Del resto è un commercialista.

Romano la incalzò.

– Si può sapere da quanto tempo non avete contatti con Picariello?

Lei abbassò gli occhi.

– Sono sette mesi.

Aragona sogghignò.

– E immagino che in questi sette mesi se l'è risparmiata la passeggiata a Monte di Dio, eh, Espo'? Morta la creatura, non si è piú compari, si dice dalle parti mie.

La ragazza lo fissò con aria di sfida.

– Io sono prontissima a pagare fino all'ultimo centesimo alla persona con cui ho concordato il prezzo. Quando tornerà salderò tutto.

Fu la volta di Romano, cupo.

– E allora mi sa che aspetterà a lungo, signori'. Nel frattempo un consiglio: resti a disposizione. Se dovesse esserci ancora utile qualche notizia in suo possesso, verremo da lei.

Aragona allungò la mano e diede un pizzicotto sulla guancia di Mary.

– Un consiglio pure da me, Espo': meglio i pastori del presepe che quelle brutte statuette. Sono piú decorativi. E dica all'amico suo di cambiare profumo, questo pare insetticida. Buona serata.

XXIV.

Con le dita sulla maniglia dell'ufficio, Laura Piras considerava l'ipotesi di prendere un periodo delle sue ingenti ferie arretrate. Un annetto, magari.

All'improvviso sentiva una fortissima nostalgia della propria terra. Le strade deserte da percorrere in macchina; campagna a sinistra e campagna a destra. Le colline, le pecore, il formaggio buonissimo, il *porceddu* e il Cannonau nelle sere d'estate. Il suono dolce della lingua, la musica. Il mare, il suo mare, verde e blu, cosí esteso e cosí accogliente. Fine di quel caos, di quel disordine indecifrabile che la circondava. E soprattutto un viaggio in aereo o parecchie ore di nave dalla situazione in cui si trovava.

Aveva rivisto Lojacono dopo tanto tempo e si era scontrata con lui; immaginava che sarebbe accaduto. Conosceva sé stessa e sapeva quanto poteva essere dura quando si metteva sulla difensiva.

Ma perché voleva difendersi da Lojacono? Perché era innamorata di lui. E innamorarsi, le era stato evidente mesi prima, non era un lusso che poteva permettersi. Una debolezza, una crepa, una pericolosissima falla: questo era innamorarsi. E lei aveva una carriera, un'autonomia e dei ricordi da proteggere. Alla donna che era diventata, o che credeva di essere diventata, non era consentito stabilire una relazione fissa con qualcuno, tantomeno se padre di una figlia adolescente e semplice ispettore di polizia di uno scalcinato commissariato della città.

Non voleva ammettere che il periodo trascorso con lui era stato il piú bello della sua vita da quando Carlo, il fidanzato, l'uomo al quale fin da ragazza aveva legato le speranze di una famiglia, era morto. Ammetterlo avrebbe significato rinunciare a troppe cose, e non era pronta. Per questo aveva commesso quella sciocchezza che ancora non si perdonava. Una sciocchezza che rendeva piú complicato, assai piú complicato, quello che l'aspettava adesso.

Al ritorno da Pizzofalcone, carica di rabbia e di livore verso sé stessa, verso Lojacono e verso il mondo intero, si era precipitata nell'ufficio di Basile. Il procuratore l'aveva ricevuta con cordialità: accogliere le istanze di Laura, in passato, si era rivelato corretto, e gli aveva dimostrato che il suo intuito non aveva smesso di funzionare. Stavolta, però, aveva espresso molta incertezza.

«Ci sono gli americani di mezzo, – aveva detto, – e non è mai una cosa buona, credimi, Piras. Rompono le scatole ai massimi livelli: quando si tratta di qualcosa che succede a uno di loro diventa sempre un affare di Stato. Questo, in realtà, mi spingerebbe a lasciarti indagare, perché cosí avremmo un boccone da dargli in pasto, ma la questione Picariello è un fatto serio. Il tuo amico Buffardi, la star del Palazzo di Giustizia, che si vede in televisione piú spesso di una mezzala, ci sta sopra da una vita e non ha mai digerito che gli sia scappato di mano proprio quando era sul punto di andare a prenderlo. Attraversare la sua strada non è sano per nessuno, fidati. Nemmeno per me».

Lei allora aveva esposto con calma le risultanze delle indagini di Pizzofalcone, e con abilità aveva buttato lí che, lavorando anche solo pochi giorni, avrebbero trovato di sicuro elementi utili per capire se la cosa era tutta nel territorio dell'antimafia, capitanato da Buffardi, o se poteva rimanere di loro competenza.

«Signor Procuratore, le prometto che sarò la prima a interrompere ogni attività se qualcosa, qualsiasi cosa, dovesse suggerirmi che la vicenda incrocia l'inchiesta sul clan Sorbo».

Basile aveva annuito, poi aveva replicato:

«Sí, Piras, lo so. Sei una ragazza in gamba, forse un poco troppo aggressiva per me, ma in gamba. È il figlio di Charlotte Wood, vero? Mamma mia, che donna fantastica. Da giovane non mi perdevo un suo film; ero pazzo di lei. Mi spiace che sia invecchiata male, peccato. Allora facciamo cosí: vai tu da Buffardi e parlagli. Se ti dice di andare avanti coi tuoi di Pizzofalcone per qualche giorno, il mio permesso ce l'hai. Ma è lui a doverti concedere il benestare: non posso subire un attacco pubblico, magari in una trasmissione televisiva. Non alla mia età».

Cosí, ora, Laura Piras doveva affrontare l'altra persona che tentava disperatamente di evitare. L'altra persona che l'aveva cercata con sempre maggiore insistenza, con curiosità e poi smarrimento, fino a che non aveva smesso, proprio come Lojacono. L'altra persona con cui aveva fatto l'amore, senza alcun senso e per una sola volta, nell'illusione di scacciare un chiodo con un altro chiodo, e fallendo miseramente.

Doveva affrontare il sostituto procuratore della Direzione distrettuale antimafia, Diego Buffardi. Di nuovo.

E le era venuta una voglia matta di Sardegna.

Un corridoio, l'ascensore, un altro corridoio, una svolta e una rampa di scale. Il Palazzo di Giustizia era un labirinto; aveva impiegato mesi per imparare a non smarrirsi, al suo arrivo. Ed era anche l'esemplificazione del caos perfetto. Centinaia di persone: avvocati, segretari, magistrati, poliziotti e imputati; tutti con una meta da raggiungere, tutti lí per essere ascoltati. Un inferno di confronti e di scontri in cui fiorivano e appassivano amicizie e amori, simpatie e antipatie, odi e invidie.

Ma adesso era tardi e, a parte qualche anima in pena che si aggirava con voluminosi fascicoli in mano, la Piras non incontrò nessuno. Meglio, pensò, meglio.

Sulla presenza di Buffardi in ufficio, però, non aveva dubbi.

Infatti c'era. Lo capí dalla luce che filtrava attraverso lo spiraglio della porta socchiusa. Non dovevano esserci operazioni in corso, perché nell'imminenza di un'azione il viavai di poliziotti e colleghi non si fermava nemmeno di notte. Stavolta mancava anche la segretaria, che sorvegliava e dirigeva il traffico mentre il gran capo era all'opera. Serata tranquilla, insomma.

Avvicinandosi al battente, Laura guardò l'orologio di sfuggita: era quasi mezzanotte. Aveva perso anche lei la nozione del tempo, come spesso le accadeva. Lavori per vivere o vivi per lavorare, dottoressa Piras? Le sembrava di aver smarrito il confine da molto. Forse da sempre.

Bussò con delicatezza e rimase sulla soglia. Buffardi sollevò la testa dalle carte, curioso di scoprire chi fosse lí, a quell'ora, oltre lui.

– Ah, guarda chi viene fuori dai tombini. Ciao, Piras. Non trovi l'uscita?

Laura entrò, mordendosi il labbro. Conosceva l'ironia tagliente del collega e si era preparata al peggio.

– Ciao, Diego. Contenta di vederti.

Buffardi era senza dubbio carismatico, e sapeva di esserlo: i capelli un po' lunghi, leggermente brizzolati e in perenne, studiato disordine, il viso dai lineamenti regolari, gli occhi intelligenti e vivaci, il fisico atletico, i baffi curati erano diventati il simbolo mediatico della lotta dei buoni contro i cattivi. La novità era costituita da un velo di barba incolta, che lo rendeva ancora piú attraente, ma strideva un po' con l'immagine precisa che il magistrato forniva di sé. Il colletto sbottonato, la cravatta allentata, il posacenere pieno raccontavano di una lunga giornata che non era nemmeno vicina alla fine.

– Hai qualcosa di urgente? Perché come noterai sono impegnato, io.

Laura si aspettava quel tono. L'aveva frequentato poco, ma ne aveva inquadrato il carattere. Buffardi intratteneva le relazioni che gli servivano, utilizzava il proprio fascino a piene mani e senza scrupoli sfoggiando una ribalda sincerità. Il suo atteggiamento era quello di un re che si prende quello che vuole certo di averne diritto.

La donna era consapevole di aver rappresentato qualcosa di inusuale, per lui, anche se erano stati insieme un'unica volta. Lo aveva capito dall'insistenza e dal tono dei messaggi che le aveva inviato prima di rassegnarsi. Parole piene di una malinconia e di una tristezza che lasciavano scorgere, nascosta dietro il sorriso strafottente, un'anima molto diversa.

– Devo parlarti, sí. E si tratta di lavoro, un argomento per cui, di solito, hai rispetto.

L'uomo fece una smorfia.

– Io ho rispetto per un sacco di cose.

Le indicò una poltrona e Laura si sedette.

In breve riassunse la situazione di Wood, spiegando dell'aggressione, del ritrovamento, delle condizioni di salute della vittima, delle pressioni del consolato americano e delle prime indagini dei Bastardi.

Buffardi, con un altro sorriso sarcastico:

– Ancora Pizzofalcone. Un giorno mi dirai perché ci tieni tanto a quel posto infame. Sei una donna misteriosa. Forse per questo risulti intrigante. Solo per questo.

La Piras accusò il colpo, arrossendo. Resistette all'impulso di rispondergli seccamente e proseguí raccontando dell'appartamento abitato da Mario Esposito, detto Mary, e del suo proprietario.

A quel punto l'interesse di Buffardi aumentò in modo considerevole.

– La Picariello? Ne sei sicura?

Laura annuí.

– Hanno verificato. Pare che il fitto lo riscuotesse il marito. L'impressione è che dalla conduttrice Picariello non percepisse solo il denaro: questa Esposito lavora su Roma, ma è probabile che eserciti anche qui in città.

L'uomo si alzò e andò alla finestra. Il suo sguardo si perse nelle luci della strada.

– Tu mi hai ferito, Piras. Non lo credevo possibile, ma ci sei riuscita. Non fraintendermi, il problema è mio, non sei tu. Forse inizio a sentire il peso degli anni, forse ho paura. Lo so che siamo due lupi solitari, che gente come noi non deve aspettarsi nulla al di là di un buon bicchiere di vino e un po' di sesso. Però stavolta... Ho sperato per settimane che comparissi da quella porta. Non mi era mai successo. E non doveva succedermi mai. Le scelte, quelli come noi, le hanno già compiute tanto tempo fa.

Si voltò, in faccia il solito sorriso.

– Ti sorprenderò. Tu sei convinta che stia per dirti di mollare tutto nelle nostre mani e di lasciare che se ne occupino gli adulti; dopodiché comincerebbe la consueta manfrina con Basile e il resto del mondo. Invece no.

Laura piegò la testa da un lato.

– Davvero? E come mai?

Buffardi prese a passeggiare per la stanza con le mani in tasca come fosse al parco.

– Ascoltami bene. La Picariello è un personaggio chiave. Collabora da dieci anni col marito, è anche lei commercialista. All'inizio era solo una segretaria, poi si sono innamorati, e l'amore, come sai, è una gran bella rottura di palle, in particolare sul lavoro.

La Piras fece scivolare il commento. Lui riprese:

– Sa tutto. Tutto di tutto. Non ha mai operato direttamente, perciò non c'è modo di fotterla, ma io so che lei conosce ogni cosa. Quando abbiamo stretto il cerchio e lui ha mangiato la foglia ed è sparito, sono andato da lei.

Laura immaginò il confronto, e sperò che Angela Picariello fosse una donna energica.

Quasi avesse intuito i suoi pensieri, Buffardi proseguí:

– Ma è una in gamba. Tosta da morire. Le ho offerto un programma di protezione che l'avrebbe messa al riparo dai Sorbo, di cui, come saprai, il marito è la mente finanziaria: è lui che fa sparire i soldi della droga, del gioco e della prostituzione, è lui che conosce le collocazioni dei conti; ed è sempre lui che adesso sta da qualche parte qua attorno, ne sono sicuro, e continua a lavorare in perfetta autonomia, perché quei maledetti non hanno cambiato l'operatività di una virgola, accidenti a loro. Mi pareva di averla persuasa; mi aveva detto: «Dotto', datemi una giornata per riflettere».

Laura chiese:

– E poi?

Buffardi si fermò e mutò espressione, diventando cupo.

– È scomparsa. Puf. Si è dissolta nell'aria dalla sera alla mattina. Nemmeno i vestiti si è portata via.

La Piras si sporse in avanti.

– E non hai idea di che cosa...

Lui si strinse nelle spalle.

– No. Gli informatori, anche quelli in galera che di solito sono attendibili, non dicono niente. Pare ne siano
all'oscuro anche loro. Le ipotesi sono tre –. Cominciò a
enumerare sulle dita. – Uno, si è riunita al marito; credo
lo amasse veramente, il che è incredibile perché lei è una
bella ragazza e lui è un rospo infame. Due, l'hanno presa
loro per impedirle di parlare, e se cosí fosse dobbiamo ras-
segnarci, perché o l'hanno ammazzata o l'hanno sbattuta
in culonia; in entrambi i casi non la rivedremmo piú. Tre,
è scappata; ma questa eventualità prevede le conseguenze
della precedente: l'avranno già trovata e sarà in fondo al
mare con un mattone legato ai piedi.

Laura era perplessa.

– Non capisco, se è cosí importante, perché hai detto
che mi sorprenderai?

Buffardi sorrise.

– I motivi sono diversi –. Riprese a enumerare: – Uno,
gli americani. Mi è già successo in passato di averli in mezzo alle palle e, credimi, sono una specie di tumore maligno
che resiste alle terapie. Fingono di aiutarti e ti dànno un
sacco di problemi; meglio che te li sciroppi tu, piuttosto
che noi. Peraltro sono certo che il tuo turista in coma non
aveva alcun affare con i Sorbo; l'America non rientra nei
loro interessi, almeno non quella del Nord. Due, è sparita da un mese, per me ormai è fredda. L'abbiamo cercata
dovunque, se la rintracciate voi tanto di guadagnato, ma
credo proprio che sia fatica sprecata. Tre, mi servite come
diversivo. I Sorbo vedono che la polizia sta ancora appresso
alla Picariello e magari allentano la sorveglianza sul marito,
oppure lui fa qualche cazzata per rimettersi in contatto con

la moglie e viene allo scoperto. A volte, quando la situazione ristagna, bisogna gettare un sasso per smuovere le acque.

La Piras era ancora un po' incredula.

– Quindi mi permetterai di seguire la mia pista in autonomia? Senza vincoli?

Buffardi alzò una mano.

– Piano. Puoi andare avanti, ma dev'essere ben chiaro che se, per pura fortuna, perché è ovvio che non siete in grado di comprendere il quadro generale, doveste trovare un solo elemento, un singolo dettaglio che riveli l'attuale dimora della signora Picariello, tutto passa a noi. Attenta, Piras, perché stavolta non mi fermerò davanti a niente, anche perché il vago trasporto che avevo per il tuo bel faccino è svanito. Prova a fregarmi e io ti stronco, mi sono spiegato?

Laura percepí la rabbia montare dentro; la arginò con la consapevolezza che quanto aveva detto fin lí mirava a ottenere quel risultato.

Replicò, dolce:

– Povero, piccolo Diego, forte all'apparenza e fragile nella sostanza. Fai pure il maschio, almeno qui che qualcuno te lo consente.

Buffardi le indirizzò un sorriso finto.

– Bene. Vedo che ci siamo intesi.

Laura si alzò.

– Un'ultima cosa: tornando alle ipotesi che hai elencato, perché la Picariello sarebbe dovuta fuggire?

Buffardi, che nel frattempo si era di nuovo seduto alla scrivania, rispose con noncuranza:

– Alla possibilità che sia ancora viva attribuisco non piú del cinque, dieci per cento, perché probabilmente la sorvegliavano; è difficile che sia scappata. Il desiderio di andarsene però ce l'aveva, è su quello che ho puntato tentando di convincerla a entrare nel programma di protezione. Perché la Picariello, cara Piras, è incinta. O almeno lo era. Sii gentile, quando esci chiudi quella cazzo di porta. In questo edificio non si può stare tranquilli nemmeno di notte.

XXV.

Alex e Lojacono, approfittando del tragitto verso Sorrento, misero a punto una strategia per interrogare Holly. Di Nardo riferí dapprima al collega le impressioni che aveva tratto dal tempo trascorso con l'americana. Gli parlò del profondo rapporto che univa questa al fratello e dell'enorme importanza che la figura di Charlotte rivestiva per loro: doveva essere stata una donna molto forte e influente, tanto che entrambi vivevano della gestione del patrimonio che lei aveva creato, fatto di soldi, proprietà, ma piú ancora di prestigio.

Gli raccontò della vita dei due, mai sposati e senza figli, dell'ossessione di Holly di nascondere lo stato di salute della madre e ciò che era successo a Ethan; appellandosi alle leggi sulla privacy, che conosceva alla perfezione, aveva chiesto di non diramare comunicati che includessero il suo nome e, soprattutto, il suo cognome.

Lojacono ascoltò la collega concentrato e attento, simile a un monaco tibetano: mancavano solo la posizione del loto e il suono del corno. Dopodiché espose il proprio piano, con il risultato di sconcertare Alex, che esclamò:

– Ma è immorale! E poi non credi che sia un azzardo eccessivo? Se controlla? Se non ci crede?

L'ispettore scrollò appena le spalle.

– Abbiamo un solo colpo a disposizione, e tu che sei una tiratrice dovresti sapere che in certi casi si deve ridurre al minimo il margine di rischio. Inoltre come farebbe a controllare? E perché non dovrebbe crederci? Magari è andata proprio in questo modo, e tutto è molto piú semplice di quanto sembri. Se non è cosí, invece, e Holly è al corrente della verità, allora è l'occasione di tirargliela fuori con le pinze. Ora, o mai piú.

La cittadina, sotto la leggera pioggia autunnale, sembrava perfino piú sonnacchiosa della volta precedente. I due poliziotti, dirigendosi all'albergo dove alloggiavano i Wood, notarono con sorpresa che era già in corso l'allestimento delle luminarie natalizie: era un posto che viveva in funzione delle vacanze, e le decorazioni per le festività erano strategiche, anche se le strade e i panorami possedevano di per sé una bellezza struggente, quasi dolorosa. Non era un luogo che si potesse dimenticare con facilità, pensò Lojacono; è giusto che ci si voglia tornare, dopo un anno o dopo cinquanta.

Quando raggiunsero l'hotel *Tritone*, Holly stava litigando, o perlomeno discutendo ad alta voce, con la madre e l'infermiera davanti alla porta della hall che dava sul giardino. Parlavano in inglese, e Alex capí che la figlia cercava di convincere Charlotte a rientrare. La vecchia però scuoteva il capo, le labbra serrate come una bambina che fa i capricci, e intanto stringeva con le mani le ruote della carrozzella, impedendo all'infermiera di spingerla. Fissava una bassa costruzione in muratura dall'altra parte del parapetto panoramico.

L'aria era umida e un vento freddo saliva dal mare. Appena vide Lojacono, Charlotte si illuminò.

– *Hi*, Vittorio, sei qui! *Please*, vuoi dire tu a queste due stupide che devo andare subito a girare? Che mi stanno aspettando?

Alex si voltò stupita verso il collega.

– Vittorio?

Lojacono agitò una mano con noncuranza e, raccogliendo uno sguardo di supplica di Holly, rispose:

– Ciao, Charlotte. Oggi non si gira, non ti hanno avvisata? Piove, purtroppo. Il regista dice che si ricomincerà quando smette. Puoi rientrare in camera.

Charlotte gli sorrise, soave.

– Oh, *thank you, darling*. Sei sempre un amore. Mi avvertirai tu, vero? Io devo ancora truccarmi, vestirmi...

– Ma certo, ci penso io. Ora vai nella tua stanza con questa bella signorina, però. Devi riposare.

La vecchia gli soffiò un bacio dalla punta delle dita e si lasciò portare via.

Come furono all'interno, Holly si abbandonò esausta su una poltrona.

– *Oh, my God*, fortuna che è arrivato lei, ispettore, era mezz'ora che provavo a convincerla. Poteva prendersi un malanno! È cosí fragile... Mi chiedo come farei, se dovessi rimanere sola. Ethan è l'unico in grado di persuaderla quando s'impunta.

Lentamente i suoi occhi si gonfiarono di lacrime.

– Ci sono notizie? – domandò Alex premurosa.

– Ho appena sentito l'ospedale, è stazionario. Finché non cambia qualcosa, la prognosi resta riservata. Pensavo di andare domattina: oggi ormai è tardi, non mi consentirebbero di vederlo.

Lojacono intervenne:

– Signora, siamo qui per discutere con lei alcuni sviluppi delle indagini. Abbiamo ricostruito la prima parte dei movimenti di suo fratello nel quartiere e risulta che abbia fatto visita, forse piú di una volta, a una persona di cui possedeva l'indirizzo.

Holly si raddrizzò sulla poltrona, con un'aria preoccupata.

– Una persona? Chi?

Lojacono scambiò uno sguardo con Alex, che abbassò gli occhi imbarazzata.

– Ecco, questa è la ragione per cui siamo venuti. È una faccenda un po' delicata che abbiamo preferito comunicarle di persona. Si tratta di un transessuale che esercita la prostituzione.

Holly sbiancò in volto e spalancò la bocca. Alex fissava la porta girevole.

– Ma... Ma che dite? Ethan? Ethan non farebbe mai... È impossibile!

Lojacono continuò, con tono fermo:

– Vede, non è insolito che i turisti di mezza età e con risorse finanziarie vogliano provare qualche forma alternativa di... di divertimento. Un indirizzo si può trovare in rete, si può ricevere da un amico, ci sono tanti modi. È umano, non c'è da scandalizzarsi...

Holly alzò la voce, stridula.

– Ma come si permette? Noi siamo stati educati a seguire i principî cristiani. Deve esserci un equivoco, non...

Lojacono insistette:

– Mi dispiace, nessun equivoco. La transessuale nega di aver avuto rapporti con Ethan, sostiene che suo fratello cercava informazioni su qualcuno, ma noi riteniamo che menta. Lei capisce che in questa situazione saremo costretti a informare la questura, che dovrà rendere pubblica la notizia per individuare un eventuale protettore e chiarire le sue responsabilità o...

Holly era pallidissima. Strinse le labbra, come combattuta tra una decisione e un'altra, poi si alzò in piedi.

– Un indirizzo... Qualcuno... Questo... questa persona ha riferito di un nome pronunciato da mio fratello?

Alex rispose:

– Sí, un tale Capasso, ma...
– Aspettatemi qui, – disse Holly. E si allontanò.
Lojacono e Alex restarono seduti con lo sguardo nel vuo-
to. A un certo punto Di Nardo mormorò, tra sé:
– Quanto mi fa schifo a volte, 'sto mestiere.
Lojacono non commentò; sapeva che Alex ce l'aveva con
lui e tuttavia non provava il minimo rimpianto: ci sono
cose, pensò, che si devono fare per forza. A fin di bene.
Holly tornò, camminando rigida, e si sedette di nuovo.
Aveva in mano un pacchetto.
Pescò le parole a fatica, poi disse:
– Prima dovete capire chi è mia madre. Lei è molto, molto famosa. Tra le piú grandi star del suo tempo, e quella
era l'età dell'oro del cinema. Non era solo un'attrice, però:
è stata d'esempio per generazioni di donne. Era la Fidanzata d'America, quella che ogni uomo sperava di sposare
e ogni ragazza sognava di essere. È rimasta vedova ancora giovane e quando... quando sono nata io ha avuto la
forza e il coraggio di sopportare ciò che significava allora
avere una bambina senza che il padre volesse riconoscerla.
Si asciugò una lacrima con un gesto secco, quasi rab-
bioso. Poi continuò:
– Se una si radica cosí tanto nell'anima di una nazione,
non scompare piú. Ancora adesso riceve decine di lettere
ogni settimana; chiedono il suo parere su fatti di cronaca,
su dichiarazioni di altri personaggi. Questo, data... data
la sua attuale condizione, prevede un enorme lavoro da
parte mia e di Ethan.
Tirò su col naso, Alex le porse un fazzoletto che la donna accettò, ringraziando con un cenno del capo.
– Sarebbe gravissimo non solo per lei, ma per tutti i
suoi fan, se si sapesse del suo stato di salute. E ancora piú
grave sarebbe se venisse fuori che suo figlio, il suo Ethan,

ha quelle... quelle perversioni. Anche perché non le ha:
io so per quale motivo si trovava in città.

Lojacono assunse un tono piú dolce.

– E allora perché non ce l'ha detto, signora? Cosa cercava suo fratello?

Holly lo fissò.

– Ispettore, ciò che mi chiede di rivelarvi può essere al-
tamente lesivo della figura di mia madre. Forse anche piú
del resto. E prima io devo avere la vostra personale assicurazione che questo materiale sarà usato solo e soltanto
per le indagini. Mai, in nessun caso, verrà reso pubblico.
Rifletteteci e datemi una risposta.

Lojacono e Alex si scambiarono una lunga occhiata. Poi
l'ispettore rassicurò la donna:

– D'accordo. Le diamo la nostra parola che quello che
ci dirà non sarà divulgato. Almeno da noi. Se mai si dovesse arrivare a un processo, la decisione in merito spetterà
ai magistrati, ma speriamo che non accada. Ora la prego:
che cosa cercava suo fratello, in vico Egizio numero 15?

Holly porse a Lojacono il pacchetto che aveva in mano
e, con voce rotta dal pianto, disse:

– Cercava suo padre.

Il pacchetto era formato da un mazzo di lettere.

XXVI.

Amore mio,

che strano è l'autunno in questo paese. Piove, sí, ma senza soddisfazione, poco e male, con le gocce che vanno dalla parte opposta a quella che ti aspetti. Si attende che giunga il Natale, quando di nuovo arriverà gente dalla città, ma non certo da altre parti del mondo, eccetto qualche tedesco ricco in pensione.

Da fare ce n'è lo stesso, però sono attività piú manuali: si pulisce e si sistema, si conserva, si lega per difendere dal vento e dalle mani svelte di chi, di notte, si accorge che gli serve una sedia, un tavolino o un ombrellone. Ma è un lavoro senza canzoni e senza sorriso, amore mio. Un lavoro triste.

Io ti penso tanto, sai. Ti penso sempre. Perché tu mi hai insegnato in una sola notte la differenza che c'è tra la felicità e il surrogato della felicità: la stessa differenza che c'era tra il caffè e quella schifezza che chiamavano caffè durante la guerra. Questo ti fa ridere, vero? Leggi e ridi. Peccato non essere nascosto dietro una tenda anche solo per vederti.

Credo che passato l'autunno me ne tornerò in città. Non mi dà piú gioia questo posto. Eppure mi piaceva assai, ero venuto con la speranza di restarci: ma dopo di te, dopo di noi, che posso ricevere piú dall'estate? Prima di incontrarti, amore della mia vita, speravo di conoscere qualche ricca ereditiera e sistemarmi, o almeno di divertirmi. Ma adesso sono un altro uomo, e di femmine straniere non ne voglio piú sapere.

Mi scrivi poco del bambino.

So perché lo fai. Non vuoi che io soffra, non vuoi che io senta il vuoto di lui e del tempo suo che mi sto perdendo. Ma abbiamo deciso cosí, no, amore? E sono stato io a dirti che era meglio, infinite volte meglio per lui crescere dove non gli mancherà niente, e avrà una bella vita piena di cose meravigliose che io non avrei potuto dargli mai.

Mi piace il nome, Ethan. È cosí americano. Hai fatto bene a sceglierlo. E forse fai bene pure a non dirmi com'è, che combina. A non mandarmi fotografie. Io cosí posso immaginarmelo minuto per minuto. Adesso ha undici anni: dev'essere bellissimo se ha preso qualcosa dalla madre, che è la donna piú bella del mondo.

Sono andato a vedere il tuo ultimo film, e mi pareva che parlassi con me, che recitassi per me. Io guardavo quell'incanto e non mi sembrava vero che eravamo stati insieme; pensavo che forse me l'ero sognato. Poi, il mese dopo, mi è arrivata la tua lettera e allora ho capito che sí, era successo. Sei l'amore mio, e lo rimarrai in eterno.

Sai quello che devi fare, ogni sera. Te lo ricordi? Me l'hai promesso. Dopo che gli hai dato la buona notte, dopo il bacio della mamma, devi aspettare che si addormenti e tornare da lui, spostargli i capelli dalla fronte e dargli un altro bacio. È il bacio mio, quello del papà. Perché, come diceva mio padre, i figli si baciano nel sonno.

Lui lo diceva perché pensava che cosí venivano piú educati, i bambini; io invece lo dico perché il mio è un bacio nascosto. E pure il bene che gli voglio è nascosto.

Come il mio amore per te. Nascosto, ma fortissimo.

Per sempre.

XXVII.

Rientrato con Alex da Sorrento, Lojacono si accorse che non era tardi. Giornate come quella erano cosí intense che sembravano durare il doppio.

Diede appuntamento alla collega per l'indomani sul presto in ufficio, in modo da aggiornare gli altri e magari ricevere qualche notizia da loro. Resistette alla tentazione di chiamare Laura per sapere se avesse ottenuto un po' di autonomia investigativa sul caso. Non sopportava l'idea che lei interpretasse la sua telefonata come una scusa per riprendere contatto dopo lo scontro del pomeriggio.

Guardò di sfuggita l'orologio e pensò che gli conveniva assecondare la fame e andare a cena nella trattoria di Letizia, dove Marinella lo aspettava. Non le piaceva mangiare da sola e gli aveva chiesto con insistenza dove fosse e quando sarebbe tornato. Allora il padre le aveva suggerito di andare dall'amica, dove forse l'avrebbe raggiunta. Non ci sperava, ma alla fine l'aveva convinta.

Risalendo il vicolo lungo il quale si trovava il ristorante, Lojacono rimuginava sui figli e sull'importanza del loro benessere fisico ed economico, ma anche, soprattutto, psicologico. Quella sera, attraverso le parole di Holly e scorrendo alcune delle lettere che gli aveva mostrato, si era sentito ancora piú responsabile di Marinella e della sua vita.

Tutto in lui spingeva verso Laura. Non era un'emozione qualsiasi, quella che provava. Era un sentimento serio, profondo e consapevole. Era l'amore della maturità, quello che nasce istintivo e contrastato e proprio per questo piú forte e resistente. Ma se il motivo per cui lei si era allontanata era la figlia, allora lui non avrebbe combattuto per riprendersela. Poteva lottare contro la carriera, contro le maldicenze, contro i ricordi; poteva battersi contro le paure di Laura, contro i suoi dubbi, le sue incertezze: ma non avrebbe fatto niente per trattenerla, se non voleva Marinella nella sua vita. Di questo era piú che convinto.

Dalla trattoria provenivano musica e risate, come sempre. Piú che per l'ottimo cibo, per la cucina tipica servita con grazia e per il buon vino, la clientela affollava il locale per la voce calda e la simpatia di Letizia Piscopo, la bella, dolce e florida proprietaria. E Letizia era sua amica.

In realtà lei avrebbe voluto essere anche altro, e l'aveva manifestato fin da quando lo aveva conosciuto, triste e scontroso dopo che lo avevano relegato senza mansioni nel difficile commissariato di San Gaetano, trasferito da Agrigento per motivi di opportunità. Altro che opportunità, pensò mentre si accingeva a entrare, il suo era stato una specie di confino: la delazione di un collaboratore di giustizia che non aveva trovato riscontri era bastata a rovinargli la vita. L'ispettore Giuseppe Lojacono, Peppuccio per gli amici che sarebbero spariti tutti di lí a poco, passava informazioni ai mafiosi. Vero? Non vero? Poco contava. Gli effetti erano stati gli stessi.

In quei giorni oscuri era stata Letizia la sola a tendergli una mano. Gli riservava il tavolo ogni sera e si sedeva con lui. Un po' alla volta gli aveva strappato piú di un monosillabo, addirittura qualche sorriso. E quando era finito a Pizzofalcone e aveva ritrovato la voglia di lavorare e di vivere, c'era sempre Letizia al suo fianco. E ora era diventata amica di Marinella: con intelligenza, non si era proposta come madre supplente né come sorella maggiore, ma solo come il viso aperto e luminoso di una città che la accettava con gioia.

Quanto sarebbe stato bello se si fosse innamorato di Letizia, rifletté Lojacono prima che la figlia e la ristoratrice, che cantavano una canzone comica tra le risate dei clienti, si accorgessero del suo ingresso. Quanto sarebbe stata semplice l'esistenza con una donna perfetta che gli avrebbe dato una seconda occasione per creare una famiglia.

Le due l'avevano visto entrare e gli sorridevano entrambe, le guance arrossate per il caldo e per il canto. Si assomigliavano, perfino.

Ma lui sapeva che l'esistenza non è quasi mai semplice, e che i sentimenti seguono strade tortuose e imprevedibili. Aveva provato a innamorarsi di Letizia, ma non ci era riuscito. Mentre aspettava che finissero di cantare, prendendo posto al solito tavolo, il Cinese ripensò alle parole dell'uomo che aveva scritto a Charlotte per tutto quel tempo, ricordando l'amore di una notte e il sacrificio di una vita. E s'interrogò su quell'assurda emozione che gira le spalle alle discese piane e sceglie le salite piú impervie.

Marinella si lasciò andare su una sedia, ridendo.

– Hai sentito, papà? Letizia mi ha insegnato a cantare in dialetto. E non sembra proprio che sono siciliana, me l'hanno detto tutti! Mi hanno detto perfino che ho una bella voce.

Lui guardò la ristoratrice che si avvicinava con la chitarra in mano, mentre il pubblico improvvisato la invitava a continuare, e con una smorfia replicò:

– Ci mancava solo l'ambizione artistica. Tutto tranne che studiare.

Letizia si sporse in avanti per baciarlo sulla guancia e Lojacono dovette resistere per non perdersi con lo sguardo nella generosa scollatura.

– Ma se è bravissima, – lo rimbeccò la donna. – Ha cominciato molto bene la scuola, non ti ha raccontato? A parte la professoressa di Inglese, che dev'essere una vera strega, l'hanno presa tutti a benvolere.

Lojacono allargò le braccia.

– Ecco, lo sapevo, adesso ti ci metti pure tu. Guarda che io non sono e non sarò mai uno di quei genitori fessi che dànno ragione ai figli e vanno a litigare coi docenti. Io voglio che tutti siano contenti di Marinella, nessuno escluso. Sia chiaro.

Marinella rise.

– Dài, papà, conquisterò anche quella di Inglese, stai tranquillo. Ma se una è stronza, è stronza.

Il Cinese sospirò.

– Sono stanco, Mari. Ti prego, non farmi arrabbiare. Non voglio sentirti dire parolacce.

Letizia lo fissò preoccupata.

– In effetti hai l'aria piú stropicciata del solito. Giornata lunga, eh? Quanta fame hai, molta, media o poca?

Sapeva che la ristoratrice dimostrava il proprio affetto riempiendo piatti enormi e si affrettò a rispondere:

– Poca, per carità. È tardi, e se mi addormento con una delle tue bombe sullo stomaco non mi sveglio mai piú. Invece domani devo essere presto in ufficio.

Letizia strinse le labbra, le mani sui fianchi, e con occhio clinico sentenziò:

– Pasta, patate e provola. Te ne faccio un cucchiaio, poca poca. E niente vino. È una medicina, credimi.

Si allontanò, calamitando come sempre sul proprio fondoschiena gli occhi di tutti i maschi presenti. Lojacono sospirò e allungò una mano per sfiorare il volto della figlia, che socchiuse gli occhi accogliendo la carezza. Sarebbe bastato cosí poco per essere felici, pensò. Peccato.

Senza che potesse fermarla, la mente andò a Laura.

XXVIII.

C'era molto da dire in sala agenti, la mattina dopo. E per una volta tutti furono puntuali, perfino Aragona, che continuava a sbadigliare dietro la sciarpa con effetti disastrosi: ingestione di peli, tosse e starnuti.

Romano lo fissò disgustato.

– Arago', con quella dannata sciarpa sembri agonizzante per l'influenza. Ti rendi conto che te la devi togliere? Manco si capiscono piú le cazzate che dici.

Alex aggiunse, sommessa:

– Magari è meglio cosí, Roma'. Lascia perdere.

Sporgendo il collo per liberare la bocca, Aragona replicò:

– Rozzi siete e rozzi morirete. Questa sciarpa, esimi ignoranti, mi protegge sia dal freddo della notte quando sono in missione, sia dal riconoscimento da parte dei delinquenti, che schedano i loro peggiori nemici proprio come facciamo noi. Avete mai visto il volto del Capitano Ultimo, per esempio?

Romano sghignazzò.

– Quindi tu sei l'agente Ultimo. L'ho sempre detto, io: sei l'Ultimo degli agenti.

Pisanelli sorrise.

– Ma perché, Marcoli', sei in missione di notte? Che missione?

Dimenticando di sporgere il collo, Aragona disse: – Mhm-poofff, – poi tossí sputacchiando peli, si tolse la sciarpa dalla bocca e ripeté, scandendo:

– Non sono cose che posso rivelare. Sappiate che sí, l'agente vero non dorme mai. E mentre la città riposa, occhi acuti vegliano per la sua sicurezza. Vi basti questo.

Tutti risero tranne Pisanelli, che scosse la testa un po' preoccupato. Intanto entrò Palma.

– Allora, ragazzi, la dottoressa Piras, contro ogni aspettativa, ha ottenuto l'autorizzazione dell'antimafia a indagare su quello che è successo a Wood, senza limitazioni. Dobbiamo solo riferire, e mi pare giusto, ogni eventuale scoperta sulla Picariello che, a quanto risulta, è sparita un mesetto fa, dopo che la Dda le aveva offerto un programma di protezione testimoni.

Romano intervenne:

– Secondo loro l'hanno fatta fuori?

Palma alzò una mano.

– Ecco, questo è il genere di cose che non ci deve interessare. Noi non cerchiamo la Picariello in quanto moglie di un colletto bianco della criminalità organizzata, ma in quanto figlia dell'uomo che Wood voleva incontrare. Le due questioni non sono collegate, o almeno noi ci muoviamo nell'ipotesi che non lo siano. Dobbiamo trovare la persona o le persone che hanno ridotto Wood in fin di vita, e non cambiamo obiettivo. A tal proposito, Di Nardo e Lojacono hanno novità.

Alex raccolse un cenno del Cinese, estrasse il taccuino e cominciò a parlare.

– Dunque, la sorella di Wood ha vuotato il sacco e ci ha confidato una serie di notizie utili. Charlotte, la madre attrice sulla cui fama ancora campano entrambi i figli, mantenendo il segreto intorno alle sue attuali condizioni e a parte del suo passato, si è ammalata di Alzheimer un po' di anni fa, aggravandosi piuttosto rapidamente. Mettendo ordine tra le sue cose, Ethan ha scoperto un mazzo di lettere che un certo Domenico Capasso, che si firma Mimí, ha continuato a inviarle per quarant'anni.

Ottavia, che come tutti ascoltava a bocca aperta, commentò:

– Quindi Capasso conosceva Charlotte da quando...

Alex annuí.

– Esatto. Da quando la Wood era stata a Sorrento per girare Souvenir. Ovviamente non abbiamo esaminato l'intera corrispondenza, ma non ci sono dubbi che i due in quel periodo hanno avuto una relazione, proseguita poi, anche se solo in forma epistolare, tutta la vita.

Aragona chiese, perplesso:

– Epistolare? Cioè senza scopare piú? E a che serve una relazione cosí?

Palma lo fissò come fosse uno scarafaggio.

– Arago', non ti voglio nemmeno rispondere. E comunque non sono fatti che ci riguardano. Ciò che conta è che Ethan Wood aveva un motivo per venire qui. Quello che non capisco è che c'entra Sorrento con vico Egizio numero 15, a Pizzofalcone.

Alex scorse gli appunti.

– Questo posso spiegarlo io. Non molto tempo dopo l'incontro con Charlotte, credo ancora negli anni Sessanta, Capasso decise di abbandonare Sorrento, dove lavorava. La ragione dev'essere stata uno scandalo di cui la Wood era al corrente, perché lui gliene scrive, anche se non in maniera esplicita; in ogni caso era meglio per tutti se andava via. Le lettere, a partire dagli anni Settanta, risultano inviate da un indirizzo di Castellammare. Poi, dai Novanta, da vico Egizio. L'ultima è del 2004.

Romano si voltò verso Pisanelli.
– E tu, Giorgio, non lo conoscevi a questo Capasso?
Il vicecommissario si strinse nelle spalle.
– No, a dire il vero no. D'altra parte nel quartiere ci
sta un sacco di gente, se uno si fa i fatti suoi e sta poco in
mezzo alla strada...
Alex riprese:
– Ho passato la notte a leggere. Capasso non aveva una
grande cultura, ma era una brava persona, ed era davvero
innamorato di Charlotte. Il che è straordinario, tenendo
conto che non si sono mai piú visti per scelta di entrambi.
Aragona era incredulo.
– E lei pure amava lui? Non è che era tutto un film che
si era fatto Capasso? Sapete, i fan...
– No, questo è da escludere. Nelle lettere fa riferimento a quello che Charlotte gli scriveva, anche se non abbiamo le risposte di lei. Ma la cosa sostanziale che emerge è
che Ethan è figlio di Capasso. Almeno cosí sembrerebbe.
La notizia cadde come una bomba, e come una bomba
diede luogo a un lungo attimo di attonito silenzio.
Ottavia fu la prima a mormorare:
– Quindi è per questo che Wood è tornato. Ed è per
questo che cercava quell'indirizzo.
Lojacono intervenne:
– Sí. A quanto ci ha detto Holly, per Ethan era diventata un'ossessione. Ha provato a sapere la verità dalla madre, che però all'inizio non ha voluto poi non ha piú potuto
dargli conferme. Voleva indagare dall'America, ma Holly
l'ha convinto di quanto fosse rischioso, per l'immagine di
Charlotte, coinvolgere agenzie investigative o simili. Alla fine ha organizzato questo viaggio per venire a vedere
con i suoi occhi.
Palma alzò un sopracciglio.

– E si è portato dietro tutta la famiglia?

Alex rispose:

– Pare sia stata Holly a insistere per esserci. Non voleva lasciarlo solo. Ed è chiaro che non potevano mollare Charlotte, alla quale fanno da scudo nei confronti del mondo.

Pisanelli si massaggiò il mento.

– Non lo so, qualcosa mi sfugge. Perché ha litigato con Esposito quando quello gli ha detto che non aveva mai conosciuto Capasso? L'ultima lettera era del 2004, più di dieci anni fa. Bastava chiedere il nuovo indirizzo.

Lojacono rispose subito:

– Anche a me qualcosa non quadra. Holly, che prima aveva alzato una barriera di «non so» e «non capisco», all'improvviso ha tirato fuori le lettere di Mimí. Avrebbe potuto mantenere il silenzio, o al limite raccontarci le cose per sommi capi. Troppa voglia di collaborare dopo troppa reticenza.

Palma tirò le fila.

– Allora? Come procediamo? Certo non si può immaginare che Wood, di fronte all'impossibilità di rintracciare il padre, abbia cominciato a dare testate contro il muro e si sia buttato nel cantiere della metro.

Aragona commentò, attutito dalla lana:

– È assurda pure una relazione di quarant'anni senza scopare, se è per questo.

Ottavia, che si era messa a digitare sulla tastiera, disse:

– Capasso Domenico, nato a Castellammare di Stabia il 16 settembre del 1936, morto qui in città il 9 aprile del 2004. Ultimo domicilio, indovinate? Vico Egizio numero 15. Vedovo di Russolillo Amalia, morta nel 1989. Unica figlia, Angela, coniugata con Nicola Picariello, residente in via Monte di Dio numero 112.

Lojacono si rivolse a Palma:

– Le cose diventano un po' indistinte appena ci si avvicina ad Angela. Mary potrebbe aver mentito in parte, per coprire Picariello, non dicendo per quale motivo Wood ha dato di matto quando ha saputo che Mimí non abitava piú là. Bisognerebbe capire quali erano le vere intenzioni di Ethan, se aveva un piano B nel caso il padre fosse morto. In fondo era ipotizzabile: le lettere si interrompono all'improvviso dopo quarant'anni in cui erano arrivate puntuali. Insomma, dobbiamo andare ancora avanti.

Palma annuí.

– Sí, approfittiamo dello spazio di manovra che la Piras ha ottenuto per noi e procediamo. Abbiamo l'indirizzo dei Picariello, proviamo a scoprire se Wood era andato anche là. Romano, accompagna Lojacono. Fateci sapere presto.

XXIX

Il numero 112 di via Monte di Dio era, come prevedibile, un condominio esclusivo con tanto di sbarra all'ingresso e arcigno portiere in guardiola. Lojacono e Romano si qualificarono e l'uomo, che si presentò come il custode Dell'Aquila Emilio, assunse un atteggiamento di piena, melliflua collaborazione.

– I signori Picariello? Certo che abitano qui. Persone perbene, per quanto posso dire io. Un custode è un custode, e piú di tanto non ha contatti con i condomini. Stanno nell'attico della palazzina B, una casa meravigliosa.

Per natura Lojacono diffidava di chi forniva troppe informazioni non richieste.

– C'è qualcuno adesso, nell'appartamento?

– No, no, ispetto', nessuno. Cioè, lui è... dev'essere partito. Lei pure, la signora dico, da un mesetto non ci sta. Almeno, io non l'ho vista piú.

Romano, condividendo l'istintiva antipatia di Lojacono per il personaggio che avevano di fronte, sbottò:

– Dell'Aquila, capiamoci: noi siamo poliziotti, spero le sia chiaro. Ci è noto che Picariello Nicola, colpito da mandato di cattura per illecite attività, si è reso irreperibile e che la moglie successivamente, forse di sua volontà o forse no, è scomparsa. Quindi abbia pazienza, non giriamo attorno alla questione e diamo le risposte corrette. Mi sono spiegato?

Piú che le parole era lo sguardo di Romano, freddo e duro come un pugno in faccia, a essere esplicito. Il portiere deglutí ed esibí un sorriso sbilenco.

– Certo, per carità. Ma voi mi dovete comprendere, il mestiere mio... Io mi faccio i fatti miei, insomma, e le cose che si sentono in giro magari non sono vere.

Lojacono non cambiò espressione.

– Quindi lo sapeva o no che Picariello è latitante?

Il custode fissò per un attimo il parcheggio con gli alberi e le siepi, poi mormorò:

– Per forza, ispetto'. Lo sa tutta la città. Mi dispiaceva dirlo perché il dottore con me è sempre stato educato. Tutto qui.

Romano lo incalzò.

– E la moglie? Ci parli un po' dei suoi movimenti fino a quando non si è allontanata pure lei.

Dell'Aquila ondeggiava nervoso sulle gambe.

– È una signora molto riservata, e la storia del marito, con il quale è assai unita, l'ha fatta diventare ancora piú chiusa. Io, insomma, l'ho incrociata poche volte dopo... dopo che il dottore è partito.

Lojacono studiava il viso del custode, tentando di cogliere i motivi della sua agitazione. I colleghi della Mobile dovevano essere stati là per giorni; che cosa nascondeva, adesso?

– Ci pensi bene, per favore: è venuto qualcuno a cercare la signora Picariello, sia prima sia dopo che andasse via?

Il custode assunse un'espressione concentrata, quasi fosse sorpreso. Poi scosse il capo, deciso.

– No, ispetto'. Non che mi risulti.

Romano lo scrutò.

– Che significa, «non che mi risulti»?

L'uomo si strinse nelle spalle.

– Io mica sto sempre qua: ci sono le piante da annaffiare, la posta da mettere nelle cassette delle singole palazzi-
ne. E poi dall'una e mezza alle tre ho l'intervallo: mi posso mangiare una cosa pure io, no? Quindi, se sono venuti
mentre non c'ero...

Romano insistette.

– Be', noi abbiamo ragione di ritenere che nei giorni
scorsi qualcuno sia venuto e abbia chiesto di Angela Capasso, ovvero della signora Picariello. Un uomo, non italiano.

Di nuovo il portiere sembrò concentrarsi. Lojacono lo
studiò: sessant'anni, piú o meno; corporatura tozza, capelli
tinti, abbigliamento piú che decoroso. Non sembrava uno
avvezzo alla fatica fisica.

– No, io non ricordo nessuno. Se è venuto, io non ci
stavo.

Il Cinese replicò, a bruciapelo:

– Secondo lei, dov'è adesso la signora Angela?

L'uomo spalancò occhi e bocca in una comica espressione stupita.

– A me lo chiedete, ispetto'? Magari ha raggiunto il
marito; stavano sempre insieme, pure al lavoro. O forse è
in vacanza, a riposarsi. Quelli, i colleghi vostri, sono stati qua tante volte per parlare con lei, dopo che il dottore
è andato via. Forse era stanca, ed è partita per un po'. A
me non ha detto proprio niente.

Romano grugní, ironico.

– Anche la signora è partita quando lei non c'era, giusto? Le piante da annaffiare, la posta da consegnare...

Dell'Aquila assunse un'aria offesa.

– Dotto', voi mi prendete in giro, ma non avete idea di
come funziona questo lavoro. E comunque no, non l'ho
vista passare. E nemmeno ho tenuto il conto di quanto
tempo era che non la vedevo, come mi hanno chiesto un

milione di volte gli altri poliziotti. Non è compito mio verificare se i condomini stanno in casa o se non ci stanno.
Lojacono fece un ultimo tentativo.

– Non c'è nessuno, nel palazzo o qui attorno, con cui la
signora avesse confidenza? Un amico o un'amica con cui
parlava, insomma.

– Ma chi, la signora Picariello? Ispetto', in tutti gli anni che è stata qua avrò sentito la sua voce due o tre volte
al massimo, e sempre al citofono. No, non credo proprio.
Col marito sí. Con lui parlava. Dovreste chiedere a lui,
ma come sapete...

Romano si rivolse a Lojacono, fissando torvo il custode:

– Ho capito. Andiamocene, Loja', che a questo lo piglio
a schiaffoni, se continua a sfotterci.

Dell'Aquila sollevò la sbarra e li guardò allontanarsi,
mantenendo un mezzo sorriso stupido. Poi, all'improvviso,
sul suo volto comparve una preoccupata determinazione.

Rientrò nella guardiola, aprí la scocca del cellulare e so-
stituí la scheda con un'altra prelevata da un cassetto. Attese
che il telefono agganciasse la cella e compose un numero.

Trascorsi alcuni secondi disse:

– Sono tornati. E non ce l'hanno loro.

XXX

Angela si svegliò di soprassalto.

Aveva fatto un sogno stranissimo. Era con suo padre, vicino al porto di Castellammare, dove sovente la portava da piccola; però era grande, era come adesso. Le sarebbe piaciuto sapere cosa pensava, suo padre, del fatto che aspettasse un bambino. Ma lui sembrava assente: scrutava l'orizzonte con quello sguardo di pena e dolcezza che gli veniva ogni volta quando erano lí.

Lei gli aveva chiesto: papà, ma ti sei accorto che aspetto un bambino? Che sarai nonno? Non sei felice? Lui non si era neppure voltato. Con la voce rauca di quando stava per morire e non ragionava piú, aveva detto: «Solo di là, nenne'. Solo di là dal mare si può essere felici. Da questo lato no».

Allora, con orrore, lei aveva visto la pancia crescere e crescere, la veste tendersi e lacerarsi, la pelle diventare lucida e sottile fino a spaccarsi con uno fragore di legno secco.

Nello stato in cui a poco a poco si riacquista coscienza della realtà, si trovò a fissare la parete occupata quasi per intero dall'armadio. D'un tratto l'anta di sinistra si aprí ed entrò un vecchio magro, con la pelle scurissima e gli occhi tristi, che le si rivolse, brusco:

– Nenne', ti ho portato la medicina che ti serve per il vomito e un po' da mangiare. L'acqua la tieni, sí?

Angela cercò di parlare, ma la voce non le uscí. Tossí e riprovò:

– Sí, sí, l'acqua ce l'ho. Che... che notizie ci sono? Mica c'è in giro qualche... qualcuno strano, insomma?

– Che vuoi dire?

– Io... non importa. Non importa.

Il vecchio si indurí ancora.

– Ma ce l'hai chiara la situazione in cui stai, nenne'? Tu lo capisci che di quello che succede in giro non ti devi occupare? Lo capisci, questo?

Angela contò le mattonelle, in silenzio. Annuí.

Il vecchio riprese:

– Certa gente non dimentica. Certa gente non si ferma davanti a nulla. Certa gente non ha paura di nulla. E tu, proprio tu, lo dovresti sapere.

Angela sollevò la testa; un bagliore di ribellione le illuminò il viso.

– Non è sempre stato cosí. All'inizio lui... all'inizio era diverso. E dopo, quando ho scoperto tutto, non m'interessava piú. Perché io tenevo a lui e basta, era il mio mondo. Ora però che...

Si passò una mano sul ventre, come una carezza.

Il vecchio addolcí un po' il tono, non l'espressione.

– D'accordo, questo lo comprendo, ma la tua condizione complica la faccenda, mai ce ne fosse bisogno. Chi può prevedere quello che accadrà?

Gli occhi della ragazza si riempirono di lacrime.

– Io non resisto piú. Sono stanca. Ho paura, sí, ma vorrei respirare, camminare sotto la pioggia o il sole. Io non ho fatto niente, perché devo scontare questa... questa... – Indicò la stanza con la mano, soffermandosi sulla finestra sbarrata. – Questa galera, ecco. Perché una galera è. Non so nemmeno se è giorno o è notte, vi rendete conto? Mi manca l'aria!

L'uomo aveva ascoltato lo sfogo a braccia conserte, senza mostrare alcuna partecipazione verso il dolore di Angela.

– Hai un bel il coraggio a dire che non hai fatto niente. Ti sei scordata quello a cui hai collaborato? È niente, secondo te?

La ragazza scoppiò in singhiozzi, piano, le mani unite sulla faccia. Senza impietosirsi, il vecchio aggiunse:

– Finché le cose stanno in questo modo, finché qualcuno non mi assicurerà che posso, non ti lascerò mettere il naso fuori da qui. Disperati quanto vuoi, non mi convincerai.

Diede un'ultima occhiata alle stoviglie sul tavolino, si girò e rientrò nell'armadio.

Angela sentí il rumore del pannello di legno che si spostava.

Dopo qualche istante si asciugò le lacrime con un fazzoletto e si soffiò il naso. Poi si alzò e andò al cassettone. Prese una borsa all'interno della quale, in una tasca segreta, c'erano un taccuino nero e un mazzo di lettere legate con un nastro azzurro.

Sciolse il nastro, ne prese una e cominciò a leggere.

Suo malgrado, e con gli occhi rossi di pianto, sorrise.

XXXI.

Il deposito la cui sorveglianza costituiva la prima missione segreta dell'agente speciale Aragona Marco non era un luogo epico. Consisteva in una saracinesca piena di ruggine alla fine di una salita, in una zona poco illuminata e deserta ma di facile accesso.

Marco aveva scelto la propria posizione in base a un attento studio, meditando ogni mossa per non essere scoperto. In realtà, essendo l'unico essere umano nei paraggi, l'atteggiamento noncurante lo rendeva ancor più visibile. Ci fosse stato qualcuno interessato a sorvegliare i sorveglianti, non avrebbe avuto difficoltà a riconoscere tutto fuorché un viandante occasionale in quel giovane dall'andatura lievemente western, con i capelli pettinati in modo da occultare l'incipiente calvizie sulla sommità del cranio, gli occhiali azzurrati e soprattutto una enorme sciarpa che portava nella trama ogni colore dello spettro percepibile dall'occhio umano.

Per fortuna, però, non c'era nessuno, e Aragona aveva individuato, tra un pilastro e un muro di fronte al magazzino, una nicchia ampia abbastanza da accoglierlo. Il pungente odore di urina e le numerose bottiglie vuote testimoniavano di altre e più allegre permanenze in quel luogo; ma un agente speciale è conscio di non essere destinato a una vita confortevole. Inoltre lo schermo offerto alle narici dalla coltre spessa e policroma della famosa sciarpa di Hollander, l'abilissimo investigatore televisivo scandinavo, in vendita sui siti specializzati alla modica cifra di quattrocentoventi euro (be'? Era un indumento di scena garantito, utilizzato per almeno due prove della serie), si stava rivelando provvidenziale.

Palma gli aveva consigliato di passare di là, in maniera che sembrasse casuale, un paio di volte al giorno; e di registrare eventuali movimenti di carico o scarico merci. Come ampiamente illustrato nel *Manuale del Giovane Investigatore*, testo basilare acquistato e studiato a fondo due anni prima e ripassato a intervalli regolari, in frangenti simili risultava utile collocare sulla scena appositi oggetti, il cui spostamento avrebbe testimoniato il transito dei malintenzionati. Perciò, dopo essersi accertato che non ci fossero occhi indiscreti grazie a un appostamento silenzioso di due ore precise, il poliziotto aveva provveduto a sistemare con sapiente disordine, tra la soglia e gli stipiti della saracinesca, le seguenti cose:

una rivista pornografica apparentemente usata, divisa in quattro fascicoli;

una bambola rotta;

una vecchia giacca da donna di originario colore rosso diventata arancione sbiadito;

un berretto da baseball dei Los Angeles Dodgers, al quale aveva appositamente strappato, con doloroso sacrificio, il nastro di chiusura regolabile posteriore;

diciotto capelli personali, sacrificio ancora piú doloroso data la penuria degli stessi, che, secondo quanto prescritto dal suddetto Manuale, andavano inseriti nella chiusura della porta per poter concludere con certezza, in caso di assenza al successivo sopralluogo, che questa era stata aperta. In realtà il Manuale prescriveva che i capelli da utilizzare a tal fine fossero due, ma *melius abundare quam deficere*: non poteva commettere errori, nell'operazione.

Il tutto, per la verità, creava un certo effetto discarica: ciò nondimeno i segnali sarebbero stati inequivocabili.

Mentre rimirava la propria opera, controllando il respiro e limitando i gesti al minimo, il telefonino gli esplose in tasca con la sigla di *Bonanza*, la prima, mitica serie televisiva che aveva visto in vita sua. Terrorizzato, lo estrasse in fretta, facendolo cadere e aggiungendo il fragore dell'impatto a quello crescente della suoneria. Bestemmiò, raccolse il cellulare, bestemmiò ancora per la difficoltà di reperire il tasto giusto e disse:

– Mpof!

Spostò la sciarpa, lanciò un'occhiata piena di preoccupazione nel vicolo e riprovò:

– Pronto?

La voce della madre, sommessa come d'abitudine, gli perforò il timpano. La signora Aragona non aveva mai compreso appieno il funzionamento delle comunicazioni via etere, per cui riteneva necessario tarare il tono sulla lontananza fisica dell'interlocutore. E lei era nella provincia di Avellino.

– Marcu', stai bene a mammà? Hai mangiato?

Quella della nutrizione tempestiva e soddisfacente del figliolo era la principale angustia della donna, e si traduceva in quattro appelli giornalieri.

– Sí, sí, mamma, tutto bene, – rispose l'agente scelto con i peli della sciarpa in bocca. La madre, sentendolo masticare, sorrise contenta; Marco lo capí anche distanza: era l'unica persona al mondo, per quanto gli risultasse, in grado di sorridere urlando.

– Bravo, bravo a mammà. Lo sento che stai mangiando.

L'agente scelto preferí tacerle che sul momento ingurgitava pezzi di lana. Chiese piuttosto il perché di quella chiamata.

– No, è per tuo padre. Dice che ti deve parlare, ma di persona. Quindi passerà nel pomeriggio in albergo. Fatti trovare là verso le sei.

Marco abbozzò una protesta, ma con scarso successo: la ricezione del telefono della madre non era efficace quanto la trasmissione.

Riuscí a domandare, tenendo la voce bassa:

– Ma che vuole? Io sono impegnato, ho una missione, devo lavorare, non ho tempo da perdere!

La madre, senza abbassare il tono della voce:

– E che ne so io di quello che vuole? Sta sempre nervoso, risponde male, si incazza. Io non posso proprio chiedergli niente.

Marco sogghignò all'interno della sciarpa. Conosceva l'antica tattica del padre che, per sfuggire alla petulanza della moglie, fingeva di dover fronteggiare gravissimi problemi cosí da ricavarsi una zona franca in cui sopravvivere.

L'altra continuò, mantenendo inalterato il livello dei decibel:

– Comunque deve tenere qualche pensiero, perché mi sono accorta che si è messo a contare gli assegni dal blocchetto mio. Secondo me sospetta che ti integro la paghetta.

La cosa mise Aragona in allarme. Non accettava che la madre definisse ancora in quei termini mortificanti la munifica elargizione mensile che gli permetteva di risiedere, con grande comodità, presso l'hotel *Mediterraneo*, però non era disposto a rinunciarvi; soprattutto adesso che tale sistemazione gli consentiva di incontrare la bella Irina, cameriera originaria del Montenegro che occupava gran parte delle sue piú prosaiche fantasie, e che attualmente si trovava chissà dove e con chissà chi.

Il rischio di un taglio delle risorse faceva ascendere il problema rubricabile come «genitore in transito» in cima alla scala delle priorità.

– Va bene, mamma. Digli che lo riceverò.

La madre scoppiò a ridere.

– Perché, secondo te si è posto il problema che tu non lo ricevevi? Mi ha detto di avvertirti per non sprecare tempo. Punto e basta.

Aragona rifletté alla luce del suo naturale ottimismo. Magari si trattava di una paterna indagine sul suo benessere. Magari il vecchio aveva voglia di scambiare due chiacchiere da uomo a uomo con il figlio, sorvolando per un momento sull'affronto personale che questo gli aveva recato assecondando la propria vocazione di entrare in polizia anziché dedicarsi alla fabbricazione e alla vendita di mobili e suppellettili nell'azienda di famiglia.

Ma l'agente scelto Marco Aragona, detto (ne era sicuro) Serpico negli ambienti criminali in cui si favoleggiava della sua abilità, non avrebbe potuto che fare il poliziotto, pensò riponendo il cellulare, stavolta silenziato, nella tasca dei jeans di marca. Era nato per quello.

Si affacciò cauto dal suo nascondiglio, provocando lo spavento e la fuga dell'unico altro essere che si muoveva nel vicolo: uno spelacchiato gatto grigio.

Fin quasi alle sei, Serpico avrebbe vegliato sulla città difendendola dal crimine. Si poteva starne certi.

Poi, solo poi, avrebbe affrontato il padre.

XXXII.

Mille anni prima, quando era ancora piena di sogni e di speranze, Ottavia Calabrese era stata una giovane romantica.

Ricordava benissimo i sospiri di fronte alle belle storie d'amore, soprattutto quelle che non avevano un lieto fine. Versava calde lacrime al cinema, senza vergognarsi di mostrare gli occhi lucidi agli amici che la prendevano in giro, e si scopriva commossa anche leggendo libri che suo padre giudicava melensi e prevedibili. Gaetano, che poi sarebbe diventato suo marito, era intenerito dalla facilità con cui si emozionava.

Ma in seguito alla nascita di Riccardo, la sua personale Apocalisse, lo spartiacque nero della sua vita, aveva dovuto rimodulare anche questa tendenza. Non che si fosse indurita, perché la sua natura era rimasta intatta, erano solo cambiate le priorità, quindi i livelli di coinvolgimento. Se sei quella che sta peggio, è difficile che ti tocchino troppo le disgrazie altrui.

Aveva conservato però una dolce curiosità verso certe vicende e, senza scivolare nel pettegolezzo, si soffermava volentieri sulle pagine dei giornali che raccontavano di attrici e cantanti che si univano o si abbandonavano, che vivevano nuove avventure o tornavano insieme al partner dopo lunghe separazioni. La ragazza che era stata faceva capolino, ogni tanto. E con maggiore frequenza ora che aveva ricominciato a sognare quasi fosse primavera anche in autunno. Era una cosa soltanto sua, ma sentiva di nuovo battere il cuore, e aveva ripreso a sorridere.

Proprio per questo, a partire dal momento in cui Alex e Lojacono avevano riferito della grande passione tra Charlotte Wood e l'uomo che poi si era rivelato essere il padre di Angela Picariello, la moglie del commercialista latitante, non aveva smesso di riflettere sulla faccenda. La pellicola girata a Sorrento, *Souvenir*, che nome romantico; le riprese ultimate in fretta, un mese e basta, poi il resto in studio, a Los Angeles. Aveva cercato e trovato il Dvd e l'aveva visto due volte, spiegando di sfuggita a Gaetano che si trattava di una cosa di lavoro, mentre Riccardo, accoccolato accanto a lei, continuava a disegnare cerchi colorati su un foglio bianco quanto la sua mente imprigionata.

Il film non era granché. Aveva le tipiche caratteristiche dei prodotti popolari dell'epoca: attori e comparse belli, panorami mozzafiato, canzoni orecchiabili e trama esile e scontata.

Forse era una sua suggestione, ma le sembrava che l'espressione della Wood, tra la prima e la seconda parte, si fosse appannata, avesse perso luce.

Capasso, come era prevedibile, non figurava tra i nomi nei titoli di coda, però avrebbe potuto essere una comparsa. Allora si era sforzata di cogliere una scintilla, il frammento di uno sguardo, ma nulla. Nessun indizio.

Eppure una passione come quella che emergeva dalle lettere che Holly aveva fatto leggere a Lojacono e Di Nardo, tanto intensa da resistere alla distanza per oltre quarant'anni, una traccia doveva averla lasciata; un mese, in fondo, non è un giorno. Poi c'era la questione del rientro improvviso in California. Perché? Qualcuno si era accorto di qualcosa?

Ottavia si era messa a consultare la rete. Era un'esperta, nel campo, la sua abilità era riconosciuta. Forse il mondo virtuale, per lei cosí delusa da quello reale, era una specie di Paese delle Meraviglie; forse era dotata di un intuito speciale, ma di fatto riusciva a distinguere le informazioni attendibili in mezzo al mare delle cose inutili, individuando percorsi che per lei erano evidenti, ma che sarebbero sfuggiti ai piú.

Aveva trascorso gran parte della notte davanti al computer, seguendo logiche informatiche e curiosi collegamenti, scavando in un passato non digitalizzato e perciò assai complesso da ricostruire. Ma alla fine il suo impegno e la sua dedizione erano stati premiati. Adesso doveva solo cancellare un po' di stanchezza dalla faccia e sfoderare un bel sorriso di trionfo.

Palma riuní tutti in sala agenti e rimase in piedi dietro la scrivania di Ottavia, che era un po' in imbarazzo. Il commissario, invece, appariva soddisfatto.

– Dunque, come sapete stiamo correndo contro il tempo, perché man mano che scorrono le ore diventa piú difficile capire che è successo al povero Wood. A proposito, abbiamo notizie dall'ospedale?

Alex, che in qualche modo era assegnataria di quella parte dell'indagine, rispose subito:

– No, capo, niente di nuovo, li ho sentiti un quarto d'ora fa. È stazionario, e pare che questo sia già un dato positivo. La sorella è arrivata ed è con lui. Comunque mi tengono informata; pensavo di passare da lí dopo pranzo.

– Bene. Noi andiamo avanti. La nostra Ottavia ha scovato qualcosa di interessante.

Aragona esclamò, sputacchiando pelucchi:

– Hai capito mammina dal culo di pietra! Lei ci cava il sangue, dal computer.

Romano lo rintuzzò:

– Ma non la perdi mai l'occasione di dire una stronzata, Arago'? Scopre piú cose Ottavia in dieci minuti di ricerche che tu in due anni, te lo assicuro io. Ma che te lo spiego a fare, tu il computer lo usi solo per il porno.

La sciarpa e gli occhiali azzurrati assunsero un'aria offesa.

– Perché, che altro ci sta nel computer oltre il porno? Pisanelli li richiamò all'ordine.

– Fate i bravi, *guagliu'*. Vogliamo sentire.

Ottavia tossicchiò, arrossendo.

– L'idea mi è venuta dal contenuto delle lettere e dal fatto che le riprese di *Souvenir* a Sorrento durarono appena trenta giorni. La casa produttrice non esiste piú, quindi è stato un po' complicato risalire alla storia del film, però mi è stata preziosa la biografia di Bill Wood, il regista. Si dice che fosse gelosissimo della giovane moglie, Charlotte, ma anche della propria immagine. E a Sorrento ci fu un mezzo scandalo che i potentissimi Studios misero a tacere sborsando un sacco di soldi. Però alcune indiscrezioni trapelarono, e io le ho trovate.

Lojacono si sporse in avanti, interessatissimo.

– Trapelarono da dove? In che senso?

– Questa è la parte rilevante, – rispose Palma facendo cenno a Ottavia, che proseguí:

– All'epoca c'erano i famosi paparazzi, come si chiamavano i fotoreporter che davano la caccia ai divi. Erano un vero incubo per le celebrità, ma non avevano vita facile neppure loro, perché il mezzo tecnico, la macchina fotografica, aveva bisogno di certi tempi e di determinate condizioni per garantire un risultato soddisfacente. Capitava spesso che la persona immortalata se ne accorgesse, allora erano botte e attrezzature fracassate.

Aragona commentò:

– Bel mestiere di merda.

Ottavia annuí.

– In effetti. Questo paparazzo in particolare operava stabilmente in costiera, dove molta gente famosa andava in vacanza. Otteneva le foto e le vendeva ai giornali scandalistici. Si chiamava Adolfo Tavassi, detto «Adolfo lo Scatto», sia per le foto sia per la velocità nella fuga. Un personaggio mitico; la rete è piena di aneddoti che lo riguardano. È morto agli inizi degli anni Ottanta. Insomma, tra le sue imprese si ricorda appunto questa foto di Charlotte che, al chiaro di luna sulla spiaggia di Sorrento, si unisce con un giovane.

Aragona cominciò a sghignazzare.

– Ma come parli, Otta'? «Si unisce»? Intendi che scopano sulla spiaggia?

Palma lo incenerí:

– Arago', dinne un'altra cosí e ti do un ruolo direttivo: ti mando a dirigere il traffico all'incrocio di Monteoliveto. Giuro che lo faccio. Vai avanti, Otta', scusaci.

– Per fortuna il giornale che comprò l'istantanea ha digitalizzato l'archivio, e questa foto è stata salvata. Fu pubblicata in una sola edizione, perché poi la produzione di *Souvenir* fece una diffida, ma intanto era già uscita, con un bel servizio annesso. Eccolo qui.

Girò lo schermo in direzione dei colleghi, che si avvicinarono per vedere.

Aragona domandò, deluso:

– Tutto qui?

In effetti l'immagine era buia e un po' sgranata, ma si distinguevano chiaramente due corpi avvinti su una coperta sistemata sulla sabbia. Lui era sopra di lei, e il bellissimo viso di una giovane Charlotte, perduto nell'estasi, era piuttosto riconoscibile.

Lojacono disse:
– Comprendo la rabbia del marito. Si vede che è lei.
Ottavia riprese:
– Ma la scoperta piú importante non è questa. Nel servizio pubblicato dal giornale, c'è un'altra fotografia, su cui, – si girò verso Palma, che la esortò a procedere, – secondo me si può lavorare.
Digitò qualcosa velocemente e sul monitor comparve il ritratto di un giovane bruno, dagli occhi scuri e intelligenti. Indossava una maglietta a righe orizzontali e un cappello di paglia a tesa tonda; aveva un piatto in mano, pareva sorpreso.
La didascalia, in caratteri sbiaditi e un po' deformati, recitava: «Questo è l'uomo che ha rubato il cuore della bella Charlotte?» In alto, sopra di lui, un'insegna: *Ristorante 'O Piscatore.*
Con voce rispettosa, Ottavia concluse:
– Vi presento Domenico Capasso.

XXXIII.

Charlotte aveva saputo del giornale la mattina presto, intontita dal sonno. La truccatrice, un'italiana assunta sul posto e sua coetanea, con la quale aveva stretto amicizia, l'aveva svegliata che non erano ancora le otto, bussando con insistenza alla porta della sua stanza.

Avevano terminato le riprese alle tre passate, per sfruttare il piú possibile il tempo ancora bello e l'aria tersa della notte; subito dopo lei era andata a dormire. Il marito non era nemmeno rientrato per preparare le scene successive e Charlotte si chiedeva dove prendesse tanta forza e tanto entusiasmo, alla sua età. Con ironia si rispondeva che, tutto sommato, si trattava di energie che risparmiava da altre incombenze.

Bill Wood, il celebrato Bill Wood, non provava grande attrazione per il sesso. Non che fosse gay, ma non indulgeva spesso a quel tipo di piacere. Era un artista raffinato e sensibile, maniaco della luce e dell'immagine. Anche quando non girava trascorreva il tempo scattando fotografie che sviluppava e stampava con le sue mani nella villa sulla collina in cui vivevano, per poi raccoglierle in album che catalogava secondo criteri noti solo a lui.

Charlotte gli voleva bene, e per diversi motivi. Professionalmente gli era debitrice. Sapeva di essere bella, ma era una condizione comune a migliaia di ragazze che arrivavano a Hollywood, disposte a qualunque compromesso pur di vedere il proprio viso sullo schermo. Questo le era stato chiaro dall'inizio, come chiaro le era stato che l'intelligenza, la capacità di annusare l'atmosfera e di adattarsi a essa dovevano essere il suo personale valore aggiunto.

Era questa particolarità, infatti, che aveva affascinato Bill, avvezzo a valutare donne e uomini e a districarsi tra le attenzioni piú o meno interessate di cui era oggetto. Lui era in grado scorgere la realtà al di là delle apparenze, e in Charlotte aveva individuato qualcosa di speciale. Poi, conoscendola meglio, si era legato a lei sempre di piú, tipo Pigmalione a Galatea, e ora che aveva pressoché rinunciato ad avere eredi era Charlotte il suo futuro, oltre che il suo presente.

L'altro motivo per cui Charlotte era profondamente grata a Bill era la sua immensa generosità. Lei proveniva da una famiglia poverissima di Brooklyn. Il fidanzamento e il successivo matrimonio le avevano dato l'opportunità di aiutare i genitori e i fratelli, affrancando questi ultimi dal rischio di essere reclutati dalla malavita, come accadeva in quegli anni a molti giovani di origine italiana. Ma il regista non dava a sua moglie solo cose materiali: c'erano anche il prestigio, gli onori e le frequentazioni ai massimi livelli, fondamentali per una persona che aveva sempre nutrito ambizioni culturali. Era gratificante leggere la sorpresa negli occhi di donne e uomini che rappresentavano l'intellighenzia del paese quando si rendevano conto che la bambolina al braccio di Bill Wood era in possesso di un fior di cervello, lucido e tagliente al pari di un coltello affilato.

Tali considerazioni sorsero veloci nella mente di Charlotte nel momento in cui si ritrovò, in camicia da notte, a sfogliare le pagine del giornalaccio italiano dove comparivano la foto notturna nella quale abbracciava l'amante e l'altra che ritraeva Mimí da solo mentre guardava impacciato un obiettivo servendo ai tavoli. Avrebbe perso tutto, si disse. Tutto ciò per cui aveva lottato, che aveva guadagnato con fatica, sarebbe svanito per un'ora d'amore. Addirittura la truccatrice piangeva; la gravità della situazione non sfuggiva neppure a lei.

Con stupore si accorse che non gliene importava niente. Le dispiaceva per Bill e per la propria famiglia, sí, ma non nutriva dubbi su quanto fosse forte e profondo il valore dell'incontro con Mimí, avvenuto circa un mese prima, al suo arrivo. Su quanto fosse stato devastante incrociare quegli occhi, scambiare un sorriso con quell'uomo conosciuto mentre magnificava le virtú dei favolosi cannelloni proposti dallo chef del ristorante. La voce del ragazzo era calata di colpo, all'improvviso non trovava piú le parole: e mentre i commensali, Bill incluso, ridevano della meraviglia di lui davanti al volto di Charlotte, lei provava lo stesso incanto, solo che, da attrice, era piú abile a celarlo.

Aveva compreso subito che cosa significava quello sguardo, e mai, negli anni che seguirono, pensò di essersi sbagliata. Sguardi del genere dividono la vita in due parti: prima e dopo. Nulla è piú come prima, nulla può piú esserlo.

Decise che non si sarebbe tirata indietro. Che non avrebbe avuto esitazioni. Lo doveva a Mimí, a sé stessa, ma anche a Bill, che non meritava menzogne.

Si vestí con calma, raccolse le sue cose in una valigia di pelle di coccodrillo che ripose in un angolo della stanza e scese nella hall, pronta ad affrontare le conseguenze delle sue azioni.

Era il momento di combattere per il proprio amore, e cioè per la vita.

Non dovette aspettare molto. Bill irruppe nell'hotel dopo meno di un quarto d'ora, seguito da un drappello di

assistenti alla regia, segretarie di produzione e operatori,
tra i quali serpeggiava un palese sgomento.

Non l'aveva mai visto cosí. Rosso in viso, gli occhiali
appannati, i radi capelli schiacciati sulla fronte dal su-
dore. La bocca che aspirava aria affannosamente, l'inse-
parabile pipa nella mano, il giornale aperto alla pagina
della foto sulla spiaggia, la camicia a fiori sbottonata sul
ventre. Era sconvolto, lo erano tutti. Tranne lei.

Prima che Bill potesse parlarle, Lucy Langdon le si parò
davanti. Era il rappresentante della produzione, incaricato
di controllare i lavori del film. Per le sue mani passavano
le note spese, i comunicati stampa, le pianificazioni del
girato. Fino ad allora i rapporti con Charlotte, come con
gli altri attori, si erano limitati a un freddo saluto. Era un
personaggio che provocava disagio, con quegli occhietti
minuscoli dietro le lenti e quelle labbra strette.

– E brava la puttanella. Tu non ti rendi conto di cosa
hai combinato. Questo danno è potenzialmente enorme.
Enorme!

I vari membri della troupe compirono un simultaneo
passo indietro, come diretti da un abile coreografo. Il portiere dell'albergo, recependo la sommessa istruzione di
una segretaria, scortò all'esterno alcuni turisti che assi-
stevano incuriositi alla scena. Charlotte, allibita, si voltò verso il marito.

– Bill, io... io non so che...

La Langdon la interruppe, secca:

– Certo che non lo sai, idiota. Tu stai mettendo a rischio non solo il film, ma l'intero progetto dell'azienda.
Abbiamo investito su di te milioni di dollari. E quell'imbecille di tuo marito si dissolverà, appena verrà fuori che
la fidanzata d'America si toglie il prurito in mezzo alle co-
sce col primo che capita.

Charlotte raccolse i frammenti del suo orgoglio, ricordò di essere una ragazza di Brooklyn e disse:

– Senti, brutto cesso infame, queste sono questioni private. Se non vuoi che ti faccia cadere di bocca quei denti marci, toglici di mezzo e lasciaci parlare.

La sicurezza della Langdon vacillò, ma non scomparve.

– Questioni private? Ti sbagli, bambina. Da situazioni come queste dipende il destino mio e di centinaia di altre persone. Mi sono già mossa, l'intera edizione di questa carta igienica verrà ritirata e mandata al macero, e il giornale non avrà mai guadagnato tanto. Il dannato paparazzo è stato raggiunto e convinto a rilasciare copie e negativi. Diremo, se qualcuno ne parlerà, che era una scena del film. E l'imbecille accanto a me, che non sa tenere al guinzaglio una moglie che potrebbe essere sua figlia, la girerà apposta oggi stesso. Dopo di che farete i bagagli e tornerete a Hollywood.

Charlotte sorrise, serena.

– E se rifiuto? Se scelgo di vivere la mia vita come mi va? Che fai, stronza, mi spargi il sale sulla coda?

Le due si fronteggiarono in silenzio per un po', poi Bill, a bassa voce, intervenne:

– Posso parlare un attimo da solo con mia moglie, per favore?

A malincuore Lucy si allontanò di qualche metro, e cominciò a confabulare con tre collaboratori impartendo ordini.

Bill prese per il braccio Charlotte e la accompagnò in un salottino. Quando furono soli, la ragazza provò a spiegarsi:

– Bill, ascolta, io...

Il regista scosse la testa:

– No, ascoltami tu. Ti conosco, so che non agisci d'impulso, che sei molto matura per la tua età. E so anche che nessuno potrà impedirti di prendere le tue decisioni. Ma quello che ti devo dire, per onestà, è ciò che succederà a me.

Charlotte abbassò lo sguardo. Bill non le era mai sembrato cosí fragile.

– Io sono malato, Charlotte, – proseguí lui. – Lo sono da parecchio tempo. È un segreto che ho conservato con cura e non lo avrei mai rivelato nemmeno a te ma, date le circostanze, sono costretto. Non mi restano molti anni. Non c'è cura.

La ragazza allungò la mano sul braccio di lui, che si sottrasse.

– No, no, non è un problema. Ho fatto il mestiere che volevo, ho raggiunto una certa fama e una buona considerazione del pubblico e della critica. Sono felice. La fortuna è stata generosa con me, e tra le mie fortune ci sei stata tu.

A Charlotte si riempirono gli occhi di lacrime. Fuori, nel giardino dell'hotel, gli uccelli festeggiavano il sole della primavera.

– Questa cosa, se diventerà davvero pubblica, rovinerà tutto. Non si tratta del film e della produzione, come dice quell'arpia, ma della mia intera esistenza. Ci getteranno a mare, Charlotte. Si libereranno di noi. Sono potentissimi. Ne usciremo distrutti: tu una qualsiasi troia da strada, io un povero cristo impotente e cornuto. Non rimarrà nient'altro che questo. Sono stati chiarissimi, mi hanno chiamato stamattina da Los Angeles.

L'amore, pensò Charlotte. Il mio grande amore.

– Ti chiedo questo: e concedimi che mai ti ho chiesto niente finora. Torna a casa con me, portiamo a termine il film, aspetta con me che io non possa piú lavorare. Non ci vorrà molto, credimi. Poi riavrai la tua vita, e l'avrai col benessere e le ricchezze che ti lascerò, benvoluta e amata.

È un piccolo sacrificio, se ci rifletti. Ti ho dato tutto quello
che avevo, e ti darò ancora di piú. Ma ti prego. Ti prego.

Quindici giorni dopo, nella sua villa di Los Angeles,
Charlotte scoprí di essere incinta.

XXXIV

Uscendo dal commissariato per recarsi in ospedale, Alex ebbe una brevissima conversazione al telefonino nella quale informò qualcuno dei propri spostamenti. La persona con la quale parlava commentò:

– Ma dovrai pur mangiare, scusa.

L'agente assistente sorrise, incamminandosi verso l'auto.

– Stai diventando peggio di mia madre. Questa del mangiare è un'ossessione.

– Sai, adesso che sei da sola, tu...

– Perché, se una sta da sola non mangia piú? Cosa te lo fa supporre? Io mangio, fidati.

– Sí, cioccolata, popcorn, gelati...

Alex chiuse la comunicazione. Nessuno richiamò.

Guidò come al solito, precisa e veloce, rispettosa del codice della strada, ma senza perdere tempo. Parcheggiò vicino all'entrata del Cardarelli, esponendo il contrassegno della polizia di Stato sul cruscotto. Scese dall'automobile e sentí il rombo di una moto alle proprie spalle. Senza voltarsi, sorrise di nuovo.

E una voce esclamò:

– Mi farai ammazzare, un giorno di questi.

Sempre fissando la macchina lei ribatté:

– Sei un poliziotto, dottoressa. Il rischio devi metterlo in conto.

Poi ruotò su sé stessa e si godette lo spettacolo di Rosaria Martone, primo dirigente della polizia scientifica, che si sfilava il casco sciogliendo i lunghi capelli che le ricaddero morbidi sulle spalle. La donna aveva gli occhi che brillavano di gioia, le labbra appena schiuse. Alex pensò, come ogni volta, che era bellissima. E che l'amava da morire.

Decisero per una pizza in un ristorante che si chiamava *Cavallino d'oro*, non lontano dall'ingresso del pronto soccorso. Pochi tavoli, un cameriere discreto e un enorme televisore che trasmetteva a tutto volume un gioco a premi. Si piazzarono in un angolo, dove la voce metallica della Tv non disturbava troppo.

Rosaria le sfiorò la mano.

– Sii sincera: non avresti mangiato niente.

Alex, fingendosi seria, replicò:

– Ma scherzi? Certo che avrei mangiato: nell'atrio del reparto di terapia intensiva c'è una macchinetta che distribuisce merendine.

La Martone assunse un'espressione inorridita.

– Merendine? Ma sei impazzita, addirittura le merendine? Non hai idea delle schifezze che ci sono, nelle merendine! Potrei specificarti additivo per additivo e conservante per conservante tutto quello che...

Di Nardo scoppiò a ridere.

– Ma dài, figurati se prendo certa roba. Volevo solo risvegliare la chimica che c'è in te, non immagini come sei sexy quando fai la professoressa.

Ordinarono e si misero in attesa. Poi Rosaria le sussurrò:

– Sono uscita senza nemmeno lasciar detto dove andavo. Ho mollato quattro persone in laboratorio ad aspettarmi. Non resistevo, volevo vederti. Arrivare fino a stasera era impossibile.

Alex trasse un sospiro.

– Non so quando mi libero, Ros. Questa faccenda di
Wood sta montando di ora in ora. Adesso c'è dell'altro
che ha scoperto la Calabrese su internet.

– Davvero? E cosa?

Mentre pranzavano Alex raccontò alla compagna l'e-
sito delle ricerche di Ottavia e ciò che avevano appreso
da Holly e dal portiere dei Picariello. Quindi la informò
dell'insperata autorizzazione, ottenuta dalla Piras, a pro-
seguire le indagini.

Rosaria ascoltò con grande attenzione, poi espresse il
suo parere:

– Secondo me è abbastanza chiaro che questa Picariello c'entra eccome. E che la tua amica Holly probabilmente vi nasconde ancora qualcosa. In questo sono d'accordo
con Lojacono.

Alex deglutí e disse:

– Sí, credo anch'io, se no non si spiega perché Wood
abbia litigato con Mary Esposito e per quale motivo sia
tornato a Pizzofalcone quando ormai era evidente che Capasso non abitava piú a quell'indirizzo. A meno che non
avesse saputo che anche Angela abitava in zona e avesse
deciso di parlare con lei.

La Martone fece una smorfia.

– E ti pare che gli dicevano dove abitava e non che era
sparita da un mese? Mi pare francamente improbabile.

Alex era pensosa.

– Ma lo sai che è proprio buona, questa pizza? Da se-
gnarselo, questo ristorante.

La compagna le sorrise.

– Quanto mi piaci quando mangi di gusto. In verità mi
piaci sempre. Comunque mi pare ovvio che la Picariello è
l'unica strada per capire cosa è successo a Wood. Il problema è che, se non ci è riuscita la Dda, è difficile che ci

riusciate voi, con tutta la stima che posso avere per i famosi Bastardi di Pizzofalcone.

Alex incassò il colpo.

– In effetti hanno piú mezzi e piú risorse di noi, da ogni punto di vista.

Rosaria tagliò l'ultimo pezzo di cornicione e si fermò a fissarlo.

– Io, al posto vostro, non ci proverei nemmeno a scovare la Picariello nella maniera convenzionale, sempre che non sia finita in qualche fosso in campagna. Piuttosto mi chiederei: che elementi ho io, che la Dda non ha o non aveva?

– Vai avanti.

La donna si strinse nelle spalle:

– Buffardi e i suoi hanno scandagliato il presente: informatori, affiliati dei clan, nascondigli. La ricerca della Calabrese e le lettere di Holly, invece, portano verso il passato. È lí che dovete insistere.

Trascorse qualche secondo poi Alex, gli occhi nel vuoto, mormorò:

– Venendo qui ho pensato molto ad Angela Capasso. Alla sua vita, a suo padre.

Rosaria tacque. Era consapevole di quanto, con Alex, l'argomento genitori fosse un terreno scivoloso e minato su cui era meglio non avventurarsi.

Di Nardo continuò:

– Angela lo aveva perso, il passato, si era separata dalla sua esistenza precedente con un taglio netto. Altrimenti non avrebbe consentito a quella merda di Picariello di mettere Esposito nella casa dove è cresciuta.

La Martone annuí, attenta.

– E allora?

– E allora se, dopo questo taglio, poi rompi con tuo marito e con il suo mondo, che alla fine è diventato il tuo, e

ammesso e non concesso che tu sia scappata da sola, che
non sia con lui oppure nel famoso fosso, dove vai? Dove
ti rifugi?

Rosaria rispose subito:

– Nel passato, credo.

– Già. E noi sappiamo qualcosa del passato di Domenico Capasso?

La dirigente scosse il capo, smarrita.

– Non ti seguo, Alex.

Invece di rispondere, Di Nardo estrasse il cellulare e
digitò un numero.

– Ottavia, ciao, sono Alex. Ascolta, ma questo ristorante di Sorrento, *'O Piscatore*, esiste ancora? Perché ho
pensato a una cosa, stammi a sentire.

XXXV.

L'uomo con gli occhiali guardava dalla finestra; pensava alle stagioni e lasciava affiorare i ricordi.

Non c'è che il mare, rifletteva fra sé, a suggerire in quale periodo dell'anno ci si trovi. È grigio e triste, adesso, con l'orizzonte confuso e il cielo dello stesso colore. E la spiaggia senza spiaggia, una striscia di terra brulla, punteggiata di spazzatura e di cani in cerca di cibo nei sacchetti aperti. Che schifo.

L'uomo con gli occhiali sospettava che anche nei mesi belli il posto fosse infame, per la verità. Ma almeno ci sarà il sole, e la gente, e le canzoni. Sempre meglio di questo squallore.

Mentre portava il calice di vino alla bocca, la sua mente corse alle estati passate alla fonda nelle rade di isole esclusive, dentro la cabina confortevole del suo panfilo, alla musica soffusa e agli aperitivi al tramonto. Chissà se sarebbero mai tornate, quelle estati.

La sistemazione, però, doveva garantire la piena operatività, non un panorama incantevole. Non aveva smesso un minuto di lavorare, e del resto non poteva: «Il mondo continua a girare, dotto', – aveva detto il capo. – E poi credetemi, – aveva soggiunto con quella sua risata che dava i brividi, – un poco di isolamento e di tranquillità vi farà bene. Cosí non avrete distrazioni».

Il dottor Nicola Picariello era convinto che il capo sapesse benissimo di Mary e dei passatempi che ogni tanto si concedeva il suo uomo dei numeri, come lo chiamava scherzando. Il principale aveva occhi ovunque. E magari di lí a un po', quando le acque si fossero calmate, un nuovo giocattolino glielo avrebbe fatto arrivare pure nella villa davanti allo squallido tratto di litorale in cui l'avevano sistemato. Per ora no. C'era ancora troppo casino.

La casa aveva tutto il necessario: due postazioni di lavoro sicure, che si collegavano ad alta velocità con un server in Birmania e uno in Canada; una scrivania e degli schedari; una segretaria efficiente, con una perfetta conoscenza di quattro lingue, che aveva detto di chiamarsi Melany e che, all'occorrenza, portava e recapitava i messaggi; era discreta e silenziosa, e non abbastanza attraente da rappresentare una tentazione.

C'erano inoltre un televisore con collegamento satellitare e dei giornali. Perciò Nicola era aggiornato, oltre che sulle quotazioni dei titoli e sui movimenti macroeconomici internazionali dettati dalle mutevoli condizioni politiche, anche sulla cronaca locale.

Il mattino precedente, leggendo dello stato in cui versava il turista americano ritrovato nel cantiere della metropolitana, aveva detto perentorio a Melany:

«Domani li voglio vedere entrambi. Falli venire da soli».

La donna aveva annuito. Picariello sapeva che doveva chiedere gli adeguati permessi, ma era certo che glieli avrebbero accordati.

I due arrivarono puntuali, nel primo pomeriggio. Erano in palese difficoltà, perché conoscevano l'importanza di quel tipo magro, con gli occhiali e le mani bianche sempre sudate, ma non ne comprendevano il linguaggio, cosí diverso da quello dei capi ai quali erano abituati a obbedire. Dovevano rispettarlo, ma non lo capivano.

Uno aveva superato i cinquant'anni, aveva lunghi capelli grigi e un paio di folti baffi cui doveva il soprannome: Baffone. L'altro era assai inferiore di età, le labbra grosse e il fisico tarchiato. Erano fratelli, ma non si somigliavano.

Picariello li fissò a lungo senza parlare, incrementando di molto il loro disagio. Alla fine disse:

– Come è successo?

Il piú giovane sbottò:

– Quello chiedeva, chiedeva. Stava facendo un casino in tutto il quartiere, poco ci mancava che andava direttamente al commissariato e...

Picariello alzò la mano e indicò il piú vecchio, che era rimasto in silenzio.

– Baffo', parla tu. Io a lui non me lo fido di sentire, ogni volta che apre la bocca sono stronzate.

Quello lanciò un'occhiata in tralice al fratello, che barcollò quasi l'avessero schiaffeggiato e serrò i pugni.

– Dotto', abbiamo perso il controllo, questa è la verità. Il tizio si stava agitando troppo, continuava a chiedere della signora e di vostro suocero. Teneva un foglio in mano, dicono, con indirizzi, nomi e cognomi, ma noi non lo abbiamo trovato. Non c'era scelta.

Un muscolo cominciò a guizzare sulla guancia di Picariello.

– Vi ho domandato come è successo. Voglio sapere che avete fatto, non quali motivazioni avevate in quelle teste di cazzo.

Il giovane, a denti stretti.

– Ma come, teste di cazzo? Io non...

L'altro lo rintuzzò, secco.

– Carlu', statti zitto. Fai parlare a me –. Poi si rivolse a Picariello. – Dotto', la consegna nostra è sorvegliare chi vi cerca e perché. Dobbiamo scoprire che fine ha fatto la signora; è interesse comune, ci hanno spiegato. Ed è preoccupazione anche vostra. Il portiere, Emilio, ci ha detto che era passato due volte questo americano che chiedeva di lei.

Picariello annuí.

– Vai avanti.

Baffone si inumidí le labbra aride con la lingua.

– Si doveva capire chi era, e che voleva. La situazione è delicata, e abbiamo ordine di riferire per filo e per segno.

Picariello ribatté:

– Appunto: a me dovete riferire, subito. Invece non lo avete fatto.

Il giovane, Carluccio, precisò con strafottenza:

– E mica ci state solo voi. Pure la signora lo sapeva che i messaggi passano prima da...

Il commercialista non lo lasciò continuare.

– Non me lo ricordare, Carluccio bello, che ve la siete lasciata scappare sotto il naso. Che l'avete perduta, che chissà che fine ha fatto, portandosi dietro mio figlio e tutti i fatti nostri. Che, per colpa vostra, adesso ci sta questa mina vagante in giro, pronta a scoppiare da un momento all'altro.

Il teppista aprí la bocca, ma Baffone gli poggiò una mano sul braccio e strinse.

– Dotto', tenete ragione. Il problema è che uno manco può stare appresso a una persona ventiquattr'ore al giorno, vi pare? La signora è... è furba. E d'altra parte noi ci dovevamo prima di tutto assicurare che non faceva l'infame, no? Ho pensato che...

– Non pensare, tu. Quello è il lavoro mio. Continua a raccontare.

Baffone diede un colpo di tosse.

– Abbiamo ordinato al portiere di dire all'americano che forse c'era uno informato di dove la signora era andata in viaggio e quando tornava. Che questa persona, però, si ritirava tardi, tardi assai, e se ci voleva parlare doveva venire alle undici sotto al palazzo. E ci siamo presentati noi. Dotto', lo sappiamo che vi dovevamo avvisare, ma del portiere ci fidiamo e non ci fidiamo e...

Picariello non espresse commenti e l'uomo continuò:

– Aspettavamo prima di capire chi era questo tizio, che voleva dalla signora. Lo abbiamo prelevato e lo abbiamo portato nello scantinato che sapete, nel palazzo di fronte. Non voleva parlare, abbiamo provato a farci dire il suo nome però...

Picariello, a bassa voce:

– Ho chiesto com'è successo.

Carluccio esplose:

– Quello si era messo a gridare, era notte: ci dovevamo far prendere? Era un coglione venuto dall'America, chissà come conosceva a vostra moglie, magari si scrivevano e basta!

Picariello sospirò, infastidito da un rumore che proveniva dall'esterno, e si rivolse a Baffone:

– Com'è successo, Baffo'? Te lo chiedo per l'ultima volta. Se non rispondi bene, potete andare. Grazie.

L'uomo sbiancò, come se avessero pronunciato contro di lui una sentenza infausta, e si affrettò.

– No, no, dotto', non vi pigliate collera, per carità. Lo abbiamo... lo abbiamo interrogato, e quello è caduto e ha sbattuto la testa. Non si svegliava. Abbiamo pensato che un morto... Che forse ci dava piú problemi, che era meglio se sembrava una rapina, no? E allora gli abbiamo tolto il portafoglio, l'orologio e il cellulare e l'abbiamo buttato nel cantiere. Tutto qua.

Picariello si alzò, raggiunse la finestra e scrutò il mare.
– Tutto qua, dici. Tutto qua. Non è mai tutto qua, Baffo'. Il passato ritorna sempre, sai. E presenta il conto. Niente è mai gratis. Niente –. Poi si voltò. – Il guaio è grosso, perché adesso l'indagine si è allargata e hanno pure un motivo per cercare quella zoccola di mia moglie, che invece pareva che non interessava piú a nessuno. Se la trovano è un problema enorme. Ma se il problema ce l'ho io, lo tiene pure Sorbo. E di conseguenza, ancora piú grosso, lo tenete voi.

Un gabbiano stridette lugubre fuori dalla finestra, e i due sobbalzarono appena. Picariello proseguí, freddo e inespressivo:

– Muore o no, dell'americano non me ne fotte proprio, perché chiunque sia è evidente che non sa dove sta la zoccola. Mi importa di lei, perché è al corrente di tutti i cazzi nostri. E perché ha mio figlio in corpo e senza il permesso mio non va da nessuna parte. Quindi, per prima cosa dovete trovare Angela. Sono stato chiaro?

Baffone mormorò:

– Dotto', non è una cosa semplice. La signora, lo sapete meglio di noi, frequentava pochi amici; abbiamo fatto visita a tutti e non l'hanno vista. Noi non...

Picariello gli rispose, fermo:

– Da qualche parte però è andata, no, Baffo'? E come c'è andata lei, potete andarci voi. Ora voi la trovate. Con discrezione. Poi me lo venite a dire, dopodiché decidiamo.

Si avvicinò a Carluccio, fissandolo negli occhi. L'uomo arrossí fino alla radice dei capelli.

– Senza farsi prendere la mano. Un lavoro per bene, senza sbagli. Perché con Nicola Picariello una volta si può sbagliare, due no. Ci siamo intesi, coglione?

Carluccio aprí e chiuse le mani, sforzandosi per resistere alla tentazione di metterle al collo di quell'arrogante, inutile ometto. Baffone gli strinse di nuovo il braccio e replicò:

– State tranquillo, dotto'. È cura nostra. Permettete.

Senza aggiungere altro trascinò via il fratello di peso.

Quando furono usciti il giovane parlò con voce tremante di rabbia.

– Al momento giusto lo secco io a quell'uomo di merda. Me lo devi giurare.

Baffone rispose:

– Sempre se prima, per mezza sua, non ci seccano a noi. Andiamocene, va'.

Montarono in macchina e partirono con una sgommata verso la città.

Il gabbiano li guardava indifferente.

XXXVI.

Alex trovò Holly su una specie di balconcino a metà della scala antincendio, dopo l'uscita di sicurezza del reparto. Stava fumando, e osservava gli alberi che adornavano il giardino dell'ospedale.

La donna salutò l'agente con un cenno della testa e un sorriso triste. Mostrò la sigaretta e si giustificò:

– Avevo smesso. Cinque anni fa, quando mia madre mostrò i primi sintomi della malattia. Una cosa impercettibile, me ne accorsi solo io; un paio di dottori addirittura negarono che ci fosse un problema. Ma io non potevo sbagliarmi.

Alex sorrise.

– Conosco la sensazione. Se si vuole bene a qualcuno, certe cose si capiscono senza bisogno di essere medici.

– Sí. Smisi di fumare perché speravo si riprendesse. Era un voto. Mi auguravo che fosse un disturbo momentaneo. Invece, passo dopo passo se n'è andata e non tornerà piú. Quindi presumo che non valga la pena di mantenere la promessa. A volte penso sia meglio perdere chi si ama all'improvviso, piuttosto che un po' alla volta.

Di Nardo indicò l'interno dell'ospedale.

– Non deve essere pessimista, Holly. Ethan non sta peggiorando, e questo pare sia un ottimo segno.

La donna si asciugò una lacrima con un gesto rapido.

– Io non lo sento, capisce? Lo guardo, ci parlo, ma non lo sento piú. Questo è terribile, come vegliare un morto senza che sia morto.

– Infatti *non è* morto. Noi, però, dobbiamo ricostruire quello che gli è accaduto. E abbiamo bisogno di lei: è l'unica che potrebbe aggiungere particolari, anche minimi, al quadro generale.

L'americana spense la sigaretta.

– Io vi ho detto tutto. Che altro...

Alex la interruppe, decisa:

– Non le credo, Holly, non credo che ci abbia detto proprio tutto. I movimenti di suo fratello, le sue reazioni, la lite con quel trans, il fatto che si trovasse a Pizzofalcone da solo, in piena notte... Stava cercando qualcosa!

– Sí, vi ho già spiegato: suo padre. Lui...

– Non basta. Ormai doveva aver scoperto che Capasso era morto da anni, che senso aveva insistere? E poi la situazione della figlia di Capasso... Ci sono troppi buchi nella storia degli ultimi giorni. E se lei ha qualche informazione che ha taciuto, è il momento di tirarla fuori.

L'americana la guardò con aria di sfida.

– Davvero? Ne è proprio sicura? Lei non immagina quanto sia difficile badare a una donna che non capisce piú nulla, che vive in un passato informe.

Alex non si lasciò intenerire.

– Senta, signora, tutti noi ci rendiamo conto di quanto sia complicato, per lei. Ma sappia che anche il vostro consolato ha molto a cuore l'evoluzione delle indagini. E dovrebbe essere suo precipuo interesse scoprire chi ha ridotto suo fratello in queste condizioni; invece sembra che non le importi. Le lettere e le intenzioni di Ethan sono venute fuori quando ha avuto paura che finisse sui giornali co-

me cliente di un transessuale che si prostituisce; le visite a
Pizzofalcone le ha ammesse quando abbiamo interrogato il
tassista... No, non stiamo remando nella stessa direzione.
Holly rimase immobile, un po' sorpresa. Non si aspettava che Alex esprimesse ciò che pensava in modo tanto
sincero e diretto. Poi domandò:

– E se lui, senza rendersene conto, si fosse cacciato nei
guai contravvenendo a ciò che mi aveva promesso? Se col
suo comportamento irresponsabile avesse posto a rischio,
oltre a sé stesso, anche me e nostra madre?

Alex si accorse che le difese erette da Holly stavano va-
cillando e le si rivolse sommessa:

– Io, se fossi la sorella di Ethan, non permetterei che
chi lo ha conciato cosí rimanga impunito. Sarei disposta a
tutto pur di assicurarlo alla giustizia.

La donna sbatté le palpebre, come se avesse ricevuto
uno schiaffo. Poi, senza abbassare lo sguardo, prese dalla
tasca una busta ripiegata piú volte e la consegnò ad Alex.

Caro Ethan,

*non ci conosciamo, e penso che non ci saremmo mai co-
nosciuti se non fossero emersi i ricordi di un passato che non
abbiamo vissuto.*

*Io sono tua sorella, credo. O almeno, lo sono in parte. Mio
padre, che forse è anche il tuo, è morto da alcuni anni e fra le
sue cose c'era un fascio di lettere di cui ignoravo l'esistenza.
Sono di Charlotte Wood e parlano tanto di te: attraverso di
esse ti ho visto crescere con gli occhi di papà.*

*Magari tu hai trovato quelle che lui ha inviato a lei; devo-
no essere bellissime, tua madre ne trascrive alcuni frammenti
nelle risposte. Non ne sono stupita; papà era un vero poeta,
un uomo dolcissimo e sensibile anche se un po' chiuso. Peccato che tu non l'abbia incontrato.*

Ovviamente, la certezza assoluta che tu sia figlio di mio padre non posso averla, ma penso di sí, perché dalla corrispondenza si capisce che Charlotte glielo ha ripetuto per quarant'anni, e nessuna donna sarebbe cosí cattiva da ingannare un uomo su una cosa simile e per tanto tempo. Se tutto questo è vero, sappi che, come me, hai avuto una grande fortuna. L'unico dispiacere, quando ho ritrovato le lettere, è stato per mia madre, che è morta quand'ero piccola: ha avuto un buon marito, in realtà, ma di fatto ha vissuto accanto a un uomo che le nascondeva un segreto. Dev'essere una tara ereditaria, perché la stessa cosa è capitata a me.

Sono gli eventi che mi hanno spinta a contattarti, altrimenti non ti avrei mai scritto per una forma di rispetto nei confronti della scelta di nostro padre: se non ha voluto che sapessi di lui, avrà avuto le sue buone ragioni. Purtroppo, però, mi trovo in gravissime difficoltà, e non ho nessun altro al mondo a cui rivolgermi.

Ti dico subito che non ho bisogno di soldi. Quelli che ho mi bastano. Ma sono sola, e sono molto spaventata.

Se sei disposto ad aiutarmi, ti prego, scrivimi a questo indirizzo:

Capasso Angela. Fermoposta, Pizzofalcone.

Non ti do altri recapiti perché la mia situazione è parecchio pericolosa.

Scusami per questa intrusione nella tua vita. Se non vorrai rispondermi comprenderò, in fondo siamo due estranei. Ma se il sangue ha una voce, ascolterai il suo richiamo.

Un forte abbraccio,

Angela

Alex lesse la data sul timbro postale: risaliva a due mesi prima. Spostò lo sguardo sul volto di Holly e vide che stava piangendo.

XXXVII.

Aragona entrò nella hall del *Mediterraneo* molto meno baldanzoso del solito. A dire il vero, anzi, camminava rasente al muro con la testa bassa, cosí che quando arrivò nei pressi della reception il portiere, non essendosi accorto di lui, sobbalzò.

– Dotto', mi avete spaventato! Come mai di ritorno a quest'ora? Non vi sentite bene?

In effetti l'agente scelto non aveva l'abitudine di farsi vedere nel pomeriggio: usciva la mattina e tornava a tarda sera.

– No, devo incontrare una persona. Sai, si tratta di un contatto per una certa indagine, una cosa riservatissima. Mi servono informazioni su un intrigo internazionale per cui ho reperito questo soggetto che…

– Chi, vostro padre? L'ho fatto accomodare al bar. Quant'è simpatico, proprio come voi! Io gliel'ho spiegato che questo non è orario vostro, ma ha detto che vi aspettava lo stesso. Gli ho proposto un aperitivo, ho sbagliato?

Le spalle di Aragona crollarono.

– Va be', allora lo raggiungo, togliamoci questo pensiero. Grazie.

Il portiere sorrise, annuendo. Poi, come se all'improvviso si fosse ricordato qualcosa:

– Ah, dotto', vi volevo dire che…

Ma Aragona si era già allontanato, e non lo sentí.

Nonostante il dolore al basso ventre che non accennava a diminuire, Giorgio Pisanelli era di buon umore.

Nel tempo era riuscito a separare i problemi, distinguendoli perché non si sovrapponessero e nessuno stato d'animo prevalesse sull'altro. Evitava cosí il rischio di annebbiare una gioia o di sottovalutare una sofferenza. Ma le priorità erano ben chiare, e sul cancro incideva la decisione univoca di non dare alla prostata alcuna considerazione.

La morte, pensava mentre disponeva verbali sulla scrivania, non gli faceva paura. Sarebbe stato un modo di riunirsi a Carmen, la moglie, che gli mancava ogni ora di piú, anche adesso che aveva ritrovato la voglia di lavorare. Anzi, tanto piú adesso, perché avrebbe avuto tanto da raccontarle: le giornate di nuovo piene, il fervore di idee e di indagini, i confronti coi colleghi e la crescente rivalutazione del commissariato nel quartiere. Nulla era paragonabile a Carmen, per lui. Quando sarebbe arrivato il suo momento, sarebbe stato ben accetto; punto e basta. Il dolore gli scivolava addosso, e non aveva nessuna intenzione di curarsi.

Quello che invece gli premeva era catturare quell'ignobile assassino che inscenava i suicidi dei depressi. Pisanelli era convinto di aver isolato il suo modus operandi: individuava i candidati, stringeva con loro un rapporto di confidenza, creava l'occasione e li ammazzava nella maniera che questi, se avessero davvero voluto uccidersi, avrebbero scelto. Poi lasciava il biglietto d'addio e ripuliva la scena. Era abile, ma non abbastanza da fregare il vicecommissario Pisanelli Giorgio, che la depressione l'aveva frequentata e la frequentava ancora.

E sapeva cos'era il suicidio compiuto per disperazione essendoci venuto a contatto in casa propria.

Il padre di Aragona era al bar, in piedi al centro di un piccolo gruppo di camerieri, clienti e turisti. Marco sospirò: era una caratteristica di Michele, imprenditore nel settore dell'arredamento, risultare simpatico. In realtà quelle barzellette, quelle battute e quei sorrisi erano solo una tecnica di vendita.

Avvicinandosi riconobbe la stentorea voce da imbonitore.

– ... e allora il marito concluse: fortuna che l'armadio è capiente, se no tutta 'sta gente dove si metteva?

Il gruppetto scoppiò a ridere, dandosi gomitate d'intesa. Ad Aragona venne da vomitare.

Michele continuò:

– Lo vedete che quindi servono armadi grandi, perché non si può mai sapere a cosa si va incontro nella vita. Io, per ogni evenienza, vi do un bigliettino, stiamo a pochi metri dall'uscita dell'autostrada di Avellino Ovest, ecco qua... Ah, Marcoli', sei arrivato. Un attimo e sono da te.

Aragona nascose il viso dietro la sciarpa, nel tentativo di non farsi riconoscere. Il gruppo si disperse e il padre, sorridendo, gli indicò un divano.

– Oh, bello di papà, che piacere rivederti. Ma che è 'sta cosa al collo? Stai malato?

Marco ebbe la tentazione di illustrargli le modalità di abbigliamento di un agente speciale, poi, considerato l'interlocutore, preferí desistere; fece emergere la bocca e rispose:

– Un po' di mal di gola, papà, niente di grave. Che...

Michele, che di solito era brusco con il figlio traditore, quella volta appariva cordiale e premuroso. La cosa inquietò Marco come se un temporale lo avesse sorpreso in strada senza ombrello.

– No, perché i mal di gola sono pericolosi, sai. Tu poi vai soggetto, ti viene la febbre alta. Che ti stai pigliando?

Aragona sospirò, creando un malinconico svolazzo di fili di lana.

– Non ti preoccupare, mi curo. Vuoi dirmi il motivo di questo appuntamento?

Michele assunse un'aria offesa e si portò una mano sul cuore.

– E perché, è strano che un padre si interessi del figlio, che voglia vedere come sta e dove vive? Che vada a trovarlo per sentire la sua voce, giacché lui parla solo con la madre e io vengo escluso dai contatti, dalle confidenze, dagli...

Aragona, a questo punto, era decisamente molto agitato.

– Papà, che accidenti vuoi, per favore? Devo tornare al lavoro.

Il padre si guardò attorno per essere sicuro che nessuno li ascoltasse e replicò:

– Ecco. Il tuo lavoro. Sono venuto proprio per questo.

Pisanelli pensò che anche la ricerca dell'assassino dei suicidi aveva contribuito ad aiutarlo, in un certo senso. Gli aveva dato la forza di tirare avanti nonostante la morte di Carmen e il tradimento dei veri bastardi di Pizzofalcone, quelli con l'iniziale minuscola, i colleghi infedeli e corrotti che si erano permessi di infangare il lavoro di decenni.

Non avrebbe mai dimenticato il periodo dell'inchiesta, gli sguardi impietositi degli uomini della commissione che avevano tardato a convincersi dell'estraneità sua e di Ottavia a quanto era successo, e che alla fine avevano dovuto prendere atto della disattenzione che aveva consentito agli eventi di verificarsi sotto gli occhi inconsapevoli dei due poliziotti.

Ne aveva discusso una sola volta, con la vicesovrintendente. Erano andati a mangiare una pizza nei giorni della sospensione dell'attività del commissariato, e si erano chiesti come fosse potuto accadere. La sola risposta che riuscirono a darsi fu che erano entrambi distratti da problemi personali: il figlio di Ottavia, che crescendo causava sempre maggiori preoccupazioni; la malattia di Carmen. Erano stati questi argomenti a convincere la commissione a non avviare un procedimento anche a loro carico.

Ottavia era una buona, dolce amica, rifletté Giorgio scrutandone il profilo di sottecchi, mentre la donna, come d'abitudine, lavorava al computer. Aveva trovato la sua dimensione: era felice, determinata. L'intuizione del paparazzo e la fotografia degli anni Sessanta che aveva rintracciato ne erano la prova; i complimenti di Palma rappresentavano un bel successo. Giorgio era stato contento per lei.

L'altro amico di Pisanelli era Leonardo. Il pensiero del frate gli provocò una piccola fitta alla coscienza: aveva dubitato di lui. Per un lungo, assurdo attimo, aveva creduto che fosse proprio il frate, il suo confidente generoso e sensibile, cosí pieno di attenzioni nei suoi confronti, l'efferato, abilissimo assassino a cui dava la caccia. Aveva ricambiato col sospetto le premure, la partecipazione e il calore che il religioso gli aveva dimostrato standogli accanto nei momenti piú terribili.

Non se lo sarebbe mai perdonato.

Il padre di Aragona aveva subito una metamorfosi. Sul volto sicuro e sorridente era comparsa un'espressione allarmata e tesa.

Marco immaginò che il guaio doveva essere serio.

– Marcoli', lo sai che siamo tutti molto attenti alla tua carriera; hai scelto questo lavoro e allora è necessario che tu lo svolga al meglio.

Dietro la sciarpa e sotto gli occhiali, l'agente speciale cominciava a condividere l'apprensione del genitore.

Il padre proseguí:

– Tu sai di avere due angeli custodi, diciamo cosí. Uno è mio fratello, che è prefetto e che è stimato e apprezzato nell'ambiente; ti chiami come lui, quindi devi essere all'altezza. Ma tuo zio, in realtà, non ha mai mosso un dito per te.

Marco continuava a chiedersi dove volesse andare a parare.

– L'altro, quello che si muove davvero e che ha manovrato le leve giuste per consentirti di passare da una scrivania al lavoro sul campo che tanto ti piace, è un mio... un mio amico, ma dovrei dire quasi socio, perché certi movimenti finanziari li facciamo insieme.

Aragona era sbalordito da quello che il padre gli stava rivelando. Aveva sempre creduto che gli aiuti nell'ambito del lavoro, quei piccoli innocenti aiuti che cosí ingiustamente gli avevano procurato la fama del raccomandato, soprattutto in quell'inferno della questura, derivassero solo dall'omonimia con lo zio prefetto. Ed ecco che spuntava fuori un secondo protettore.

– Ma chi è questo tipo, papà?

Il padre agitò la mano nell'aria, guardandosi attorno.

– Lasciamo perdere, non ti servono un nome e un cognome che comunque non ti direbbero niente. Sappi solo che, se ora stai a Pizzofalcone, è perché è intervenuto lui.

Marco elaborò ciò che aveva appena appreso. La sua fertile, abilissima mente investigativa collegò i pensieri e gli eventi.

– E allora perché me lo racconti, adesso?

Il padre si sporse in avanti e sussurrò:

– Perché adesso tocca a te fare qualcosa per lui.

Giorgio concluse che proprio loro due, Ottavia e Leonardo, erano forse le persone piú care che aveva; anche
se si andava affezionando ogni giorno di piú ai colleghi, i
nuovi meravigliosi compagni di lavoro che l'autunno della
sua vita professionale gli aveva regalato.

Tra essi era forse l'agente scelto Marco Aragona, che lo
prendeva sempre in giro, quello che piú lo coinvolgeva. Se
suo figlio Lorenzo, invece di andare a insegnare in una uni-
versità del Nord, avesse deciso di entrare in polizia, gli sarebbe piaciuto cosí, guascone e ribaldo, ridicolo, ma onesto.
Non avrebbero potuto essere piú diversi, Lorenzo e Marco, ma lui provava lo stesso sentimento per entrambi. Se ne
avesse avuto il tempo, ne avrebbe fatto un gran poliziotto.

Tornò con la mente alla penna di Riccardo, il figlio di
Ottavia, che lo aveva indotto a sospettare che frate Leonardo fosse l'assassino dei suicidi. Ma come aveva potuto
considerare quell'oggetto, una semplice penna a sfera multicolore con l'effigie di un supereroe in volo armato di spada laser e di artigli di tigre, la prova a carico di un amico
cosí caro? L'aveva prestata a Leonardo per completare un
sermone e dopo l'aveva trovata sulla scena di un suicidio,
utilizzata per scrivere una lettera di commiato dal mondo.

Pisanelli era pur sempre un poliziotto. Aveva fatto il due
piú due piú doloroso e triste della sua carriera e, con la morte nel cuore, si era presentato da Leonardo pronto a tutto.

Il frate, però, aveva cercato la penna nei disordinati cas-
setti della sacrestia, l'aveva recuperata e gliel'aveva resa.
Dandogli cosí la meravigliosa notizia che si era sbagliato.

Fra l'altro, doveva restituirla a sua volta, la penna, ora
che non costituiva piú una possibile prova ed era ridiven-
tata un oggetto qualsiasi.

Si girò verso la collega.

– Otta', scusami, mi ero dimenticato di ridarti la penna di Riccardo, me la sono ritrovata in tasca. Eccola qui.

Marco incassò ulteriormente la testa nelle spalle: voleva scomparire dalla faccia della Terra.

– E di cosa mi dovrei occupare, per questo mio ignoto benefattore?

Il padre scattò:

– Non fare lo spiritoso, cazzo! Se questa persona mi chiede, ti chiede, un favore, devi ubbidire!

La sciarpa sbuffò, infastidita.

– Ho chiesto solo di che cosa si tratta, non c'è bisogno di scaldarsi.

– Ecco, cosí si ragiona. Allora, ascoltami bene: di recente hai avuto un incarico all'apparenza inutile. È stato fatto espressamente il tuo nome, è vero?

Marco sentí di nuovo la morsa dell'angoscia attanagliargli il petto.

– E tu come cacchio lo sai?

Il padre gli sputacchiò sulla sciarpa.

– Non ti interessa come lo so! Ti ho detto che questa persona ha contatti importanti! Allora, lo hai avuto o no questo incarico?

La sciarpa tremò incerta.

– Sí, diciamo che l'ho avuto. Ma considera che tuo figlio è bravo, è tenuto in gran conto e…

– Minchiate! Ora, tu dovresti controllare, mi dicono, un magazzino. È chiaro che si tratta di un controllo blando, da svolgere mentre ti occupi di altro, quindi ci sta che qualcosa possa accadere mentre tu non ci sei. E infatti non ci devi essere.

Marco spalancò la bocca sorpreso, ingerendo un quantitativo di lana del valore di circa quindici euro. Quando ebbe smesso di salvarsi dal soffocamento esclamò:

– Sei pazzo! Mi stai chiedendo di non assolvere al mio compito? Di voltare la faccia mentre il crimine mette in atto...

Il padre si agitò sulla sedia:

– Allora non vuoi capire! Il tuo futuro dipende da questo! Guarda che se non ti comporti come si deve io non ti sosterrò piú, a cominciare da questo cazzo di albergo dove tua madre ti mantiene credendo che io non lo sappia!

Mentre Aragona stava per ribattere pieno di orgoglio che la specchiata onestà di un agente speciale non ha prezzo e non è in vendita, simile a un meraviglioso fantasma angelico che si manifesta al mondo, passò Irina in divisa; la donna gli sorrise radiosa e si dileguò nelle cucine. Era tornata!

Se avesse dovuto andarsene dall'hotel non l'avrebbe piú rivista. Di questo, purtroppo, era sicuro. Mai avrebbe avuto il coraggio di venirla a cercare, di abbordarla, di chiederle un appuntamento. L'avrebbe irrimediabilmente perduta.

Cercò di prendere tempo.

– Ma mica sono solo io, a lavorare! Se affidano la sorveglianza a un collega, se...

Il padre lo bloccò:

– Non affideranno niente a nessun altro, non ti preoccupare. E poi il movimento sarà quasi simultaneo, porteranno la merce la sera tardi e verranno a prendersela alle due di notte. La mattina sarà tutto vuoto com'è sempre, e tu dovrai soltanto dire che non è successo nulla. Non potranno contestarti un bel niente, stai tranquillo. Di questo mi sono accertato.

La sciarpa gemette, sconfitta:

– E quando dovrebbe accadere, 'sta cosa?
Michele si accomodò di nuovo sulla sedia, rasserenato.
– Domani notte.

Ottavia sorrise a Pisanelli.
– Ah, la penna? No, Giorgio, la puoi tenere. Riccardo
cambia un supereroe al mese, e quello non gli interessa
piú. E poi lui usa soprattutto il rosso, è il suo colore preferito. E lí il rosso è terminato.
Pisanelli si strinse nelle spalle.
– Davvero? Be', allora grazie. Mi fa sentire piú giovane.
E se ringiovanisco magari riesco pure a capire che dice Aragona dietro quella ridicola sciarpa. A proposito, dove sta?
Ottavia scosse il capo.
– E che ne so, quello è un agente speciale… Il capo gli
ha affidato un incarico, la sorveglianza di un magazzino,
e mi ha detto di non badare ai suoi eventuali ritardi. Sarà andato là.
Giorgio annuí e, quasi stesse imitando Riccardo, fece
uno scarabocchio sul foglio che aveva davanti. Soprappensiero, aveva inserito il rosso.
Un cerchio color del sangue comparve sulla carta bianca. L'inchiostro rosso era tutt'altro che finito.
Pisanelli si sentí mancare.

XXXVIII.

In meno di mezz'ora, all'interno della sala agenti del commissariato di Pizzofalcone successe qualcosa di incredibile.

E sembrò essere ottobre davvero, quando i venti contrastano fra loro e conferiscono incertezza all'aria e alla luce, e le nuvole si scontrano bianche o grigie e i raggi muoiono all'improvviso, e i pomeriggi pigri cedono il passo alle sere frenetiche.

Un attimo prima ognuno sorrideva o tentava di farlo, dimenticando per un momento i propri guai o quelli causati dalle sofferenze altrui, e l'ottimismo volteggiava nell'aria come un pezzo di carta argentata che riflette il sole; un attimo dopo quel sole era sparito, e il sorriso era spento.

Pisanelli fissava la sua penna colorata: le sopracciglia aggrottate e il dolore sul viso. Aragona rientrò e non salutò nessuno, accasciandosi sulla sedia, la sciarpa e gli occhiali azzurrati che finalmente coronavano una storia d'amore a distanza, unendosi sulla punta del naso del proprietario. Romano lesse un messaggio sul cellulare, rispose in fretta, poi sfiorò un paio di volte lo schermo del telefonino e si allontanò per parlare. La sua faccia non prometteva niente di buono. Lojacono prese la telefonata di Alex dall'ospedale, e cominciò a confabulare con lei.

Palma entrò in sala di buon umore, ma cambiò subito stato d'animo quando la sua epidermide registrò il brusco calo di temperatura emotiva. Fissò Ottavia interdetto, e la poliziotta si strinse nelle spalle.

Lojacono fu il primo a tornare sulla terra:

– Capo, ho chiuso ora con Di Nardo. Pare che Wood abbia la febbre, e la notizia non è affatto buona. Potremmo essere vicini alla fine. Alex non se la sente di lasciare sola Holly, che è terrorizzata all'idea che il fratello possa morire, e chiede il permesso di restare là. Ha comunque inviato a tutti la foto della lettera della Picariello. Io l'ho ricevuta.

Il commissario si guardò attorno:

– Io pure, quindi anche gli altri, perché siamo tutti nello stesso gruppo. Be'? Siete vivi?

Pisanelli si riscosse.

– Sí, capo. Certo, la lettera della Capasso è importante. Ora sappiamo che cosa stava cercando realmente l'americano. Ed è facile che qualcuno abbia avvertito i Sorbo o chi per loro. Quelli hanno decine di amici, per non dire centinaia, sparsi per il quartiere.

Aragona biascicò qualcosa. Tutti lo fissarono. Si liberò con due dita dalla sciarpa e ripeté:

– Però ci stanno pure i Bastardi, in questo cacchio di quartiere. E come le sanno loro, le cose, le sappiamo noi.

Pisanelli sorrise con feroce determinazione.

– Sí. E abbiamo anche i mezzi per trovarli, a 'sti delinquenti.

Ottavia intervenne:

– Alex ha suggerito qualcosa che mi sembra importante, quando ha telefonato all'ora di pranzo: se lei fosse stata Angela, avrebbe cercato rifugio nel passato. In fondo, Loja', il portiere di casa sua ve l'ha riferito, che non aveva amici. È cosí?

Lojacono annuí, rigido.

– Sí. Anche se non mi fiderei troppo di quell'uomo.

Ottavia riprese:

– In ogni caso, che farebbe una ragazza se non avesse nessuno in grado di supportarla in un momento tanto complicato? Che le servisse aiuto risulta dalla lettera al fratello, siamo d'accordo?

Lojacono raddoppiò l'attenzione.

– Certo. Ma dove vuoi arrivare?

Ottavia picchiettò con l'indice sullo schermo.

– 'O Piscatore c'è ancora. Alex mi ha chiesto di controllare. È chiuso per riposo stagionale come molti esercizi a Sorrento, ma esiste. Il titolare è il figlio del fondatore, Meccaniello Ciro; la gestione non è mai cambiata. Capasso lavorava come cameriere in questo ristorante, all'epoca: magari il proprietario se lo rammenta; magari erano amici e può indicarci un nome, qualcuno al quale Angela, non avendo altri contatti che prescindano da quel farabutto di Picariello, potrebbe essersi rivolta per chiedere aiuto.

Pisanelli, rigirandosi la penna tra le mani, disse cupo:

– L'hanno fatta fuori, Otta'. O piú probabilmente si è riunita al marito, che sarebbe la cosa piú semplice.

Lojacono replicò:

– Questo, Giorgio, ai nostri fini è inutile pensarlo, altrimenti ci conviene arrenderci. 'O Piscatore rimane l'unica traccia di cui disponiamo, e Alex e Ottavia hanno ragione: è nel passato che bisogna scavare.

Palma batté le mani con convinzione.

– E allora andiamo, porca miseria! Dobbiamo solo organizzarci per...

Romano rientrò all'improvviso, pallido come un morto.

Ottavia si preoccupò:

– France', ma che succede?

Romano si scosse e girò lo sguardo vacuo attorno. Poi disse a Palma, con voce tremante:

– Susy... la dottoressa dell'ospedale pediatrico, ricordi? Quella che... quella che curò la piccola Giorgia...

S'interruppe. Palma lo esortò:

– Vai avanti, Roma', cazzarola! Me la ricordo perfettamente; ce la ricordiamo tutti. Che è successo?

Romano rispose, come trasognato:

– Le hanno portato la bambina; le è venuta la febbre altissima, all'improvviso. Teme... Ha paura per lei, dice che forse è una ricaduta, non esclude una... ha detto che ci sono casi di meningite che... Oddio, capo... che faccio?

Aragona balzò in piedi:

– E che fai, vacci subito, no?

Il commissario concordò con lui:

– E certo, per una volta ha ragione Aragona, muoviti. E aggiornaci.

Romano dopo un istante di smarrimento, uscí di corsa.

Palma si passò la mano sul volto:

– Va bene. Allora, a *'O Piscatore* ci dovete andare voi due, Lojacono e Aragona. Non abbiamo alternative, mi pare: Ottavia serve qui, Giorgio pure, Alex e Romano sono in due ospedali diversi.

Aragona protestò:

– Mpaf, mmmpfm!

Palma roteò gli occhi in su.

– Arago' io con quella sciarpa ti ci strozzo, quant'è vero Iddio!

L'agente si divincolò dalla morsa di lana e ripeté:

– No, volevo dire che ci sarebbe la sorveglianza che...

Il commissario lo stoppò:

– Quella può aspettare, tanto di giorno non succede niente. Vai con Lojacono, e fateci sapere.

XXXIX.

Arrivato a Sorrento, Lojacono balzò fuori dall'automobile quando ancora doveva fermarsi, resistendo alla tentazione di inginocchiarsi e baciare il suolo dove era finalmente riuscito a mettere piede. Aragona aveva superato sé stesso, guidando al limite del delittuoso. Il mestiere di poliziotto prevedeva un certo rischio, ma il Cinese non ricordava un'altra occasione in cui si era sentito tanto vicino alla morte. Eppure non aveva esternato se non una flebile rimostranza, giacché il collega sembrava un'altra persona rispetto al solito: rigido e taciturno, con un'espressione indecifrabile seminascosta dagli occhiali azzurri e dalla sciarpa. Doveva avere qualche problema grave di cui non desiderava parlare. Aveva ipotizzato di spargli alla tempia con la pistola d'ordinanza, questo, però, avrebbe messo ancor piú a repentaglio la sua vita, dal momento che erano nello stesso abitacolo.

Ma non tutti i mali venivano per nuocere, perché quel viaggio silenzioso era stato utile a Lojacono per ragionare sul caso e sulla situazione in generale.

Come gli altri si era sorpreso per la facilità con cui la Piras aveva ricevuto il permesso di portare avanti l'indagine sul ferimento, che poteva diventare omicidio, di Wood senza limitazioni di sorta. Aveva letto un po' di carte e frugato nel web, apprendendo l'importanza enorme di Picariello nella costruzione della rete finanziaria della criminalità organizzata. Il commercialista, come risultava già da ciò che era stato reso pubblico, era la vera e propria mente economica del clan egemone non solo del quartiere, ma di un'intera area della città.

L'ispettore era un tipo logico e aveva fatto due conti, deducendo che, con ogni probabilità, la procura antimafia vagava in un vicolo cieco. Se avessero avuto piste alternative, non avrebbero in alcun caso consentito intromissioni. Buffardi, il magistrato in cui si era imbattuto nel corso dell'indagine sull'assassinio del panettiere, era un uomo determinato e concreto, e aveva l'aria di uno che non si arrende davanti a niente.

Del resto, la Piras non si era mai fatta viva. Ottenuta l'autorizzazione a procedere, era rimasta in contatto con Palma, ma non era più passata in commissariato per informarsi sul progresso dell'inchiesta. Forse nemmeno lei credeva in un possibile successo dei Bastardi, e questo offendeva Lojacono sfidandolo ancor più a trovare il bandolo di quella matassa.

Altra materia di riflessione veniva dalla ricerca dell'indirizzo del ristorante e dalla piantina tracciata dal navigatore che Aragona aveva seguito durante il suo personale rally. 'O Piscatore era esattamente di fronte all'ingresso dell'hotel Tritone, la temporanea residenza della famiglia Wood. Lojacono si rendeva conto che Sorrento non era una metropoli tentacolare, tuttavia la coincidenza gli pareva un po' eccessiva e si domandava se celasse un significato.

Come sapevano, il ristorante era chiuso per il riposo invernale, ma anche con le pesanti porte di legno serrate suscitava la nostalgia di un passato che in quel luogo si percepiva un po' ovunque, nelle strade e nell'aria. I favolosi anni Cinquanta, Sessanta e Settanta erano parte di una memoria collettiva e affascinavano perfino chi non li aveva vissuti. Quell'epoca era diventata uno scenario, una specie di festa permanente. Lojacono ne era un po' stregato e un po' immalinconito. Sarà la stagione, pensò.

Di fianco al portoncino c'era un citofono con un unico nome: «Meccaniello C.» In effetti sopra il locale c'era un solo piano. Era chiaro che il titolare dell'esercizio abitava lí. Casa e bottega, considerò Aragona.

Il battente si aprí con uno scatto. I due poliziotti si arrampicarono per una stretta scala e furono accolti da un uomo anziano, magro, con la carnagione molto scura. Si qualificarono e l'uomo disse di essere Ciro Meccaniello, il proprietario. Li fece entrare.

L'ambiente era ampio, pieno di tavolini e sedie impilati e accatastati: il ricovero invernale della parte esterna del ristorante. A sinistra si vedeva la cucina, dalla quale proveniva l'odore di una cena a base di pesce; a destra la camera da letto, con un cassettone sul quale campeggiava una grande statua della Madonna protetta da una campana di vetro.

Meccaniello poteva avere un'età compresa tra i settant'anni e i cento; segaligno, il volto dai tratti marcati segnato da un reticolo di rughe, le labbra sottili e gli zigomi alti, i radi capelli bianchi che scendevano un po' unti sulle orecchie. Si asciugò con metodo, in uno straccio, le mani forti e nodose. Gli occhi, neri e inespressivi, non tradivano alcuna emozione.

Lojacono esordí:

– Signor Meccaniello, le sembrerà strano il motivo per cui veniamo a disturbarla. Volevamo sapere se si ricorda di una persona. Il suo nome è Capasso Domenico. Da quello che ci risulta, dovrebbe aver lavorato nel suo ristorante negli anni Sessanta.

L'uomo non rispose, né diede cenno di aver sentito. Continuava a fissare Lojacono sostenendone lo sguardo obliquo; nessuna emozione contro nessuna emozione. Aragona, che aveva le sue angosce, ammortizzò il disagio aggirandosi come al solito per la casa.

Alla fine Meccaniello disse:

– Certo che me lo ricordo Mimí, ispetto'. Chi lo ha conosciuto non se lo può dimenticare, credetemi.

Lojacono si schiarí la voce.

– Possiamo sederci un momento? Non le prenderemo molto tempo, glielo assicuro.

Ciro indicò un tavolo con delle sedie. Aragona chiese di andare in bagno e l'uomo fece un cenno vago verso la stanza da letto. L'agente si diresse da quella parte, mentre il collega e il padrone di casa si accomodavano.

Lojacono proseguí:

– Da quanto non vede Capasso?

Un lampo d'ironia attraversò gli occhi di Meccaniello.

– Cominciamo male, ispetto'. Io lo so che Mimí, purtroppo, è morto.

– Non era un trabocchetto, mi creda. Volevo solo sapere…

– Allora facciamo cosí, ispetto': vi racconto io. Cosí poi mi domandate quello che vi serve, ci sbrighiamo presto presto e io torno ai fatti miei. Vedete, ci ho i polipi sul fuoco. Non si trovano mica cosí facilmente.

Aragona, che era ricomparso tirandosi elegantemente su la lampo, si sistemò annoiato a cavalcioni di una sedia. Meccaniello lo sfiorò con lo sguardo e riprese a parlare.

– Io e Mimí eravamo coetanei, lui lavorava come cameriere e io ero aiuto cuoco. Mio padre pretendeva che il figlio si facesse il culo piú dei dipendenti. Il ristorante era famoso, abbiamo inventato noi certi piatti che poi sono diventati internazionali. E in un certo senso era famoso pure Mimí.

Lojacono chiese:
– In quale senso?
– Era un precursore. Sapete quella cosa che mo' si usa parecchio, che un cameriere scherza coi clienti, ride, li tratta da pari a pari e, se si accorge che può permetterselo, che il cliente non si offende, lo piglia pure a male parole? Be', Mimí lo faceva già nei primi anni Sessanta.

Aragona sbuffò.
– Io se vado in un posto dove pago il conto e un cameriere mi sfotte, gli rompo il culo.

Ciro si voltò verso di lui per un attimo, poi riportò l'attenzione su Lojacono.
– E invece molta gente, turisti anche stranieri, venivano apposta per Mimí. Era simpatico, ispetto'. Incantava le persone. Diventammo subito amici; non vedevo l'ora che arrivasse per l'estate, mi faceva fare un sacco di risate. In piú c'erano le femmine.
– Le femmine?

Meccaniello esibí una smorfia sardonica.
– Quello teneva un talento naturale con le donne, ispetto'. Gli piacevano assai, ma lui a loro piaceva ancora di piú. Bastava seguirlo e ti ritrovavi con qualche turista abbracciata addosso sulla spiaggia una sera sí e l'altra pure. Uno spasso.

Aragona sospirò, convinto.
– Come lo capisco. Io pure ci ho lo stesso problema.

Meccaniello scosse il capo.
– Devono essere cambiati i tempi.

Lojacono lo spronò.
– E in seguito?
– In seguito siamo cresciuti, ispetto'. Ci siamo fatti grandi. Lui se n'è andato, io mi sono sposato. Per un poco siamo rimasti in contatto, finché ci siamo persi. Solo molti anni

dopo, quando è tornato qua in vacanza, abbiamo riannodato i fili; da vecchi, sapete, si recupera quella confidenza che in gioventú, con l'ansia di vivere come se il tempo dovesse scadere, è facile smarrire. Poi lui si è ammalato ed è morto. Come mio padre, come mia moglie. Fine della storia.

L'uomo parlava senza tradire né rimpianti né affetti; nulla di nulla. Il tono della sua voce era sempre uguale.

Lojacono provava una strana sensazione, ascoltandolo. Gli sembrava di cogliere un rumore di fondo, simile allo sciabordio dell'acqua sullo scafo di una barca. 'O Piscatore, pensò.

– Sa qualcosa della vita di Capasso, il lavoro, la famiglia... Ciro piegò appena la testa.

– Si sposò, da grande. Quelli come lui si sistemano solo quando sono stanchi. Però fu sfortunato, perché presto la moglie, che era assai piú giovane di lui, si ammalò e morí.

– Ebbe figli?

Meccaniello fissò Lojacono negli occhi per un lungo attimo. Il Cinese percepí in modo chiaro, come un messaggio inviato in via telepatica: ma non avevamo detto niente trabocchetti?

Infine il ristoratore rispose:

– Una figlia. L'ha anche portata qui in villeggiatura, da piccola. Angela, si chiama.

– E l'ha piú vista o sentita? Sa dirmi dov'è?

Meccaniello si strinse nelle spalle.

– No, ispetto'. Non sento nemmeno i miei, di figli. I giovani preferiscono rompere con il passato.

Lojacono si lasciò andare a un mezzo sorriso.

– Sí, ha ragione, pensano solo al futuro. Però, se hanno bisogno, è ai vecchi che si rivolgono.

– Esatto. Perciò è meglio averlo ancora, un padre. E Angela un padre non ce l'ha piú.

– Torniamo un attimo indietro, Meccaniello. Alla primavera del 1962, per l'esattezza.
Ciro sollevò un angolo della bocca.
– È un sacco di tempo, ispetto'. Non ci fate troppo affidamento, sulla memoria mia?
Lojacono ammiccò.
– Eh, ma quella fu una stagione particolare, credo. Giravano un film, da queste parti...
Ciro annuí.
– Ah, *Souvenir*. Parlate della storia che Mimí ebbe con l'attrice americana.
Aragona esclamò:
– Allora si ricorda, il pescatore.
Il vecchio non diede segno di averlo sentito. Stava viaggiando nel passato remoto, lo sguardo rivolto verso alto, un vago sorriso sulle labbra sottili.
– E come dimenticarlo. Successe un casino, fummo pieni di giornalisti per mesi. Quell'autunno non chiudemmo nemmeno, volevano tutti vedere l'amante della famosa Charlotte Wood.
– Quindi è vero che ebbero una relazione?
Meccaniello scosse la testa.
– Piano, piano, ispetto'. Io non so perché, dopo tanti anni volete sapere di questa vecchia storia, ma in realtà Mimí e Charlotte si videro un'unica volta, in quel senso. Lei veniva a mangiare qua con l'intero circo, e lui la puntò come un cane da caccia. Credetemi, io ne ho viste di belle donne, ma una cosí bella mai. Ancora mi chiedo dove la prese, la faccia tosta: un semplice cameriere che mette gli occhi su una come quella!
Lojacono lo incalzò:
– Come lo sa che si videro una volta sola?

– Perché io e Mimí eravamo come fratelli, ispetto'. Ci raccontavamo tutto. E quella sera, quando organizzò l'incontro, fui io ad aiutarlo.

– Dopo cosa accadde? Si risentirono, si scrissero, rimasero in contatto...

Meccaniello era di nuovo nel presente, e l'espressione sul suo viso riacquistò durezza.

– Come vi ho già spiegato, ispettore, dopo poco Mimí se ne andò. E noi perdemmo i contatti e la confidenza.

Aragona intervenne, canzonatorio:

– Ma non eravate come fratelli?

Ciro non si scompose.

– Infatti pure i fratelli si perdono. Come i figli.

Lasciò passare qualche interminabile secondo, quindi si girò verso Lojacono e concluse:

– Ispetto', voi volevate sapere del passato remoto e io quello che sapevo ve l'ho detto. Ora mi chiedete del presente, ma il presente mio lo vedete qui, è come questa stanza: pieno di cose accatastate e immobili. Mo', se permettete, non credo che niente di quello che possiamo ancora dirci sia piú urgente dei miei polipi. Vi saluto, se non avete piú bisogno.

XL.

Quando uscirono dalla casa di Meccaniello stava calando la sera e l'aria si era fatta ancora piú umida.

Aragona rabbrividí, stringendosi nella sciarpa. Con la voce attutita dalla lana disse:

– Be', dopo questo buco nell'acqua possiamo tornarcene alla civiltà? Io tengo cose piú importanti di cui occuparmi dei ricordi di un vecchio rimbambito che...

Lojacono però non lo ascoltava. Guardava dall'altro lato della strada, dove una figura spettrale vestita di bianco emergeva dalla nebbia sottile. Al Cinese parve di riconoscerla, cosí piantò in asso il collega e s'incamminò verso l'imbocco del viale che portava all'hotel *Tritone*.

Dopo un attimo di smarrimento, Aragona gli andò dietro.

Come ebbe raggiunto la sagoma indistinta, l'ispettore ebbe la conferma che si trattava di Charlotte, in camicia da notte; fissava trasognata il palazzetto che ospitava il ristorante *'O Piscatore*. L'ex attrice non sembrava però avvertire alcun disagio. Appena si accorse di Lojacono gli sorrise luminosa.

– Oh, Vittorio, ciao! Che bello, sei venuto ancora a trovarmi, *I'm so happy*!

Aragona, aggrottò la fronte.

– Vittorio?

Il Cinese scrollò le spalle.

– Lascia stare, Arago', è una storia lunga. Ciao, Charlotte, che fai qui fuori? Non senti che tempo?

Mentre parlava arrivò trafelata Beth, l'infermiera, con un cappotto in mano.

– *Please, please Madam...*

Con un gesto brusco, continuando a sorridere e senza distogliere lo sguardo dal viso di Lojacono, Charlotte le assestò uno schiaffo sul volto, facendola indietreggiare. L'ispettore prese il cappotto dalle mani della donna e con dolcezza lo mise sulle spalle della Wood.

– Fa freddo, Charlotte. Devi coprirti.

Lei lo ringraziò, civettuola.

– *Thank you*, Vittorio. Sei sempre gentile e affascinante. Ma aspetto che apra il ristorante, devo incontrare Mimí.

Abbassò la voce, confidenziale.

– Noi ci possiamo vedere solo cosí. Lui mi porta da mangiare, e io gli sorrido. Sai che mi ha scritto? Che il mio sorriso squarcia il tempo e unisce il passato al futuro. Mimí è un poeta, Vittorio, *do you know*? Un vero poeta. Lo amo per questo.

Aragona osservò la donna, perplesso.

– E questa sarebbe la famosa attrice? Ma non stava sulla sedia a rotelle?

Lojacono scosse il capo.

– Ce la tengono per controllarla meglio, ma come vedi cammina fin troppo bene.

Charlotte spostò gli occhi su Aragona.

– Vittorio, chi è questo nano? Un nuovo attore comico per il film? Io non lo conosco, perché non me l'hanno detto?

Aragona reagí, allibito.

– Oh, nonna, come cazzo ti permetti, si può sapere? Noi siamo qui proprio per i casini che avete combinato tu e questo Mimí lí di fron...

Si bloccò con la mano tesa a indicare l'edificio del *Piscatore*, che si stagliava netto al di là della piazzetta. Lojacono pensò che la sciarpa lo avesse soffocato e si rivolse di nuovo all'anziana:

– Adesso però rientriamo, Charlotte. Altrimenti ti raffredderai.

La donna smise di studiare il corpo immobile di Aragona, che sembrava una statua.

– Sai, Vittorio, rifletto spesso su come sarà quando diventeremo vecchi. I vecchi mi fanno paura, sono tristi, attendono la morte. Io voglio rimanere giovane per sempre, qui a Sorrento, con Mimí.

– Charlotte, tu sei giovane. E Mimí, vedrai, arriverà tra poco.

Due lacrime solcarono le guance della donna, che tuttavia non cessava di sorridere.

– No, *darling*, Mimí non verrà. E nemmeno io tornerò piú a Sorrento. Resterò a Los Angeles, a trascinare un'esistenza lontana da quella che il mio cuore desiderava. Dicono sia meglio vivere di rimorsi che di rimpianti. Non è vero, Vittorio. Lo dicono quelli che fanno del male. Per due come noi, Mimí e io, restano solo i rimpianti, perché sono quelli che ci fanno sognare come sarebbe andata la vita se avessimo compiuto scelte diverse.

Lojacono, nella pungente aria sorrentina di quella sera di ottobre, si rese conto che la Wood gli parlava al di là di una parete, e che stava cadendo in un pozzo senza fondo dal quale non poteva risalire. Il cuore gli si strinse in petto.

– Ascolta, Charlotte: se c'è tanta gente che ti ama, significa che la vita l'hai vissuta bene. Molto bene. Niente rimpianti e niente rimorsi. Hai tanto affetto intorno a te, sii felice.

La donna ammiccò vezzosa, tirando su col naso.

– Vittorio, *my love*, sei cosí caro. E sei cosí sexy! Se non fosse per il mio Mimí, ti corteggerei. Ora scusami, devo ritirarmi. Domani ho due scene all'alba, due scene d'amore con quel vanesio di Cary che non perde l'occasione di guardarsi allo specchio.

Gli soffiò un bacio dalla punta delle dita e rientrò in albergo, seguita da Beth che continuava a massaggiarsi la guancia su cui aveva preso il ceffone. Il volto della ragazza tradiva un livoroso risentimento che un po' preoccupò Lojacono: se avessero trovato Charlotte strangolata, avrebbe saputo su chi indagare.

Si girò verso Aragona, ancora congelato con la mano che indicava il palazzetto del ristorante.

– Dài, Aragona, andiamocene. Qui abbiamo finito.

L'agente speciale mormorò qualcosa di incomprensibile attraverso la sciarpa, che almeno cominciava a essere utile, con quel freddo. Poi la spostò infastidito e ripeté:

– Loja', ma tu sai contare?

Il Cinese valutò seriamente l'ipotesi che il giovane collega fosse stato colpito da un leggero aneurisma cerebrale.

– Che vuoi dire, scusa?

Aragona abbassò il braccio e, rispolverando l'asportazione degli occhiali, suo cavallo di battaglia, rispose:

– Stammi a sentire: ti ricordi quando Meccaniello, o come si chiama, ci ha fatto entrare in casa?

L'ispettore annuí, ritenendo opportuno assecondarlo.

– Certo. E dunque?

Aragona iniziò a enumerare:

– Ci stava la stanza con i tavoli e le sedie accatastati, ti ricordi?

– Senti, Arago', qui c'è freddo e...

L'agente insistette:

– La stanza coi tavoli e le sedie, la cucina...

Lojacono continuò, paziente:

– ... la camera da letto, dall'altro lato...

– ... e il bagno, dove io sono andato a pisciare. Giusto?
– Giusto, – ammise Lojacono.
Aragona lo fissò, luciferino:
– Fa quattro. E allora perché le finestre sono cinque?
Lojacono contò e, a mezza voce, in omaggio alle proprie origini, esclamò:
– Minchia!

XLI

Romano arrivò trafelato all'ingresso del reparto, dopo aver salito le scale tre gradini alla volta per non perdere tempo ad aspettare l'ascensore. Si guardò attorno nel corridoio, cercando una delle donne che si occupavano della piccola Giorgia nella casa famiglia, ma non trovò nessuno.

Era tardi, non c'era la solita dolente, piccola folla di genitori e parenti in attesa di una buona notizia. Si sentiva forte l'odore del disinfettante e del detersivo coi quali era stato pulito il linoleum del pavimento. Romano suonò il citofono della terapia intensiva, ma non ebbe risposta. Allora cominciò a bussare, producendo un sinistro rimbombo.

Il battente si aprí quasi subito di pochi centimetri, e l'occhio sospettoso di un infermiere si intravide dallo spiraglio.

– Ma chi siete? Come vi permettete di...

Romano con una spinta spalancò la porta, facendolo quasi cadere.

– Levati dalle palle!

L'uomo lo prese per un braccio. Era grande e grosso, e determinato a non lasciarsi sopraffare.

– Ho detto che non si può entrare, ci vuole un permesso.

Romano ruggí, disperato. Sulla sua mente stava calando il temutissimo velo rosso di rabbia che tanti problemi gli aveva causato. Prima che potesse accorgersene era sopra l'uomo, a terra, le mani strette al suo collo.

Qualcuno intervenne, sottovoce:

– Francesco. Francesco, ti prego. Ti prego.

Come per incanto la rabbia sbollí e Romano si rialzò ansimante. L'infermiere si mosse rapido, strisciando verso il muro per allontanarsi il piú in fretta possibile da quel pazzo furioso.

La voce che aveva evitato il peggio apparteneva a una donna piccola e sottile, con i capelli biondi e grandi occhi azzurri. Sul camice bianco spiccava la scritta: *sono la dottoressa Susy,* cucita con i colori dell'arcobaleno.

L'infermiere, tossendo:

– Questo pazzo, dottore', ha fatto irruzione nel reparto, mi voleva ammazzare.

Con gli occhi ancora fissi su Romano, che stava regolarizzando il respiro e continuava ad aprire e chiudere i pugni lungo i fianchi, la dottoressa rispose calma:

– Caputo, non esageriamo. Qui nessuno ammazzava nessuno, stavate solo discutendo animatamente.

L'uomo insistette, stridulo:

– Dottore', ma che state dicendo, io voglio sapere chi è questo energumeno.

Susy si voltò verso Caputo e gli sorrise, fredda.

– Caputo, voi qua non ci dovevate nemmeno stare. Il vostro reparto è un altro. Ma sono contenta di vedervi, cosí vi chiedo dov'è finito quello scatolone di antibiotici che non trovo piú. Forse voi c'entrate qualcosa, giacché uscivate dal nostro magazzino mezz'ora fa.

L'infermiere si massaggiava il collo e rivolgeva occhiate torve sia a Romano sia alla dottoressa.

– Va be', dottore', allora io qua non ci sono mai venuto. Vi faccio questo piacere.

Susy annuí.

– Magari per stavolta basta cosí. Ma la prossima avrò piú tempo per chiacchierare col direttore sanitario. Arrivederci, Caputo.

Appena l'uomo se ne fu andato, Romano parlò.

– Susy, io... Mi dispiace, mi sembrava di impazzire. Non so che cosa...

La dottoressa Penna, quello era il cognome della pediatra, gli si avvicinò preoccupata:

– Ti senti bene, France'? Non avevo mai visto... Non ti avevo mai visto cosí.

Si erano conosciuti nei giorni terribili seguiti al ritrovamento della piccola Giorgia, quando la bambina era stata sospesa tra la vita e la morte e Romano aveva scoperto dentro di sé un territorio sconosciuto di tenerezza e di paura. Nel rapporto di confidenza prima e di amicizia poi che avevano instaurato durante ore in cui tutto quello che si poteva fare era stato fatto e c'era solo da aspettare, il poliziotto si era gradualmente aperto e le aveva confessato di andare soggetto alla rabbia. Per lui era una malattia.

– Mi hai salvato, sai. Quella voce, quella calma... Io potevo anche strozzarlo. Davvero. Tu non sai quanto mi hai protetto, solo con la tua voce.

La dottoressa minimizzò:

– È la tecnica che usano i domatori. Dovresti portarmi dietro, in tasca. Sono piccola, io.

Romano riuscí a sorriderle a stento.

– Dimmi di lei, di Giorgia. Mi hanno contattato dalla casa famiglia, pare che abbia la febbre altissima.

Susy confermò con un cenno e assunse un'espressione grave.

– Aveva quasi quaranta. Per fortuna hanno chiamato il centodiciotto e c'era un ragazzo bravo, un mio amico. Le ha fatto un impacco freddo senza somministrarle farmaci. Lo sai che Giorgia ha una serie di allergie che avrebbero potuto ucciderla. Adesso la stiamo sottoponendo a delle analisi.

– Sí, ma cos'ha? Le hanno fatto qualcosa, le hanno dato qualcosa di sbagliato e...

Susy si alzò sulla punta dei piedi e gli accarezzò la guancia. Fu un gesto rapido, dopo il quale la donna ritrasse subito la mano, tanto da lasciargli il dubbio che fosse accaduto davvero.

– Povero Francesco, che ha bisogno per forza di dare la responsabilità a qualcuno per ogni male ci sia nel mondo. Sapessi quanti ne vedo, che la pensano come te. Che cercano in un'iniezione sbagliata, in una pillola di colore diverso da quello giusto, in una terapia non appropriata la colpa delle sconfitte. Non funziona cosí. La gente si ammala, soffre e muore. Anche i bambini. Non è colpa di nessuno.

Romano si sentí crollare l'universo addosso.

– Susy, ma che dici? Che Giorgia potrebbe... Che potrebbe... Dio mio, non riesco nemmeno a...

La dottoressa scosse il capo, spalancando gli occhi nella maniera infantile che le apparteneva.

– Non intendevo questo. Ma Giorgia, lo sai, è fragile. Le sue prime ore di vita sono state molto complicate. Ha delle carenze, cose che andranno a posto, però questo richiede tempo. E il nostro compito è tentare di fornirglielo, questo tempo.

Il poliziotto si accorse di piangere.

– Susy, Susy, ti prego, salvala. Io... C'è una parte di me che non avevo mai... Io le voglio bene. Le voglio bene da impazzire. Il pensiero della sua fragilità... Sto cercando di adottarla; siamo andati da un avvocato. Ho solo bisogno di mettere a posto le cose e poi ci sarò io a proteggerla.

Gli occhi della dottoressa si riempirono di tenerezza.

– Vorrei avere questo potere, France'. Lo vorrei avere ogni giorno e mille volte al giorno, ma non ce l'ho. Vieni, siediti qui e raccontami, tanto ora non possiamo fare niente. Hai detto che *siete andati*, quindi hai ripreso contatto con tua moglie? Come vanno le cose?

Romano crollò sulla panca di legno addossata al muro del corridoio.

– Sí, le ho parlato. Gliel'ho chiesto io. L'avvocato... una brava, bravissima... mi ha chiarito che da solo non avevo possibilità, perciò...

La dottoressa lo guardò in modo strano.

– Perché ho l'impressione che tu ti stia giustificando?

– Chi, io? No, scherzi? No. È solo che... C'era un motivo, no? Un motivo forte, fortissimo. E io dovevo tentare, almeno. Ed è quello che ho fatto, l'ho chiamata e lei è venuta e ha visto la bambina. Tu lo sai, Susy, com'è la piccola: basta che la tieni in braccio per un minuto e non te la togli piú dal cuore.

Susy annuí. Poi disse:

– Ho pensato spesso a te, quest'estate. Ci eravamo dati un termine io e mio marito; ti avevo spiegato che le cose tra noi non andavano piú bene. Siamo andati in vacanza insieme, in Grecia. Un posto dove eravamo stati altre volte, nei periodi felici. Speravamo che... Be', è stato un disastro.

Romano mormorò:

– Mi dispiace, Susy. Ma perché hai pensato a me?

La dottoressa fece una smorfia.

– Perché anche tu ci hai provato, in fondo. Ci stai provando. E io ti auguro di riuscirci, naturalmente, per il bene tuo e per quello della piccola Giorgia. Eppure... io non lo so se una cosa rotta si può aggiustare davvero, quando si tratta di sentimenti. Non dovrei dirlo proprio io, che dalla mattina alla mattina dopo cerco di aggiustare quello che non funziona, ma...

Romano abbozzò un sorriso tirato.

– Ma ripeto, c'è un motivo fortissimo. Poi, magari, un po' alla volta...

Susy rispose al sorriso, ma i suoi occhi erano privi di allegria.

– E allora perché non è qui con te? A vedere come sta Giorgia? Perché non è venuta?

Romano sbatté le palpebre e ammise:

– Non lo sa. Io... io non l'ho avvertita. Non ci ho pensato.

La dottoressa gli accarezzò di nuovo il viso.

– Vieni, France'. Vieni con me, andiamo da Giorgia. Vediamo se si è svegliata.

XLII.

Amore mio,

guardo queste due figlie che abbiamo avuto nella solitudine eppure nostre quanto Ethan.

Guardo la mia e guardo la tua, sebbene davanti agli occhi non l'abbia mai avuta e probabilmente non l'avrò mai. Ma la vedo, e la vedrò anche quando non ci sarò piú, perché l'amore questo regalo fa, di vedere senza gli occhi. Per questo io ti vedo ogni mattina e ogni sera, bella come sei e come sarai, attraverso il mare pieno di navi e il cielo pieno di aerei, e insieme a te vedo la tua bambina con la stessa chiarezza con cui vedo la mia adesso, seduta sul tappeto accanto a me che colora.

Guardo le nostre figlie e provo un misto di gioia e malinconia, perché sono le figlie della lontananza, del non essere insieme alla luce del sole. Sono le figlie dell'ombra. E però sono belle, e ci permettono di capire cosa sarebbe stato se la scelta, allora, fosse stata l'altra.

Non ho scrupoli di coscienza nei confronti di mia moglie. Sono stato un buon marito, per lei, e lo sarei ancora, se fosse vissuta di piú. È bizzarro il destino, pare si diverta. A me e a te è stato negato di avere vicino altre persone; non abbiamo ricevuto una lunga vita popolata di presenze in cambio dell'immensa assenza che coltiviamo nel cuore. Forse è davvero necessario stare da soli, anche in mezzo a una moltitudine, per coltivare questo strano, impossibile amore che si è radicato nelle membra e nel pensiero e resiste a ogni terapia.

*Ora ti dico una cosa assurda, alla quale forse non crede-
rai. A me sembra che Angela, mia figlia, ti assomigli. Quasi l'immenso sentimento che provo per te, nato in un sorriso
sotto la luna, avesse attecchito e si fosse sviluppato cosí tanto
da produrre un riflesso genetico. Magari un giorno, in futuro,
scopriranno che le emozioni, quando sono forti, fortissime,
modificano la nostra chimica ed entrano a far parte del patrimonio che passiamo ai figli.*

*Il modo in cui ride, piega la testa di lato mentre mi ascol-
ta e corruga le sopracciglia se è attenta o preoccupata: sei
proprio tu. E ora che siamo rimasti soli, questa somiglianza,
che oltrepassa il mare e il cielo, mi commuove e mi incanta.*

*Chissà se pure la tua Holly, che è un po' piú grande di An-
gela e sarà ormai una signorina, ha qualcosa di me. Ti prego,
amore mio, facci caso: se ama il mare, se ha il desiderio improvviso di un piatto di spaghetti al pomodoro, se è intonata
e un po' svogliata a fare i compiti. L'amore sfugge, mica lo
conosciamo con esattezza; è un fenomeno naturale incomprensibile e semplice. Se due si amano, fanno i figli insieme
anche da cosí lontano.*

Anche da cosí lontano.

XLIII.

Di comune accordo, Lojacono e Aragona decisero di non tornare subito da Meccaniello per approfondire il mistero della finestra fantasma.

Dopo un breve scambio di battute avevano concluso che, se in quella stanza c'era quello che sospettavano, non esistevano ragioni per supporre che la situazione sarebbe cambiata durante la notte. Perlustrando la zona non avevano rilevato tracce di una sorveglianza in atto, quindi, se la ragazza si nascondeva nella casa, lo faceva di sua volontà o al massimo con il vecchio a custodirla. Inoltre, contro Angela non era stato spiccato alcun mandato di arresto o di fermo, e i poliziotti non avevano perciò alcun diritto di effettuare una vera e propria irruzione.

Chiamarono Palma e Lojacono gli espose con chiarezza e precisione i fatti nel loro complesso. Il superiore rifletté per qualche secondo, poi convenne sull'opportunità che rientrassero alla base, dove avrebbero fatto il punto e stabilito come muoversi. Mentre Aragona avviava il motore, il Cinese aggiunse:

– Capo, un suggerimento: io per ora non informerei la dottoressa Piras. Parliamone prima fra noi... ammesso e non concesso che io sopravviva alla guida di questo pazzo.

Mezz'ora piú tardi, un Lojacono ancora tremante entrò in sala agenti insieme ad Aragona, che si era rabbuiato di nuovo. Pisanelli, Ottavia e Alex li attendevano.

Palma spiegò:

– Romano è rimasto in ospedale dalla bambina, gli ho dato un permesso. La piccola ha la febbre alta, speriamo bene. Quella creatura ha un effetto meraviglioso su di lui. Non oso immaginare cosa succederebbe se... Va be', andiamo avanti. Loja', racconta tutto ai tuoi colleghi.

Questa maniera irrituale di condurre le indagini collegialmente, con il contributo dell'intero nucleo investigativo, era ormai diventata una procedura acquisita, la regola numero uno del commissariato, la cifra dei Bastardi di Pizzofalcone. Lojacono, abituato da sempre a pensare in solitudine, non avrebbe mai creduto di non poter più fare a meno di quelle strane riunioni plenarie, alimentate dalla voglia di collaborare e dal meraviglioso caffè di Ammaturo, che si presentò puntuale col consueto vassoio sbeccato ingombro di bicchierini di carta.

Il Cinese aggiornò gli altri su quello che aveva detto Meccaniello, sulle frasi apparentemente incoerenti di Charlotte e soprattutto sull'intuizione di Aragona, che, contando le finestre del palazzetto, aveva ipotizzato l'esistenza di un possibile nascondiglio della moglie di Picariello.

Al contrario del solito, nonostante i complimenti divertiti che ricevette, l'agente scelto non si pavoneggiò. Se ne stava lí, torvo e silenzioso dietro lo schermo fornito da sciarpa e occhiali. Gli si era perfino un po' guastata la pettinatura, resa sgonfia dalla giornata dura e dal morale a terra.

Lojacono terminò la relazione elencando le ragioni per cui avevano preferito non verificare subito cosa ci fosse dietro la quinta finestra.

Quando l'ispettore tacque, e ripropose la sua famosa imitazione di una statua di Buddha giovane, tutti spostarono l'attenzione su Palma, tranne Pisanelli, che continuò a osservare Aragona preoccupato.

Palma intervenne:

– Vi ho chiesto di rimanere in ufficio fino a quest'ora perché Lojacono consiglia di non informare la dottoressa Piras, magistrato titolare dell'indagine, dell'eventuale ritrovamento della Picariello, e volevo discuterne con voi. Come sapete, le istruzioni che abbiamo ricevuto in merito sono state precise: se la nostra azione ci avesse condotti a scoprire dove tengono nascosta o si nasconde la donna, la palla sarebbe passata immediatamente alla Squadra Mobile agli ordini del dottor Buffardi della Dda.

Nella sala calò un silenzio imbarazzato. Ottavia alla fine chiese, in tono dolce:

– E perché, Lojacono, consigli di non seguire queste indicazioni?

Il Cinese rispose, quieto:

– I motivi sono diversi. Primo, l'indagine sull'aggressione a Wood si chiuderebbe qui, perché ci toglierebbero l'unica possibilità che abbiamo di accertare le modalità di quello che, per ora, è un tentato omicidio e di individuarne i colpevoli. Secondo, i rapporti di antica amicizia di Meccaniello col defunto Mimí Capasso hanno indotto Angela a rivolgersi a lui; cosí almeno supponiamo. Ora, se Meccaniello non l'ha tradita, la sta nascondendo; se invece è alle dipendenze dei Sorbo, smuovere la Mobile equivarrebbe a condannarla a morte. Terzo, il punto piú importante, a carico della Picariello non sussiste alcun provvedimento restrittivo: non è latitante e non può essere arrestata. Consentire che la Dda la prelevi contro la sua volontà significherebbe non tutelarla.

Alex si inserí:

– Capo, io sono d'accordo con Lojacono, per quel che può valere. Wood, e questo emerge con chiarezza dalla lettera di Angela che Holly ci ha consegnato, è venuto qui per aiutarla. Abbandonarla al suo destino, tra i Sorbo e la Dda, vanificherebbe quello che ha subito Ethan. Sarebbe inaccettabile.

Pisanelli commentò:

– Sempre che Angela sia effettivamente da Meccaniello. Magari dietro la finestra ci sta un deposito, o una dispensa.

Lojacono alzò un dito.

– Ed è proprio per questo, capo, che non sei obbligato a dire niente alla Piras. Non abbiamo ancora trovato nulla. Non stai omettendo alcuna informazione.

Palma sbuffò.

– Loja', e allora mi spieghi di che parliamo? Per favore, siamo seri! Qua si deve capire subito come e dove sta la Picariello: è una figura strategica per Buffardi. Vi comportate come se facessimo mestieri diversi, noi e loro, la Piras e la Dda, la Mobile e Pizzofalcone. Vi ricordo che tutti noi, e sottolineo tutti, combattiamo contro la stessa gentaglia. Abbiamo ricevuto degli ordini, maledizione! Mica siamo liberi professionisti, qua dentro.

La veemenza e le ragioni del discorso produssero un breve silenzio.

Poi Lojacono mormorò:

– Ma noi abbiamo anche una responsabilità nei confronti di Wood, ti pare? Quelli che lo hanno ridotto cosí resterebbero a piede libero.

Palma, improvvisamente di nuovo calmo:

– Infatti. È per questo che vi impongo di continuare l'indagine a ritmo serrato. Nel vostro viaggio a Sorrento non avete trovato un bel niente. Vi siete messi a chiacchierare con vecchietti colpiti da demenza senile e avete impiegato il tempo per cui venite pagati a contare le finestre. Voi avete sentito altro? – Si guardò attorno, ottenendo una serie di convinti cenni di diniego, e proseguí: – Quindi è necessario che ci torniate domattina presto. Ovviamente non avrete nessun mandato né disposizione del magistrato, perché io non posso disturbare a quest'ora la dottoressa Piras per le teorie immaginarie di un siciliano pazzo. Dovrete cavarvela da soli. Siamo d'accordo?

Lojacono annuí, sorridendo.

Il commissario batté una volta le mani.

– Allora, ve ne occupate voi due, Lojacono e Alex. Romano lasciamolo stare.

Aragona protestò:

– Capo, ma non posso andarci io? In fondo sono quello che ha contato le finestre, e...

Palma lo interruppe:

– Arago', ti abbiamo già dato le caramelle in premio, che vuoi ancora? E poi tu hai una missione, no? Il famoso magazzino di vico Striano 22 non può passare la notte senza di te. Ti tocca.

Tutti si mossero tranne Marco, che di colpo si portò le mani in faccia. Pisanelli notò quel gesto di disperazione tanto insolito per il giovane; attese un secondo, come riflettendo, poi si appuntò qualcosa su un foglietto.

XLIV.

A un certo punto, Laura ebbe la netta impressione che qualcuno la stesse chiamando.
Sollevò la testa dal foglio che stava leggendo, la penna in mano per annotare qualcosa a lato; emergeva da una profonda concentrazione, favorita dal silenzio che regnava nel palazzo a quell'ora. La sera tardi era infatti l'unico momento al riparo dalla confusione del giorno, perfetto per affrontare le questioni piú spinose.
Dall'esterno non provenivano né rumori né voci. Si guardò attorno senza cambiare posizione, il battito accelerato nel petto, la punta della stilografica a pochi millimetri dalla carta. Non c'era nessuno: l'ufficio ordinato, la giacca del tailleur appoggiata allo schienale di una sedia che si intravedeva nella penombra, fuori dal cono di luce della lampada accesa sulla scrivania.
Eppure aveva sentito forte e chiaro, come un colpo di pistola, pronunciare il proprio nome, Laura, con quell'accento un po' aperto di chi proveniva da un'isola. Che non era la sua.
Sapeva che la sua mente funzionava su due piani diversi, come tutta la sua vita, del resto. La capacità di tenerli distinti e distanti, come binari senza scambi e senza confluenze, era una costante dell'esistenza che si era scelta. Pertanto, un passo dietro di lei, dietro la determinazione della dottoressa Piras, dietro i suoi modi aspri, dietro la

chiarezza delle sue idee e la nettezza dei principî, camminava la ragazza insicura e terrorizzata che era nata nell'attimo in cui le avevano comunicato la morte di Carlo.

Ed era la voce di Carlo che sentiva di notte, a volte, mentre stentava a addormentarsi e rimaneva sospesa tra veglia e sonno e la fantasia incontrava la realtà. Adesso però non stava per addormentarsi; stava lavorando, e la voce che l'aveva chiamata era quella di Lojacono.

La scelta di non cercarlo piú era stata dettata dalla ragione, Laura se ne rendeva conto; pelle e cuore non l'avrebbero mai compiuta. Quindi, rifletté posando la penna e abbandonandosi contro lo schienale per sgranchirsi, era naturale che il desiderio venisse a galla non appena le difese calavano per stanchezza o distrazione.

Vederlo le aveva provocato un'emozione violenta. Trovarselo vicino, con quegli occhi a mandorla e quell'espressione imperturbabile, le aveva riportato alla testa e al ventre il ricordo delle sue mani, del suo corpo muscoloso, del suo volto trasfigurato dalla passione.

Non è finita, dottoressa Piras, si disse. Non è affatto finita, e non c'è Buffardi che tenga. Non puoi accenderti e spegnerti come un televisore, né cambiare canale in caso di necessità. Non puoi farlo, anche se sarebbe assai comodo.

Si alzò e andò alla finestra. Le strade illuminate dai lampioni erano deserte e pericolose, fredde e inospitali. La patina lucida lasciata dalla pioggia, l'umidità che riempiva l'aria raccontavano dell'autunno ormai inoltrato e della minaccia dell'inverno. Che farai, dottoressa Piras? Che ne sarà di te?

Si era tenuta aggiornata sul caso di Ethan Wood attraverso Palma, suo tramite istituzionale. Sapeva che Lojacono si muoveva in maniera autonoma e conosceva la sua tendenza a «dimenticarsi» di informare il superiore di un certo tipo di novità, quando temeva che barriere e ostacoli esterni gli impedissero di seguire la sua strada. Le piaceva anche per questo, ma non lo avrebbe mai ammesso.

D'altra parte, la stretta del consolato americano non accennava ad allentarsi. La figura di Charlotte Wood era ancora molto popolare oltreoceano e l'aggressione subita dal figlio aveva suscitato grande clamore. Dopo le telefonate dei funzionari era arrivata quella del console, una signora all'apparenza amabile e formale che sapeva diventare dura e tagliente come una spada affilata. Pretendevano una soluzione, soddisfacente e veloce. Esigevano di vedere in galera i responsabili o presunti tali, e poco importava se al termine di un lungo processo sarebbero stati scagionati con tante scuse perché le prove erano insufficienti. Gli americani volevano una testa sul piatto.

Nel contempo avevano cominciato a contattarla anche dal Comune, perché l'evento poteva avere potenziali, terribili conseguenze sul turismo in città. Ci mancava solo che viaggiatori eccellenti, celebri e con notevoli disponibilità economiche fossero ammazzati o ridotti a vegetali da rapinatori di strada: che sarebbe successo ai viaggiatori normali, quelli che mangiavano panini e si mettevano in fila all'entrata dei musei?

La doppia pressione, che si traduceva in altre chiamate del questore, del prefetto, del procuratore, non era adatta a lei, che diplomatica non era stata mai. Provava la fortissima tentazione di portare il fascicolo nell'ufficio di Buffardi e di dirgli tieni, grazie ma noi non siamo in grado di approfondire questo ramo dell'indagine. Avevi ragione tu.

Si sarebbe liberata in un colpo di tutte quelle telefonate, quelle mail e quelle convocazioni. Avrebbe dato dignità al fatto di sangue rendendolo una faccenda di criminalità organizzata, e pazienza se in America si sarebbe scatenata una ridda di ipotesi sulle attività collaterali e sulle relazioni misteriose del signor Wood. Stava comprendendo solo adesso la strategia di Buffardi, che si era scansato proprio per far gravare su di lei questa tortura. Era stato come sempre abilissimo a curare il proprio interesse. Tanto era certo che quelli di Pizzofalcone non sarebbero venuti a capo di nulla, e che tantomeno avrebbero rintracciato la Picariello.

Con ogni probabilità, poi, la donna era morta da piú di un mese, vittima di quella che una volta si definiva lupara bianca; i progressi tecnologici, del resto, fornivano ormai innumerevoli soluzioni per disfarsi di un cadavere.

Laura, però, condivideva l'idea di Lojacono, e mentre osservava il lampeggiare di una volante che procedeva lenta a centro strada venti piani sotto, ne fu ancora piú consapevole; questo era importante, perché un magistrato non può obbedire a logiche opportunistiche, deve inseguire la verità. E ciò che la incantava maggiormente del Cinese era forse la sua «logica calda», il suo modo di seguire le tracce, magari un po' sentimentale, ma che non si spostava di un millimetro dalla stretta consequenzialità degli indizi.

Wood cercava Angela. E se era venuto fin qui dall'America era perché contava di trovarla. E se poteva farlo lui, potevano riuscirci pure quelli di Pizzofalcone.

Sperò che qualcuno la informasse degli sviluppi, e soprattutto sperò che ce ne fossero, di sviluppi. Non poteva sostenere la situazione ancora a lungo, prima di dichiararsi sconfitta.

A margine del ragionamento professionale, la ragazza Laura che camminava un passo dietro il magistrato si chiese se le sarebbe stato concesso di fare di nuovo l'amore con l'ispettore Giuseppe Lojacono.

Perché senza di lui la vita le pareva davvero vuota.

XLV.

L'agente scelto Marco Aragona sembrava uno di quei giocattoli che continuano a sbattere contro il muro, a indietreggiare e a sbattere ancora. L'aspetto esteriore tradiva il suo stato interiore. Non sapeva cosa decidere, era sottoposto a due forze di uguale intensità ma di segno contrario: si avvicinava al magazzino di vico Striano 22, si approssimava all'ingresso della stradina cieca e se ne tornava all'inizio di via Serra, per poi avviarsi ancora verso l'imbocco del vicolo.

Non era il genere di luogo in cui è opportuno occuparsi delle stravaganze altrui, e poi faceva freddo, pertanto nessuno prestò attenzione allo strano personaggio piccolo di statura, con una sciarpa che gli copriva, stavolta opportunamente, metà del viso e un paio di occhiali azzurrati che nascondeva l'altra metà; ma sarebbe stato curioso capire che cosa avrebbe pensato di lui chi si fosse fermato a osservare quello strano rimbalzo: cento passi avanti e cento indietro, senza sosta.

Anche i pensieri di Aragona seguivano un percorso inconcludente.

Marco era uno che aveva ben chiari i propri interessi e voleva sopra ogni cosa il bene dell'agente Aragona, alla cui felicità votava ogni fibra del proprio essere. Da questa considerazione derivava, senza incertezze, la decisione di assecondare le richieste del genitore. L'aiuto fornito dal misterioso personaggio di cui ignorava l'identità e, fino a poco prima, pure l'esistenza, era una forza motrice di cui non avrebbe saputo valutare la portata precisa, ma certo doveva essere notevole. Perderlo poteva avere conseguenze terribili per il suo futuro professionale.

Poi c'era suo padre, che non si dimostrava certo tenero se non si faceva quello che gli era utile. Non ricordava, Marco, un'altra circostanza in cui gli avesse domandato un favore, e nemmeno l'aveva mai visto cosí teso e preoccupato. Ne conseguiva che, se le cose non fossero andate secondo il suo volere, la reazione nei confronti del figlio sarebbe stata pesante e violentissima. Ciò rappresentava di per sé un ottimo motivo per attenersi alle sue istruzioni.

D'altra parte, se gli avesse disobbedito, sarebbe terminato il suo periodo di permanenza all'hotel *Mediterraneo*. Una comodità straordinaria, una sistemazione che gli dava modo di vivere una vita da agente speciale (d'accordo, la dizione giusta era «scelto», ma l'iniziale della parola era la stessa) potendo concentrarsi sul lavoro senza provare la strisciante frustrazione di uno stipendio da fame. Con la presenza di Irina, per di piú, che era tornata, che non si era trasferita chissà dove, magari per sposarsi o per diventare la mantenuta di un milionario sfruttando la sua raffinatissima bellezza.

Inoltre, lasciare che le cose andassero come gli avevano chiesto sarebbe stato facile. Il deposito e il carico della merce sarebbero avvenuti quasi nello stesso momento e il magazzino la mattina successiva sarebbe stato vuoto come la sera precedente. Nessuno avrebbe potuto contestargli nulla, anzi, nessuno, forse, l'avrebbe mai saputo: figuriamoci se l'immissione sul mercato di un piccolo quantitativo di articoli di lusso contraffatti poteva essere rilevato. Doveva solo chiudere gli occhi e andarsene a dormire e

l'indomani sorridere a Palma rassicurandolo: nulla da se-
gnalare, capo. Che tecnicamente non sarebbe stata nemmeno una bugia.

E allora, cosa c'era sull'altro piatto della bilancia? Qual
era il dilemma per cui l'agente, scelto o speciale che fosse,
Aragona Marco stava consumando col suo isterico andiri-
vieni i duecento metri che collegavano l'imbocco di vico
Striano con l'incrocio di via Serra? Se tutto portava a un
univoco e sereno farsi i fatti propri, perché non si trovava a letto, nel bozzolo caldo del benessere, invece di rab-
brividire per l'umidità e la tensione, di notte, in mezzo
alla strada?

Con fastidio Aragona rispose a sé stesso visualizzando
l'immagine della sala agenti in una delle riunioni, con quella
confidenza crescente, quella collaborazione e quell'affetto
che erano ormai l'essenza dei Bastardi di Pizzofalcone, la
squadra di outsider che ogni pronostico dava per sconfitta e che invece stava vincendo, alla faccia di tutti. Marco,
che per tanto tempo era rimasto ai margini a osservare gli
altri vivere, escluso dalle squadre di calcio e da quelle di
pallavolo perché non aveva talento per lo sport, allontanato dai presunti amici perché troppo estremo nell'abbigliamento e nel modo di esprimersi, per la prima volta si
sentiva parte integrante e attiva di una comunità.

Avrebbe saputo guardare negli occhi i colleghi, dopo
quella notte? Si sarebbe sentito ancora un elemento del
gruppo?

Mentre rimuginava, una voce uscí dall'androne di un
fatiscente palazzo antico davanti al quale stava passando.
Una voce lugubre, profonda, che lo fece sobbalzare e gli
accapponò la pelle.

– Poi me lo spieghi, Arago', perché stai andando avanti
e indietro da un'ora?

Ricostruita la mappatura dei propri organi interni, che per lo spavento si erano scambiati di posto, Aragona rispose (o ci provò, giacché la voce non gli venne fuori ai primi due tentativi):

– Mpfff, mpffoff mpfiiiffff!

Districatosi dalla sciarpa, di cui nell'occasione aveva inghiottito almeno un ottavo del totale, ripeté:

– Madonna santa, che maniera è questa? Stavo per avere un infarto, cazzarola!

Dal buio emerse la figura intabarrata di Giorgio Pisanelli, la cui faccia preoccupata si intravedeva tra il bavero alzato e il cappello calato sugli occhi.

– Caspita, sarei io a fare paura, adesso. Ti sei visto? Vai avanti e indietro come un pazzo, sembri scimunito. Se abitassi da queste parti avrei già chiamato la polizia. Si può sapere che accidenti ti piglia?

Aragona si irrigidí.

– Io... io devo fare una sorveglianza, e...

– Sí, ho sentito il capo che te ne parlava. E sono andato a controllare la pratica; sai che ho amici in questura. Hanno chiesto di te esplicitamente. Non è una cosa frequente.

Il giovane si difese.

– Be', che c'è di strano? Adesso uno non può godere di una certa stima da parte di...

Il vicecommissario avanzò, minaccioso.

– *Guaglio'*, non pensare di prendere me per i fondelli. Io sono vecchio, come tu non manchi mai di farmi notare, ero già un poliziotto quando tu eri una fantasia terribile dei tuoi genitori. Quindi non mi sfottere, io lo so che significa se arrivano segnalazioni nominative. Le ragioni possono essere solo due.

Aragona si tolse gli occhiali; la mano gli tremava.

– Cioè?

– Uno: qualche cattivo soggetto, in questura, ha recepito l'indicazione di un malvivente a cui serve che tu, proprio tu, ti occupi della cosa. Due: qualcuno, in questura, ti tiene d'occhio.

Questa seconda eventualità ad Aragona non era venuta in mente.

– Tenere d'occhio me? E per quale motivo?

– Tu perché vorresti tenere d'occhio uno? Perché non ti fidi di lui.

Marco rimase a bocca aperta. Adesso era davvero terrorizzato.

– E allora... Che si fa, in questi casi?

Giorgio avanzò di un passo, lo prese sottobraccio.

– In questi casi, bisogna capire che cosa si vuole diventare. È semplice. Vieni, spostiamoci da qua.

– Pisane', spiegati, non ti capisco.

– È semplice, ti ripeto. Ricordi i miei colleghi che mo' stanno giustamente in galera? Il giorno in cui fecero irruzione nel magazzino e trovarono tutta quella droga si guardarono in faccia, mi pare di vederli, e scoprirono che non volevano essere bravi poliziotti, ma uomini ricchi. Volevano le comodità, il benessere per sé stessi e per le loro famiglie. Non c'è niente di male, si dissero. Ci provarono, e le cose sono finite come sono finite. Ma il bello sai qual è?

Aragona procedeva come un automa. In piena notte, nel primo freddo dell'autunno, nel quartiere di Pizzofalcone che dormiva. O almeno cosí sembrava.

– No, qual è?

– Il bello, caro Marcolino, è che ci potevano riuscire. Chissà a quanti è andata bene prima di loro e a quanti andrà bene ancora.

– Però, di per sé, a voler stare meglio non c'è niente di male, no? I bastardi si misero a vendere la droga, e quel-

la ammazza le persone, ma un paio di borse di marca...
Cioè, mica muore nessuno. E se uno invece deve cambiare la vita per...

Con orrore, Marco si accorse di aver ripreso i ragionamenti elaborati in precedenza da solo, ma ad alta voce e davanti a un testimone. Si interruppe, serrando le labbra, ma Pisanelli sembrava non essersi reso conto dell'entità di ciò che aveva sentito.

– Qui non si tratta di male e bene. Qui si tratta di chi si vuole essere. Se si entra nella spirale dell'io faccio un favore a te e tu ne fai uno a me, tutto si può diventare, tranne che un buon poliziotto. Sia che ti stiano sorvegliando, sia che ti abbiano assegnato apposta un lavoretto.

Aragona si fermò, passandosi una mano sulla faccia.

– Pisane', io... mio padre... lui... è venuto da me. Io non so nemmeno chi... Ma mio padre, capisci? Mio padre! E allora, 'sto cazzo di magazzino, proprio stanotte...

Il vicecommissario non smetteva di fissarlo, gli occhi acquosi dietro le lenti; sembrava il fantasma della coscienza materializzatosi nell'oscurità.

– Ascoltami. Tu dici sempre che sono un vecchio rincoglionito, e forse è vero. In tanti anni uno accumula una quantità enorme di rimpianti e di rimorsi, è inevitabile, e ho imparato che sono meglio i primi, almeno ti assolvi dalle colpe. Solo che io tengo un rimpianto che è enorme.

Aragona credeva di essere in un incubo. Mancava poco alle due, la sua vita era a un bivio e se ne stava là con Pisanelli a discutere di rimpianti e di rimorsi.

– Pisane', io vorrei tanto stare qua a chiacchierare con te, però...

Come se niente fosse, il vicecommissario proseguí:

– Riguarda proprio i bastardi di Pizzofalcone, quelli veri. Io avrei potuto, *dovuto* fermarli. E il rimpianto non è nei confronti della legge, dei poliziotti, dei ragazzi che comprarono la droga. È verso quei quattro, verso i miei colleghi. Potevano essere ottimi poliziotti, tra mille difficoltà. E io non ero là ad aiutarli nel momento in cui avevano bisogno di me.

– Giorgio, ma che dici? Quelli si fottono la droga, la vendono per cazzi loro e la colpa mo' sarebbe la tua?

La mano di Pisanelli, sotto il braccio di Aragona, era calda, l'unica cosa calda che Marco sentisse su di sé.

– Sí, è mia. Perché i vecchi a questo servono. A prendersi le colpe, e a coltivare i rimpianti.

Si erano fermati in mezzo alla strada. Aragona notò che erano di nuovo all'imboccatura di vico Striano.

Pisanelli abbassò il tono della voce.

– Per che ora è?

Marco si sentí sprofondare nell'abisso.

– Per le due. Tra un quarto d'ora.

Il vicecommissario si guardò attorno e disse:

– Ecco come faremo.

XLVI.

Fecero le cose per bene, perché sapevano di avere un unico colpo a disposizione e non potevano sbagliare.

A Lojacono piaceva lavorare con tutti i Bastardi, perché ognuno possedeva qualche caratteristica speciale: Romano era spiccio e diretto, Pisanelli profondo e riflessivo, Ottavia serena e partecipativa; perfino Aragona, come dimostrato dal conteggio delle finestre, aveva un interessante, peculiare intuito che lo rendeva, a volte, utilissimo. Ma, se avesse dovuto scegliere un compagno fisso, forse avrebbe voluto Alex.

Di Nardo possedeva una capacità di concentrazione estrema, una mente fredda e lucida e l'abilità di agire escludendo ogni emozione. Non un gesto in piú, non uno in meno. E a ciò aggiungeva la non trascurabile attitudine all'uso della pistola, con la migliore mira che lui avesse mai visto tra poliziotti e criminali.

Arrivarono a Sorrento poco dopo l'alba. Aveva appena smesso di piovere. La strada era deserta, quindi anche senza gli strappi e le derapate di Aragona avevano impiegato pochissimo. Il Cinese si godette l'incanto di una luce ovattata e nebbiosa che si diffondeva sul mare svelandolo a poco a poco, come se emergesse dal buio.

Si appostarono di fronte al ristorante, dietro una siepe che fiancheggiava l'hotel *Tritone*. Da quella posizione avevano una prospettiva completa della palazzina, e non erano in alcun modo visibili dalla stessa. Non sapevano ancora se Angela fosse effettivamente nella casa, e soprattutto ignoravano se la tenessero lí con la forza. In tal caso di sicuro l'avrebbero sorvegliata e quindi poteva esserci una ronda esterna a controllare l'ingresso. Non videro nessuno, e nessuno passò. Gli uccelli celebravano l'inizio del giorno e il vento era calato. C'era nell'aria un inconfondibile profumo che a Lojacono ricordava i miti inverni di Agrigento, quando riusciva a ritagliarsi il tempo per andare all'amata Scala dei Turchi e godersi la solitudine e il silenzio che solo il mare con la pioggia sapeva regalare.

C'era qualcosa, a Sorrento, che conduceva nel territorio pericoloso e infido della memoria.

Il portone si aprí e richiamò l'attenzione dei due poliziotti. Videro Meccaniello, con giubbotto e berretto, che usciva con le mani in tasca camminando lentamente. Osservando le finestre, dopo un quarto d'ora si accorsero di una sottile lama di luce che trapelava da quella che, secondo Aragona, era di troppo. Nel giro di qualche minuto la luce si spense. I due poliziotti si scambiarono un'occhiata. Attesero, e videro Meccaniello tornare reggendo un sacchetto. Pesce fresco, immaginò Lojacono, e Di Nardo, neanche avesse udito il suo pensiero, replicò con un mezzo sorriso.

Trascorsi cinque minuti, contati sull'orologio del Cinese, vennero fuori dal loro nascondiglio e passarono attraverso il battente che l'uomo aveva solo socchiuso, forse prevedendo di uscire di nuovo di lí a poco. Giunti in cima alle scale bussarono e si accostarono agli stipiti. Di Nardo con la pistola in pugno. Non credevano sarebbero insorte complicazioni, ma la possibilità teorica esisteva.

Meccaniello aprí, sereno, ancora con il giubbotto e il berretto addosso. Lo sguardo sfiorò l'arma nella mano di Alex, ma non mostrò alcuna sorpresa o spavento.

Lojacono lo salutò con un cenno del capo.

– La finestra, – disse.

Come se fosse una parola d'ordine, il vecchio si scostò perché entrassero.

– Meglio voi di quegli altri. Io gliel'avevo spiegato che era una soluzione provvisoria, che non poteva durare.

Andò nella stanza matrimoniale ma, invece di dirigersi verso l'unica porta visibile, aprí l'anta del grande armadio che occupava quasi del tutto la parete di fronte al letto. Prese le grucce coi vecchi abiti, le ripose sul materasso e spostò con le mani nodose il pannello di legno sul fondo.

Si bloccò, come se avesse dimenticato qualcosa. Poi si avvicinò ai due poliziotti, mormorando a voce bassissima:

– È spaventata. Ed è sola. Non ha nessuno, a parte questo vecchio inutile che non può piú proteggerla. Io, vedete, non ho coraggio. Non ne ho mai avuto, altrimenti non sarei rimasto aggrappato a questo posto come una cozza allo scoglio, sarei andato incontro alla vita come ha fatto suo padre.

L'ispettore non sapeva cosa replicare. Alex spostò il peso del corpo da un piede all'altro. Meccaniello, a fior di labbra, senza cambiare espressione, proseguí:

– Lo so che non posso chiedervi niente, e non sono in grado di comprendere fino in fondo la situazione di Angela, ma so che quella gente là è terribile. Ho sentito che la stanno cercando, che stanno rivoltando il mondo per trovarla. Hanno persone anche qui in paese. Forse non ne ho il diritto, ma vi prego, abbiate pietà, se potete. Consideratela la preghiera di un padre per la propria figlia.

Lojacono lanciò un'occhiata verso il passaggio segreto e precisò, a bassa voce:

– Meccaniello, noi siamo i buoni. Noi proteggiamo i deboli da quelli che stanno dall'altra parte. Se siamo qui noi, è proprio perché sappiamo chi è che la sta cercando e che intenzioni ha.

Ciro sospirò lievemente.

– Io gliel'avevo detto. Non può essere per sempre. Ti rintracceranno. Basta che ci pensino, che ragionino un poco. Ma lei mi ha risposto che non aveva proprio nessun altro posto; che dovevo fare? Avevo paura pure io, e ce l'ho ancora. Ma lei aveva bisogno di aiuto. E cosí, come Angela l'ha chiesto a me, io lo chiedo a voi adesso.

Il vecchio fissò a lungo in faccia i due poliziotti. Di Nardo abbassò gli occhi, Lojacono, dopo un attimo, annuí. Meccaniello parve soddisfatto: piú di cosí non poteva ottenere.

Poi domandò:

– Mi aspettate di là? Vorrei parlarci prima io.

Lojacono rispose:

– Vada pure, ma noi non ci muoviamo da qui. Ci sono troppe porte, in questa casa.

L'uomo gli indirizzò un lieve sorriso, quindi si voltò ed entrò nell'armadio.

XLVII

Ciro Meccaniello aveva preparato il caffè e disposto le tazze su un vassoio. La pioggia, che aveva ripreso a cadere, picchiettava leggera sulle imposte accostate, rendendo piú acuto il senso di isolamento e abbandono generato dalle sedie e dai tavoli accatastati e impilati.

Angela Capasso in Picariello era molto bella. Lo si intuiva nonostante l'assenza di trucco, i capelli scarmigliati, gli occhi cerchiati dalla stanchezza, l'espressione preoccupata, le labbra strette dalla diffidenza. La chioma nera e folta, i tratti dolci e i lineamenti raffinati, il lungo collo e il corpo snello e sodo suggerivano quanto potesse essere incantevole in circostanze diverse.

Quasi soprappensiero la donna continuava ad accarezzarsi il ventre arrotondato.

Lojacono cercò di rassicurarla:

– Signora, innanzitutto voglio dirle che noi siamo del commissariato di Pizzofalcone. Ci occupiamo di delinquenza comune. Non siamo noi che combattiamo la criminalità organizzata; le nostre competenze sono altre.

Lo sguardo di Angela andava dai loro volti a quello di Ciro, che se ne stava in piedi in disparte, ma seguiva la conversazione con attenzione massima.

– Quindi non siete uomini di Buffardi? Non vi manda lui.

Lojacono scosse il capo.

– No. E le dirò di piú, anche se non dovrei: il dottor Buffardi non sa che l'abbiamo rintracciata. E non lo sa nemmeno il magistrato che coordina le indagini sul caso al quale stiamo lavorando noi, che è quello dell'aggressione a Ethan Wood, il turista americano abbandonato nel cantiere della metropolitana.

I grandi occhi neri della donna si riempirono di lacrime.

– Come sta? Si... Si salverà?

Alex rispose:

– Ancora non si può dire. Ha subito un intervento importante; è stazionario, ma privo di conoscenza.

Angela si morse il labbro, voltandosi verso la finestra.

– È colpa mia... è colpa mia. Questo ce l'ho io, sulla coscienza. Ma che potevo fare? Ci ho provato.

Meccaniello sussurrò:

– Angela... Non ti torturare. È inutile.

La donna stringeva in mano un fazzoletto; se lo passò sul volto con un gesto brusco. L'ispettore domandò:

– Perché dice che è colpa sua, signora?

– Perché l'ho chiamato io. Gli ho scritto. E siccome sono... ero sorvegliata, non potevo dargli l'indirizzo di casa. Quindi...

– Sorvegliata da chi?

Angela fissò Lojacono, con freddezza.

– Ispettore, io devo sapere che tenore avrà questa conversazione. Non c'è un mandato di arresto nei miei confronti. Non mi si contestano reati. Non ci sono ordinanze restrittive. Sono una donna libera, quindi potrei anche pretendere che usciate subito da questa casa. Parlo con voi perché mi aspetto di discutere in maniera diversa da come è stato con i vostri colleghi della Mobile, o col dottor Buffardi. Se non è cosí, la nostra conversazione si è già conclusa. Vi ringrazio, vi saluto e vado a fare i bagagli, perché parto immediatamente.

Le ultime parole della donna stridevano con l'immagine della persona dimessa e debole che i due poliziotti avevano avuto fin lí. Per un attimo rimasero disorientati. Alex, senza pensare, sorrise di fronte a quella razionale, lucidissima analisi della situazione.

Lojacono si riebbe dalla sorpresa e rispose, conciliante:

– So benissimo che è libera, signora. So anche che è in grave pericolo. Come le ho detto noi stiamo indagando sul caso di Wood, ma vorremmo anche salvarla dalla sua attuale condizione. Mi risulta che il dottor Buffardi le abbia offerto...

Angela lo interruppe:

– Mi ha offerto una vita nell'ombra, di cambiare città e di campare nella perenne paura di essere rintracciata, di incrociare lo sguardo insistente di uno sconosciuto. Se fossi stata sola forse avrei accettato. Oppure sarei con mio marito, adesso, anche se mi ha mentito e per anni mi ha tenuta all'oscuro di... di quello che era davvero. Ma io, ispettore, non sono sola. Ho mio figlio, con me. E per mio figlio non voglio una vita nell'ombra.

Alex disse, a bassa voce:

– È per quello che ha contattato Wood, vero? Per essere portata via. Lei voleva andare in America.

Lojacono guardò la Di Nardo; non gli aveva parlato di questa intuizione.

Angela annuí, decisa.

– Sí, esatto. Chi nasce negli Stati Uniti è cittadino americano. E cosí il mio bambino sarebbe stato protetto da un altro paese. Ho considerato che quest'uomo, sebbene non l'avessi mai visto, era per metà mio fratello, dunque anche zio di mio figlio. Se il sangue ha una voce, lo avrebbe chiamato.

Meccaniello intervenne, calmo:

– Ispetto', ci dovete chiarire che intenzioni avete. Se siete qua per dare un aiuto ad Angela o per ricevere informazioni e basta. Nel primo caso potete restare e io vi preparo un altro caffè. Nel secondo, per favore, vi prego di lasciarci.

Era il bivio davanti al quale Lojacono e Di Nardo sapevano che si sarebbero trovati. Lo avevano previsto la sera prima con Palma e ne avevano discusso in macchina venendo a Sorrento. Il Cinese non ebbe bisogno dello sguardo d'approvazione della collega.

– L'aiuteremo. Può contare su di noi. Non è un caso che qui ci siamo noi e non Buffardi. Ma ci deve dire tutto. Senza reticenze.

Angela li scrutò, mentre la pioggia fuori rinforzava. Poi spostò gli occhi su Meccaniello: i due comunicarono a lungo senza scambiarsi una parola. Alla fine si alzò con un po' di fatica, sostenendosi con le braccia, e si girò per tornare nell'armadio.

Alex fece per alzarsi a sua volta, ma Lojacono la fermò toccandole il polso. Dopo un paio di minuti, Angela era di nuovo lí. Aveva in mano un fascio di lettere legate con un nastro e un taccuino con la copertina nera. Si risedette, trattenne il taccuino in grembo e allungò le lettere verso Lojacono, facendole scivolare sul piano del tavolo.

– Ho trovato queste l'anno dopo la morte di mio padre, quando ho sgomberato l'appartamento di vico Egizio. Volevamo… mio marito voleva affittarlo. Ci mise dentro quel… quella là; l'ho saputo molto tempo dopo, altrimenti gliel'avrei impedito. Una delle cose schifose che ha fatto approfittando della mia buona fede.

Lojacono prese le lettere e cominciò a sfogliarle, passandole ad Alex. Erano di Charlotte, ordinate per data dagli anni Sessanta fino agli inizi del 2004. Di Nardo sospirò.

– Ho avuto modo di consultare quelle di suo padre. Si sono scritti con assoluta continuità per quarant'anni.

Angela sorrise, triste.

– Subito mi sono arrabbiata, scoprendole. Ho perso mia madre da piccola, quindi non saprei dire che sentimento mio padre provasse nei suoi confronti; la trattava con dolcezza, però, non le ha mai fatto mancare niente. Ma forse io ero innamorata di lui, come capita alle figlie, perciò sono stata un po' gelosa quando le ho lette. Poi ci ho riflettuto e ho compreso che era stato un legame fortissimo. Per questo ho cercato Ethan.

Alex interloquí.

– Abbiamo visto anche la sua lettera. Ce l'ha mostrata l'altra sorella, quella americana.

La donna commentò:

– Holly, sí. Ne parla Charlotte nelle lettere e ne ho letto su internet. Mi pare una donna forte.

Lojacono riportò il discorso sul binario precedente.

– Signora, dobbiamo capire cosa è successo a Ethan.

Angela si strinse nelle spalle.

– Non ne sono certa, perché me n'ero già andata. Ciro era il solo vero amico di mio padre, e questa casa era l'unico posto dove potevo nascondermi senza che mio marito e... e quelli che sono con lui potessero ricostruire facilmente dove fossi. Ci eravamo sentiti per l'ultima volta un paio d'anni prima che papà morisse. Nicola non lo conosceva neanche di nome. E io mi ricordavo della stanza nell'armadio; ci giocavo da piccola.

Meccaniello precisò:

– Un posto dove mettere la merce comprata senza fattura conveniva sempre averlo, nel passato.

Angela proseguí:

– Gli avevo detto di rispondermi fermoposta, l'unico indirizzo che aveva era quello scritto sulle lettere inviate da mio padre a Charlotte. Non poteva chiedere direttamente di me, perché sapeva che ero in pericolo, quindi è probabile che sia andato per tentativi, fingendo di cercare Mimí Capasso. E cosí ha attirato l'attenzione.

Lojacono disse, quieto:

– Il portiere, vero?

Angela si mostrò disgustata.

– Quel viscido di Dell'Aquila. Un uomo loro. Mio marito mi diceva che costava un sacco di soldi, con la passione per le donne che ha. Per scappare ho dovuto aspettare che si allontanasse e anticipare i due che avevano il compito di sorvegliarmi. Li avranno crocifissi, non appena si sono accorti che ero fuggita. Secondo me sono stati loro ad aggredire Ethan.

Alex chiese, piano:

– Loro chi?

Sembrava una domanda normale in mezzo a una conversazione, e invece era la stipula di un patto. Se Angela avesse risposto avrebbe dimostrato di fidarsi; e i poliziotti, di conseguenza, avrebbero dovuto trovare il modo di aiutarla. Anche se ignoravano ancora come.

Tutti e quattro si resero conto che il momento era fondamentale. Ciro si spostò lievemente, senza cambiare espressione. Angela alzò gli occhi su di lui, quasi invocasse un'autorizzazione o almeno un sostegno.

Alla fine disse:

– I fratelli Spasiano. Gaspare, chiamato Baffone perché ha i baffi folti e spioventi, e Carlo, che è un animale. Girano in moto. Sono due tirapiedi, non gli affidano lavori seri perché sono violenti ma stupidi. Sorvegliare me doveva essere un compito semplice. Evidentemente, però, – il suo viso fu attraversato da un sorriso feroce, – non lo era.

Alex aveva preso nota.

– Se Wood non si sveglia e li riconosce, – disse, – non avremo prove contro di loro. Ma qualcosa la troviamo, no?

Lojacono confermò con un cenno, e domandò:

– Sono gli Spasiano che le stanno addosso, signora?

– Mica solo loro.

– Ma perché? Perché tutta questa paura di lei?

La donna rimase in silenzio. Si alzò, andò alla finestra e aprí appena l'imposta. Ciro accennò a fermarla, poi si bloccò. Dallo spiraglio Angela guardò la pioggia e attraverso di essa il mare.

– Mi cerca mio marito, perché non sopporta l'idea che suo figlio venga via con me. E mio marito, ispettore, è una figura importante. Molto importante. Piú di quanto creda il vostro famoso dottor Buffardi. E mi cercano loro, tutti loro, perché sanno di che cosa sono al corrente. Pure questo il dottor Buffardi non lo immagina.

Si girò e tornò lentamente al tavolo, sedendosi con cautela.

– Comincia a farmi male la schiena. È maschio, me lo sento. Si chiamerà Capasso, Domenico Ciro Capasso. E per me sarà Mimí. In un modo o nell'altro, nascerà libero.

Meccaniello, sentendo il proprio nome legato al bambino, trattenne il fiato. Alex si accorse che gli occhi gli si erano riempiti di lacrime, e provò un'immensa tenerezza.

Angela riprese, concentrandosi su Lojacono:

– Ispettore, mio marito non è il genio che sembra a tanti. È solo molto, molto astuto. Non ha mai rivelato integralmente i movimenti che effettua, cosí da diventare insostituibile; è una specie di assicurazione sulla vita, indispensabile coi clienti che ha. Ed è stato capace, nel tempo, di acquisire una rete di contatti, dei... fiduciari, chiamiamoli cosí, in giro per il mondo e nei posti giusti.

Un tuono rimbombò. Tutti sobbalzarono, tranne la donna.

Che continuò:

– La parte tecnica, però, quella strettamente operativa, la lasciava a me. Io sono brava coi numeri quanto lui lo è con le persone. Con quelle persone là.

Lojacono assorbí l'informazione e la incalzò:

– Quindi lei conosce...

Sul volto di Angela comparve una nuova determinazione.

– Io conosco tutto, ispetto'.

E, come se fosse un testo sacro, sollevò il taccuino con la copertina nera.

Fuori esplose un altro tuono.

XLVIII

La Piras aveva poche abitudini, ma irrinunciabili. Una, forse la principale, era prendere il secondo caffè alle nove e trenta insieme a due fra i rarissimi amici con cui si scambiava confidenze.

Pure quel giovedí, dunque, si ritrovò nell'androne del Palazzo di Giustizia con Anna, una cancelliera allegra e brillante; le due si salutarono col consueto cenno della testa e si avviarono al bar. L'ombrello, per tacito accordo, quando necessario lo portava l'amica, e nell'occasione si trattava di uno spettacolare aggeggio a spicchi colorati dalle dimensioni enormi. Rispondendo allo sguardo sorpreso della Piras, Anna si strinse nelle spalle e disse:

– Non è colpa mia, quel fesso di mio marito ha gusti assurdi.

Gli scrosci erano forti, resi ancora piú fastidiosi dalle folate di vento che li rendevano a tratti orizzontali.

All'esterno dell'edificio, intento a ripararsi in un anfratto, le attendeva Efisio, un conterraneo di Laura che operava in qualità di magistrato del lavoro nello stabile attiguo. Le insolentí in dialetto per il ritardo e si infilò a sua volta sotto l'ombrello.

L'uomo era un tipo raffinato ed elegantissimo, e si lamentava di continuo per qualsiasi cosa. Laura, scherzando, gli diceva che un gay piagnucoloso come lui era ossimoro.

– È la parola che è inappropriata, – rispondeva lui compunto, – chissà perché l'hanno scelta. Ti assicuro che essere gay in questa città è molto, molto deprimente, data la
penuria di ragazzi carini che non si vergognino di baciare
un uomo in pubblico.

Il bar era sempre lo stesso, frequentato da tutto il popolo
degli uffici del centro direzionale, ma dato il cattivo tempo, che scoraggiava permanenze all'esterno, c'era molta piú
folla del normale.

Anna chiese a Laura perché fosse cosí taciturna. Efisio
commentò immediatamente:

– Carenza di pene, Annuccia. Sia inteso come assenza
di attributi che aiuterebbero sul lavoro, sia come mancanza affettiva. Dovresti fare come me, collega, utilizzando
la vasta area della prostituzione maschile. Se vuoi qualche
numero di telefono...

Laura replicò, sarcastica:

– Bravo, passami quei numeri. Cosí qualcuno va al fresco e tu rimani senza passatempi.

Anna rise nel suo modo sgangherato e contagioso.

– Ma allora, se non ti va di pagare, e lo capisco in questo periodo di crisi, perché non approfitti della corte di
qualcuno? Puoi scegliere; dicono che perfino il famoso
Buffardi ti muore dietro.

La Piras arrossí.

– E chi l'ha messa in giro, 'sta fesseria?

Efisio batté le mani, vezzoso.

– Oh-oh, colpita e affondata! È diventata porpora, la piccola Lauretta. Be', non ti biasimo, quello è un figo spaziale,
ogni volta che lo vedo in Tv mi fa un effetto... mi viene...

Anna gli piazzò una mano sulla bocca.

– Efi', ma sei pazzo? Io un magistrato come te non l'ho
mai conosciuto, e ne ho conosciuti parecchi, te lo assicuro.

L'uomo le diede un pizzicotto sulla guancia.

– E una volta mi racconti quanti te ne sei fatti e com'erano?

Laura intervenne, fingendo sdegno:

– Ma spiegatemi, questo è l'unico argomento che abbiamo? Non si può, per una volta, parlare di qualcos'altro? Che so, politica, sport...

Efisio sbottò:

– Uh, ma che noia! Io sono andato via dall'isola per trovare un'altra mentalità e divertirmi un po'. Non immaginavo che non avrei avuto nulla da fare la sera. E poi, scusami, ma che altro c'è oltre il sesso? E noi tre condividiamo i gusti, no? Se non ci si aiuta tra amiche...

Anna sospirò.

– Se io dovessi limitarmi a mio marito, morirei d'inedia. Il mondo si divide tra chi cammina a occhi bassi, come la nostra Laura, e chi si guarda attorno con fierezza. Certo, corri il rischio di pestare una merda, ma almeno non ti perdi il panorama.

Laura, portando la tazzina alle labbra, mugugnò:

– Come se ci fosse qualcosa da ammirare.

Efisio le toccò il braccio.

– E invece sí che c'è. Per esempio quello seduto al tavolino in fondo: io per un maschio cosí potrei uccidere. Quegli occhi da cinese mi mandano in delirio.

La Piras per poco non si soffocò con il caffè e cominciò a tossire. Occhi da cinese, aveva detto?

Appena si riprese si voltò; era lui, da solo.

Afferrò per le spalle i due amici e li spinse alla porta del bar.

Anna protestò:

– Ma che ti prende, Laura?

– Andate, per favore. Ci vediamo a pranzo.

– Ma... ma come torni, senza ombrello? Piove a dirot-
to e...

La Piras sbuffò.

– Mi arrangio. Sparite.

Efisio sorrise malizioso.

– Ecco, ti accaparri sempre il meglio. Ti piace il tizio,
eh? Ma te lo lascio volentieri, tesoro, lo sai che sono buono. Perché se avessi voluto, avrei vinto io. Ho qualcosa
che tu non hai, ricorda.

Quando finalmente furono usciti, la Piras raggiunse
Lojacono al tavolino.

– E tu che ci fai qui?

Il Cinese la scrutò.

– Secondo te? Ho buona memoria. Me l'avrai detto dieci volte che ci vieni la mattina a quest'ora.

– Quindi volevi me? Non potevi chiamarmi o cercar-
mi in ufficio...

Lojacono scosse il capo.

– No. È un incontro informale. Accomodati, per favore. Puoi dedicarmi qualche minuto?

La Piras si sedette, senza abbandonare l'atteggiamento ostile.

– Senti, se si tratta ancora della storia dell'altro giorno...

L'ispettore alzò una mano.

– No, no. Niente di personale. D'altra parte non abbiamo più niente da aggiungere; siamo stati entrambi molto
chiari.

Alla Piras salí il sangue alla testa.

– Sei stato chiaro tu, al massimo. Io avrei molto altro da...

Lojacono la fermò:

– Basta, Laura. Basta. Non sono qui per questo. Ti devo parlare di una questione di lavoro, ma che deve restare
fuori dal lavoro. È chiaro?

– No. Per niente.

L'uomo prese fiato.

– Già... Ne ho discusso coi colleghi, e tutti mi hanno scongiurato di non parlartene, ma io non vedo altra soluzione. Quindi vorrei raccontare una storia alla donna, non al magistrato.

Laura era perplessa.

– Lojacono, mi stai spaventando. Si tratta di lavoro o no? Vuoi parlarmi o no? Non c'è nessuna differenza tra la donna e il magistrato, te lo posso garantire.

Il Cinese ammiccò.

– Nessuno meglio di me lo sa.

Laura accusò il colpo.

– Sentiamo questa storia, allora.

Lojacono obbedí.

E Lojacono narrò di una ragazza rimasta orfana da bambina, di un padre che dovette farle anche da madre. Di un'infanzia e di un'adolescenza di solitudine e studio, di un lavoro trovato presso un commercialista. Di un corteggiamento e di un matrimonio con un uomo dolce e semplice, che in realtà non era né dolce né semplice. Di un mestiere simbiotico, in cui la giovane metteva la competenza tecnica, colonne di numeri e trasferimenti, tassi e anonimato, e il marito i torbidi oscuri rapporti con personaggi truci che non pronunciavano mai una parola e scomparivano nella notte.

Narrò di un antico amore nato in un ristorante e fiorito su una spiaggia sotto una luna enorme. Di un *souvenir* sul grande schermo e di un altro portato nel ventre. Di un bambino, poi ragazzo e poi uomo, cresciuto credendo di essere altro da quello che era. Di una madre bellissima e celebre diventata prigioniera di un mondo costituito di ricordi. Di un fratello con due sorelle, di cui una lontana e sconosciuta. Di un amore durato una vita, lettera dopo lettera.

La storia terminava con una richiesta di aiuto e con un patto siglato mentre la pioggia batteva contro un'imposta chiusa.

Alla fine l'ispettore tacque, riacquistando l'impenetrabile espressione da orientale. Laura non credeva alle proprie orecchie. Scosse il capo, come per scacciare una scomoda impressione.

– Scusa, ma ti rendi conto di quello che... Sei impazzito? Anzi, siete impazziti tutti? E mi dici che ne hai parlato coi tuoi, a Pizzofalcone, e siete d'accordo? Allora hanno ragione a volervi chiudere. Siete una cellula folle, siete...

Lojacono insistette:

– Laura, non deludermi. Ti ho raccontato una storia, e al limite il matto sono solo io che per colpire al cuore una donna che gli interessa inventa le favole. In via ufficiale la nostra ricerca dei colpevoli del pestaggio di Ethan Wood non ha prodotto risultati, se non un'informazione riservata col nome di due teppisti da sbattere dentro sfruttando qualche altra evidenza di reato che non mancherà.

La Piras commentò:

– Una donna che gli interessa, dici? Be', almeno questo. Lo sai che hai colpito la fantasia del mio amico Efisio?

– Grazie, ma l'articolo non è per me. Insomma, che ne pensi della mia favola?

La Piras si accomodò meglio sulla sedia. Cominciò a mordicchiarsi il labbro inferiore e Lojacono capí che stava riflettendo; i piccoli vantaggi derivanti da un'assidua frequentazione.

Dopo un po' il magistrato prese a tamburellare con le dita sul tavolino.

– Ammettiamo che la tua favola sia vera, lo dico per mera ipotesi di cazzeggio, e che tu ti rivolgessi a un'amica che lavora nel settore. Ma è una pura speculazione, chiaro?

– Chiaro.
E Laura proseguí:
– Che cosa ti aspetteresti da lei?
Un sorriso guizzò e scomparve sulle labbra del Cinese.

XLIX

La strategia l'avevano stabilita al bar della piazza prima delle otto, dopo che erano usciti da casa di Meccaniello e Angela era rientrata nell'armadio con qualche speranza in piú di quando ne era venuta fuori.

Un barista assonnato li aveva serviti all'unico tavolino interno, un po' sorpreso che ci fosse qualcuno in giro con quel clima, a quell'ora, in quella stagione. Non avevano promesso nulla, però avevano anticipato alla donna e al ristoratore ciò che avrebbero tentato, che era difficilissimo, ma non impossibile. Qualora ci fossero riusciti, anche Angela avrebbe svolto la sua parte; in caso contrario, con ogni probabilità non si sarebbero piú visti. Se la Picariello non avesse ricevuto notizie in giornata, sarebbe stato il segnale che doveva trasferirsi in fretta altrove, perché quel posto non era piú sicuro.

Alex e il Cinese sapevano bene però che, se il loro piano fosse fallito, gli eventi sarebbero precipitati, perché, in mancanza di una adeguata protezione, non esisteva per Angela un luogo in cui portare a termine la gravidanza senza essere scovata dagli uomini dei Sorbo. E lo sapeva anche lei.

La questione, aveva concluso Di Nardo con cupa certezza, non era piú trovare e sbattere in galera chi aveva quasi ammazzato Wood; ora bisognava salvare altre due vite: quella della ragazza e quella di suo figlio.

Avevano contattato Palma e in poche battute lo avevano messo al corrente della situazione. Il commissario aveva ascoltato Lojacono pronunciando a stento qualche monosillabo, e alla fine gli aveva chiesto che cosa avesse intenzione di fare. Il Cinese aveva esposto il proprio disegno e il superiore aveva replicato, secco:

– È una follia! Te ne rendi conto?

– Sí, capo. Ma è l'unico modo per proteggere quella ragazza.

Dall'altro lato della linea c'era stato un lungo silenzio. Alex aveva bevuto un sorso di caffè ormai freddo con una smorfia schifata. Poi Palma era sbottato:

– Maledetto il giorno che sono venuto a Pizzofalcone. Maledetto il giorno che ho accettato, nonostante quei fascicoli personali. Maledetto il giorno che ho...

– Capo, non abbiamo molto tempo, tra poco la Wood andrà in ospedale dal fratello e...

– Va bene, cazzo. Va bene. Tanto lo so che ci licenzieranno tutti, e ci sbatteranno pure sotto processo. E guarda che se capita davvero, giuro che vi butto a mare!

– Certo, capo. Giusto. Se vuoi diremo che è stata una nostra iniziativa, che l'abbiamo pensato io e Alex e...

– Seh, figurati, iniziativa vostra. Lo sanno tutti che siete due fessi, non vi crederanno mai. Capiranno subito che dietro c'è anche la mia mente malata. Procedete. E raccomanda ad Alex di... Dille di stare attenta. Deve camminare sulle uova, capisci? Sulle uova!

Lojacono aveva riposto il cellulare, si era massaggiato l'orecchio e aveva sorriso alla collega.

– Dice che devi camminare sulle uova.

L'ispettore era partito verso la città. Alex aveva posato la tazza e con un sospiro si era avviata verso l'hotel *Tritone*, pronta a camminare sulle uova.

Holly spuntò dall'ascensore col viso tirato e pallido, senza trucco, una borsa in mano e le scarpe basse. L'occhio femminile di Alex rilevò i particolari con una punta di soddisfazione.

Le speranze di successo della tattica studiata con Lojacono si basavano su quanto la vita della donna e le sue prospettive fossero cambiate negli ultimi tre giorni, quando ogni certezza era crollata e tutto doveva apparirle confuso. La Holly che era sbarcata all'hotel *Tritone* la settimana precedente non avrebbe mai dato ascolto a ciò che Alex stava per comunicarle: l'avrebbe allontanata in malo modo, rifugiandosi dietro le mura di una fortezza costruita in anni di attenta difesa dei paletti su cui aveva fondato la propria esistenza. Ora, però, le condizioni erano mutate, e forse non sarebbero mai piú state le stesse: la questione era se Holly l'avesse compreso oppure no.

Il compito che attendeva Alex non era semplice, e la ragazza aveva letto negli occhi a mandorla di Lojacono l'ombra del dubbio. Era giovane, priva di esperienza e non dotata di un eloquio travolgente; Aragona la prendeva in giro dicendo che, forse, aveva fatto un voto per il quale non poteva allineare piú di quattro parole in una frase. E invece lei, Alex, era l'unica che poteva provarci, perché aveva stabilito con Holly un rapporto di familiarità standole vicina in ospedale, raccogliendo le sue confidenze e riuscendo a farsi consegnare le lettere di Mimí a Charlotte e quella di Angela a Ethan.

Inoltre, Alex e Holly avevano in comune qualcosa che la poliziotta aveva taciuto a Lojacono e che le univa in maniera particolare. La figura immensa di un genitore, cosí ingombrante da orientare e influenzare la vita di entrambe. Erano molto piú simili di quanto si sarebbe potuto immaginare.

Gli occhi stanchi e cerchiati dell'americana si posarono su Alex, che appena l'aveva scorta si era alzata dalla poltrona. Sul suo viso si dipinse immediato l'orrore per una eventuale, terribile notizia riguardante il fratello. Di Nardo ne intuí il pensiero e sorrise, accennando di no con la testa.

Holly sospirò di sollievo, ma subito dopo il linguaggio del corpo testimoniò un incremento della stanchezza attraverso un improvviso abbassamento delle spalle. Quella donna era sfinita. La preoccupazione per il futuro, la solitudine, la fatica fisica stavano avendo la meglio su di lei.

Alex le si avvicinò, rassicurante:

– Buongiorno, Holly. Stia tranquilla, desidero solo scambiare due parole con lei.

L'americana replicò:

– Mi scusi, è che... ho dormito poco. Sono stata in ospedale fino a tardi, e ci sto tornando ora. Ci sono segnali contrastanti e io... Capisco solo adesso quanto impegno, quanto lavoro si sobbarcava mio fratello. Da Los Angeles mi chiamano giornali e Tv; chiedono che cosa gli è successo e io non so cosa rispondere.

Di Nardo prese fiato.

– Ci sono novità. Abbiamo scoperto chi lo ha ridotto cosí e anche perché. Solo che, in effetti... In effetti non le sarebbe facile spiegare l'accaduto, Holly. E se Ethan non dovesse farcela sarà anche peggio.

La donna sbiancò in volto. Si guardò attorno e disse:

– Venga con me in sala colazioni, tanto non c'è nessuno.

Sedettero a un tavolino; una cameriera le serví e si allontanò con discrezione.

– Mi dica pure, – proseguí Holly.

Alex partí col discorso che aveva preparato con Lojacono. La storia era pressoché identica a quella che il Cinese, piú o meno nello stesso momento, stava raccontando alla Piras.

Holly ascoltava con espressione impenetrabile. Alla fine commentò:

– Quindi Ethan è stato quasi ucciso perché stava cercando... Lo sospettavo. Lo sapevo, in un certo senso. Ora però non dovremo piú avere a che fare con lei, giusto? Appena mio fratello potrà muoversi lo riporterò a casa. Taglieremo i ponti con questo dannato posto e proveremo a dimenticare tutto il prima possibile. Ma come mai mi riferisce certe cose? Non mi è chiaro.

Ecco il bivio.

– Holly, Ethan è venuto qui e ha subito quello che ha subito perché ha un legame di sangue con questa donna, che gli è sorella esattamente come lei: per metà. Se fosse stata lei nei guai, e gli avesse chiesto aiuto, si sarebbe comportato allo stesso modo.

– Dove vuole arrivare? La mia famiglia ha già pagato abbastanza questa follia. Io non ho rapporti con Angela Picariello, e non intendo averne.

La ragazza allungò la mano sul tavolo e strinse quella dell'americana.

– Non è vero, Holly. Il rapporto ce l'ha attraverso suo fratello e tramite sua madre. Ho visto le lettere: negli anni Charlotte ha seguito la crescita di Angela, che ha perso sua madre molto presto, dando consigli al padre, partecipando alle sue esperienze. È stata la moglie a distanza di Capasso piú di quanto sia mai stata la compagna di qualunque altro uomo abbia avuto accanto nella vita. E poi c'è un'altra considerazione che farei, al posto suo.

Holly era stanca, incerta e combattuta.

– Cioè?

Alex affondò il colpo.

– Allo stato attuale, dovremo rendere pubblico l'esito dell'indagine per arrestare i colpevoli, che grazie ad Angela possiamo individuare. Questo, naturalmente, porterebbe a galla il coinvolgimento di Ethan, il motivo per cui è stato aggredito. Salterebbe fuori che la sorella di suo fratello ha rapporti con la malavita, addirittura con i clan. Lei sa bene quanto sia facile, per i giornali scandalistici, azzardare collegamenti impropri. Invece, se accettasse la soluzione che abbiamo pensato di proporle, ci sono buone possibilità che le cose restino riservate; potremmo far passare la notizia che Ethan è rimasto vittima di una rapina finita male.

Holly era suo malgrado interessata, ma non si fidava ancora.

– Davvero?

Alex le sorrise.

– Abbiamo un piano. Ma lei deve aiutarci.

La donna scosse il capo, guardando nel vuoto. Poi replicò.

– Sono sola, ora. Devo difendere il nome di mia madre, e non posso lasciare che si gettino ombre sulla reputazione di mio fratello. Cosa volete?

Alex si alzò.

– Intanto facciamo una passeggiata.

L

Seduto sulla panca con le braccia conserte e le gambe allungate davanti a sé, Francesco Romano sognava.

Nel sogno si trovava dov'era adesso, all'esterno del reparto di terapia intensiva dell'ospedale pediatrico. E attendeva notizie della piccola Giorgia, proprio come nella realtà. Solo che nel sogno non si era assopito dopo una snervante notte in cui si era rifiutato di tornare a casa nonostante l'insistenza di Susy: era rimasto sveglio, e camminava avanti e indietro come un leone in gabbia.

Nel sogno la porta si era aperta ed era venuto fuori il brutto muso di Caputo, l'infermiere che la sera precedente aveva aggredito perché non voleva lasciarlo entrare; solo che non aveva la sua faccia, che peraltro non ricordava, ma quella grassoccia di Lamagna, il vicecommissario di Posillipo che ora lavorava con quello stronzo di Buffardi alla Mobile. L'uomo, ridendo, lo informava che Rampini, il collega al quale aveva accidentalmente rotto il naso nell'episodio per cui era stato cacciato, era morto. Per colpa sua. Romano gli rispondeva che non era lí per Rampini, che quella era una storia vecchia, che ormai era a Pizzofalcone ed era contento, che si era ricostruito una verginità; adesso era lí per Giorgia, e se anzi poteva fargli il piacere di dirgli come stava. Lamagna ghignava, nel sogno, e sibilava: è morta, quella piccola bastarda. Quella figlia di nessuno è morta. E sai perché? Lo sai tu?

Romano lo afferrava per il collo e stringeva, stringeva. Ma nelle mani non c'era forza, e piú premeva piú quello rideva e ripeteva: è morta perché l'hai toccata tu, Roma'. Quello che tocchi muore. Non te l'hanno spiegato, a Pizzofalcone? È per questo che vi chiamano Bastardi, Roma'. È per questo.

Poi Lamagna gli accarezzava una guancia, mentre lui piangeva e gridava: no, no, non è possibile, Susy mi ha assicurato che non c'era il rischio, che rinunciava a tornare a casa per sorvegliarla. Non è possibile.

– Non è possibile, – gridò svegliandosi.

La dottoressa Susy era in piedi accanto a lui. La limitata statura faceva sí che il suo viso fosse poco piú in alto di quello di Romano, che poté scorgere le occhiaie e i segni della stanchezza.

– Scusa, mi sono... Stavo sognando, credo.

La dottoressa sorrise.

– Sí, ho visto. Sei a pezzi, eh? Avrai le ossa rotte, eri in una posizione che...

L'uomo si alzò, stirando braccia e gambe.

– In effetti sí. Ma che ore sono? Ci sono notizie? Giorgia come sta?

Susy lo invitò a seguirla.

– Vieni con me.

Mentre percorrevano il corridoio, Romano comprese che non avrebbe sopportato una brutta notizia. Nella vita aveva affrontato molte avversità, ma questa non l'avrebbe retta.

– Susy, ascoltami.

La donna si fermò e lo fissò, interrogativa. Lui riprese:

– Senti, è importante. Se devi dirmi o farmi vedere qualcosa che... qualcosa di brutto, ti prego, lasciami andar via. Ho paura. Non ci riesco. Non se si tratta di Giorgia. Ho coraggio, in genere, ma stavolta sento che è troppo.

Gli occhi azzurri della dottoressa lo scrutarono, grandi e profondi. Troppo, per leggervi dentro. Contrasse le labbra, si girò e riprese a camminare. Dopo un attimo di esitazione, Francesco la seguí sconsolato.

Susy entrò nel suo ufficio, indicò una sedia a Romano e si sedette di fronte a lui. Inforcò un paio di occhiali e prese a frugare tra le carte sparse sulla scrivania. Il poliziotto restò in piedi, il cuore in gola.

La dottoressa reperí un pezzo di quello che sembrava un tabulato e cominciò a scorrere i dati. Poi, senza distogliere lo sguardo dal foglio, disse:

– Dunque, Giorgia è stata ricoverata con una temperatura corporea di 39,2 gradi. Quelli della casa famiglia ci hanno raccontato che da un po' mangiava con qualche difficoltà e aveva avuto un episodio di vomito, due di diarrea...

Romano la interruppe:

– Ma perché non mi hanno avvisato? Io chiamo tre volte al giorno e...

Susy gli scoccò un'occhiata severa da sopra le lenti.

– Perché in sé non ha alcun significato, France'. Sono cose che nei bambini si verificano di continuo. Dunque, in realtà ha giocato un ruolo la sua fragilità di partenza; sappiamo che cosa la piccola ha subito alla nascita e nel periodo successivo.

Romano strinse le mani sullo schienale della sedia davanti a sé.

– Come sarebbe? Ma allora...

La dottoressa sbottò:

– Lasciami parlare, accidenti! Per fortuna il 118 l'ha presa. Spesso rimandano al servizio di trasporto per le emergenze neonatali, e si perde tempo prezioso. Noi l'abbiamo messa in flebo, perché era disidratata, e abbiamo effettuato l'urinocoltura, l'ecografia addominale, gli esami del sangue.

Le alterazioni hanno confermato quello che sospettavamo e i risultati del multistix...

Romano esplose:

– Cazzo, Susy! Non capisco niente! La finisci con quest'incubo e mi dici come sta Giorgia?

La dottoressa si fermò, ripose il foglio e gli occhiali e si rivolse a Romano:

– Giorgia ha quella che noi chiamiamo Ivu: un'infezione delle alte vie urinarie. Nelle femmine può capitare, per la vicinanza del retto all'uretra, in caso di ritardato cambio del pannolino, ad esempio, o semplicemente per la presenza di batteri nelle feci.

Il poliziotto aprí e chiuse la bocca. Poi domandò:

– E adesso... Non è in pericolo, vero?

– No, non in pericolo di vita. La stiamo già trattando con gli antibiotici e lei reagisce bene. È un torello, lo sai. Resterà qui almeno per una decina di giorni, ma ce la farà. Anche stavolta.

Romano si coprí la faccia con le mani. Di colpo sentiva su di sé la stanchezza dell'universo intero.

– Il ritardato cambio del pannolino, hai detto. Quindi è stato per incuria, giusto? Hanno trascurato...

La dottoressa girò attorno alla scrivania e lo fronteggiò aggressiva con il suo metro e sessanta comprensivo del tacco degli zoccoli di gomma.

– Stammi a sentire, non fare il poliziotto adesso! In quella casa famiglia, che per inciso è la migliore della zona, vivono sedici bambini di ogni età, e tutti hanno diritto al massimo della cura! Credi che sia facile? L'altro giorno un bambino di sei anni, da un'altra parte, ha tagliato l'orecchio di una bambina di quattro perché glielo voleva modellare come quello del personaggio di *Star Trek*! Capisci a cosa devono badare, in questi posti?

Romano scosse il capo.

– Sí, ma uno… Ci sono tanti rischi, lo hai detto tu, no? E un padre, che deve fare? Non si deve preoccupare? Io è come se fossi il padre, sono responsabile di questa bambina, perché l'ho trovata io. Sarebbe morta se…

A pochi centimetri da lui, Susy replicò, severa:

– No che non sei responsabile. Sono responsabili le persone che la tengono, i magistrati del tribunale dei minori, i medici come noi, non tu. Tu l'hai salvata, ma non c'entri con quello che le succederà nella vita, durasse un giorno o cent'anni!

Romano notò che dagli occhi della donna stavano sgorgando lacrime che le bagnavano le guance. Smarrito, si calmò.

– D'accordo, d'accordo, non… Mi dispiace, io non volevo insinuare che non siete bravi o che siete disattenti, né tu né loro. È che io adoro quella bambina e…

– Credi sia facile perderli? Credi sia facile amarli, lottare per loro e vederli andar via senza che nemmeno abbiano vissuto?

– Susy, ma io non intendevo… So quanto cuore ci metti. In quei giorni sei stata tu che l'hai fatta nascere un'altra volta. Non lo dimenticherò mai!

La donna pareva non sentirlo.

– Ho rinunciato a tutto, per questo mestiere! La mia vita, la mia intera vita va a rotoli e io me ne sto chiusa qui, anche quando dovrei andarmene a casa a ricostruire… Accidenti a te!

Fu allora che Romano obbedí a un istinto che non sapeva di avere: si chinò su di lei, le afferrò con le mani il viso bagnato e la baciò. E si accorse che, senza alcuna sorpresa, lei accoglieva il bacio con trasporto, attaccandovisi come se da quello dipendesse il suo stesso respiro.

Dopo un attimo, o forse un secolo, sentirono bussare alla porta. Si allontanarono con difficoltà, ansimando e fissandosi ancora. Susy si asciugò in fretta le lacrime e disse:
– Avanti.
La porta si aprí e si affacciò Giorgia. La moglie di Francesco.
Era angosciata, lo sguardo andava da un volto all'altro temendo di leggervi qualcosa di terribile.
– Ho chiamato il tuo ufficio e... Il telefono non ti prende, Fra. Mi hanno riferito che la piccola Giorgia è ricoverata qui... Ho chiesto di lei, dottoressa, per fortuna è di turno. Non c'è niente, vero? Sta bene?
Fu Romano a risponderle.
– Sí, tesoro. Sta bene.

LI.

Come concordato, Ciro Meccaniello introdusse le due donne nel soggiorno, deposito di sedie e tavolini.

Holly aveva seguito Alex dall'altra parte della strada con crescente stupore, zampettando tra le pozzanghere, curva sotto l'ombrello pieghevole della poliziotta per ripararsi dalla pioggia. Era convinta che avrebbero raggiunto un'auto per recarsi in città: non avrebbe mai immaginato che la loro meta si trovava a pochi metri di distanza.

Il ristoratore scrutò l'americana a lungo, e cosí fece Holly con lui. Alla fine Ciro sorrise e disse:

– Gli stessi occhi della madre, – e si allontanò verso la stanza da letto. Holly cercò lo sguardo di Alex, che le rivolse un cenno di rassicurazione e la invitò ad accomodarsi. Dalla cucina proveniva odore di caffè. Trascorso qualche istante, Meccaniello tornò:

– Ci raggiunge subito. Caffè per tutti?

Holly annuí e Alex alzò due dita verso Ciro.

Qualche secondo ancora e Angela entrò nella stanza. L'arrivo degli ospiti era previsto, quindi si era messa in ordine: i capelli neri erano pettinati e le scendevano fluenti sulle spalle, i segni della stanchezza erano stati cancellati dal trucco, che sottolineava la profondità dello sguardo, la pienezza delle labbra e la linea raffinata del naso. Era davvero bellissima. Alex si scoprí a pensare che avrebbe potuto ottenere una parte in qualsiasi film. La presentò a Holly. Le due si studiarono con un misto di curiosità e timore. Forse dopo quell'incontro non si sarebbero incrociate mai piú, oppure sarebbero diventate molto importanti l'una per l'altra.

Angela si sedette e Di Nardo esordí:

– Mi dispiace che dobbiate conoscervi cosí. Poteva accadere su una spiaggia, qui a Sorrento, o a Los Angeles durante una visita di cortesia. Avreste potuto immaginare insieme un passato che non avete vissuto in prima persona, ma nel quale eravate presenti entrambe. Tra di voi non ci sono rapporti di sangue, però vi unisce lo stesso fratello. Non so se vale ugualmente: per me che sono figlia unica varrebbe molto.

Le due donne ascoltavano in silenzio. Poi Angela parlò.

– Io non ho mai chiesto niente a nessuno. Sono cresciuta sola con mio padre; era un uomo allegro, simpatico a tutti, ma non l'ho mai visto con una donna vicino. A scuola non c'era che lui a parlare con i miei insegnanti. Non ho fratelli o sorelle, perciò ho imparato a essere autonoma. Mi sono costruita la vita con le mie mani, mi sono innamorata e prima di ammetterlo ho impiegato un sacco di tempo, perché non volevo che diventasse una dipendenza. Invece, purtroppo, cosí è stato. Per questo non sono brava a chiedere. Non lo avrei fatto nemmeno stavolta; mi sarei assunta la responsabilità dei miei sbagli. Però c'è lui, adesso. Mimí.

Si accarezzò il ventre e sorrise. Il suo viso diventò luminoso e dolcissimo. Holly sussultò.

– *My God, her smile... The same of Ethan...*

Si voltò verso Alex e ripeté:

– È uguale a Ethan, quando sorride... Identica.

Angela riprese:

– Lo so che non avrei dovuto scrivere a suo fratello, signora. Non credevo si sarebbe arrivati a questo punto,

ma volevo portare mio figlio lontano da un destino che
qui sarebbe già segnato. Sa, noi continuiamo a sognare
l'America, in fondo. Non è molto diverso da... dai tempi
di mio padre e sua madre. Io volevo dare al mio bambino
un'altra vita e un'altra famiglia. Persino senza di me. Ma
magari è solo un sogno, un ricordo che non mi appartiene.
   Holly si alzò in piedi e andò alla finestra. Attraverso
la pioggia, fissò l'insegna che recitava: «Hotel Tritone».
   Spalle alla stanza, disse:
   – Piove, vedete. Invece nei racconti di mia madre c'è
sempre il sole. Io avevo paura di questo posto. Non volevo venire, perché pensavo che rimanendo lontana avrei
tenuto a bada un passato che un po' è anche mio. Ma ricordare serve al futuro.
   Tacque, poi riprese, senza voltarsi.
   – Una storia d'amore è una cosa, un figlio è un'altra.
Il film che interpretò mia madre qui si chiamava *Souvenir*,
e con un souvenir tornò a casa. Un souvenir importante e
caro, che ha illuminato la sua e la mia vita. Ethan è meraviglioso. È allegro e gentile, altruista, un vulcano di ener-
gia. È uno di quegli uomini che, quando entrano in una
stanza, la riempiono con la loro risata contagiosa. Non è
certo quel fantoccio che tengono in un letto d'ospedale
con un tubo che gli esce dalla bocca.
   D'un tratto si girò.
   – Io non ho figli. Non ne ho voluti quando stavo con
un uomo perché non mi fidavo di lui. E in effetti era uno
stronzo. Ma ho sbagliato, perché un figlio dà un senso all'e-
sistenza; invece ho preferito che la ragione dalla mia vita
fosse mia madre, e ora l'abbiamo perduta. Così è stato anche per Ethan: aspettava la donna giusta, solo che una come
Charlotte Wood non l'ha mai trovata. Un genitore, senza volerlo, può essere la rovina dei figli, quando è perfetto.

Alex sentí la lama fredda di un coltello penetrarle nel cuore. Il volto del padre, amato fino alla venerazione, che aveva deciso di non parlarle piú, si materializzò di fronte ai suoi occhi per poi dissolversi in un velo di lacrime.

Holly continuò:

– Per questo suo figlio è cosí importante, signora. Perché ha il sangue del grande amore di mia madre e quello di mio fratello. È l'unica, immensa speranza non solo sua, che è la mamma, ma anche di Ethan. E mia.

Si rivolse ad Alex, che cercava di ricacciare indietro i propri fantasmi.

– Siamo d'accordo. Se concretizzate quanto avete in mente, la signora andrà negli Stati Uniti con mia madre e Beth, dato che io resterò con mio fratello finché respira. E farà parte della mia famiglia davanti al mondo perché nel sangue e nel cuore ne fa parte da sempre.

La Picariello si alzò, le labbra tremanti.

– Angela. Io sono Angela. Grazie.

Holly sorrise.

Alex pensò a Lojacono. E si augurò che pure lui riuscisse nel suo compito, altrimenti tutto sarebbe stato inutile.

LII

Passare dalla teoria alla pratica non era stato facile. Lojacono aveva dovuto insistere parecchio per convincere Laura a fare quello che sperava avrebbe fatto, e che avrebbe
consentito a lui di fare il resto.

L'ispettore si rendeva conto che si trattava di qualcosa
in contrasto con molti dei principî che informavano non
solo il lavoro di un magistrato, ma la vita di qualunque
essere umano. Il bene e il male erano divisi da una netta
linea di demarcazione, e quella linea definiva il territorio
della legge. Il Cinese l'aveva sperimentato non poche volte, anche nella sua terra di origine.

Ma nella realtà quel confine era spesso indistinto, e
quando ci si avvicinava al crimine diventava faticoso essere gli unici tra i combattenti ad attenersi alle regole. Qui
bisognava risolvere un caso che di momento in momento
minacciava di trasformarsi in un omicidio, ma c'erano anche da salvare una donna e un bambino. Lojacono continuò a illustrare la situazione anche quando si trasferirono
dal bar alla stanza della Piras. In mancanza di un loro intervento, Angela Capasso in Picariello sarebbe stata rintracciata e probabilmente uccisa. Nessun programma di
protezione sarebbe bastato.

Certo, la si poteva abbandonare al suo destino. A
quell'ora, magari, aveva già lasciato la casa di Meccaniello

e si trovava sotto falso nome in chissà quale albergo o bed and breakfast della costiera. Si sarebbe spostata ancora, ma prima o poi qualcuno l'avrebbe notata, e avrebbe riferito. Nelle sue condizioni sarebbe stata ogni giorno piú esposta. Era solo questione di tempo.

Lojacono si appellò alla solidarietà femminile di Laura. Due innocenti ne avrebbero fatto le spese. Se il loro lavoro era catturare e punire i responsabili dei delitti, non potevano disinteressarsi di quegli stessi delitti prima che accadessero.

La Piras alla fine aveva ceduto. Dopo un lungo silenzio in cui Lojacono l'aveva vista meditare, picchiettando con la penna sul ripiano della scrivania e mordicchiandosi il labbro inferiore, si era alzata di scatto e aveva detto:

– Tu non lo conosci. È uno terribilmente intelligente, una vera volpe. Sottovalutarlo è un errore fatale. Ti affascina e ti tradisce: è la sua natura.

L'uomo non resistette alla tentazione di chiederle:

– E tu come lo sai?

Laura arrossí.

– Lo sanno tutti, qui dentro. Provo a vedere se c'è e se può riceverci.

Percorsero i soliti corridoi affollati di gente indaffarata carica di fascicoli e incartamenti. Lojacono si domandò quanto avrebbe impiegato l'èra digitale a tramutare tanta carta in bit e a svuotare l'edificio.

L'ufficio di Buffardi era molto diverso da quello di Laura: un'ampia sala d'aspetto governata da una bella ragazza con gli occhiali e un vestito che le fasciava il corpo, tre telefoni che squillavano senza sosta, una porta chiusa dalla quale provenivano diverse voci. Attesero in piedi, gli occhi della segretaria su Lojacono con un misto di curiosità e malizia femminile. La Piras gli sussurrò:

– Si chiama Francesca, è una stronza. Comincia a non fidarti.

Lojacono rivolse un sorriso alla ragazza.

– Buongiorno, Francesca.

Lei restituí il sorriso e rispose:

– Buongiorno, ispettore.

Eccomi già schedato, pensò Lojacono. Laura non trattenne un moto di fastidio.

La porta si aprí all'improvviso e sbucarono quattro uomini e una donna. Lojacono riconobbe Lamagna, il poliziotto della Mobile con cui Romano aveva sgradevoli trascorsi. I due si squadrarono ostili.

Dall'interno qualcuno li invitò a entrare.

Buffardi non si alzò dalla poltrona dietro la scrivania. Continuando a scrivere su un blocco di carta, indicò due sedie davanti a sé.

– Prego. Datemi un attimo, se no mi passa di mente.

Completò l'appunto e disse a voce alta:

– Francesca, vieni!

Le consegnò un foglietto.

– Ecco qua, occupatene tu. E mi raccomando, non ti scordare della spesa. Ho il frigorifero vuoto, a casa.

La ragazza annuí, sorrise di nuovo a Lojacono e uscí sculettando. La Piras, a denti stretti, commentò:

– Interesse privato in atti d'ufficio, eh? Ma lo sa il tuo capo che utilizzi il personale per i cazzi tuoi?

Buffardi si abbandonò sullo schienale, le mani dietro la testa.

– Siccome trascorro qui dentro il doppio dell'orario di lavoro, in qualche maniera devo arrangiarmi.

Spostò lo sguardo su Lojacono.

– Oh, ecco il famoso Cinese. Ma noi ci siamo già incontrati, o sbaglio?

L'ispettore confermò:

– Sí. L'omicidio del panettiere, Granato Pasquale. Ci siamo incrociati sulla scena del delitto.

Buffardi sogghignò:

– Sí, sí. È stato l'inizio della nostra frequentazione, no, Piras? Un bel ricordo. E poi alla fine avevate ragione voi, è cosí? Una rara circostanza. Tu sei una celebrità, lo sai, Lojacono? Si parla molto di te. In parecchi contesti, a essere sinceri.

La Piras intervenne:

– Senti, noi siamo qui per...

Il sostituto procuratore l'interruppe:

– Ma è un piacere, mia cara. È sempre un piacere vederti. Come è un piacere guardarti andar via. Da molte prospettive.

La battuta greve cadde sul pavimento con fragore. Lojacono rifletté che era una tattica precisa quella dell'uomo: essere sgradevole per alterare le strategie altrui. Per qualche motivo che gli sfuggiva, Buffardi voleva che Laura perdesse la calma. Sospettò che il lavoro non costituisse l'unica ragione del suo atteggiamento, e d'un tratto si chiese se non fosse proprio quell'individuo affascinante e spettinato l'origine dell'attuale freddezza manifestata dalla donna nei suoi confronti. Il Cinese non cambiò espressione di un millimetro, ma cominciò ad affilare la spada.

Laura, invece, stringeva i pugni e allargava le narici.

– Buffardi, per cortesia, cerca di concentrare le tue limitate facoltà cerebrali su ciò che dobbiamo dirti. Non abbiamo molto tempo.

L'uomo sorrise.

– Ah, ora non sono Diego, ma Buffardi. Allora la cosa è seria. Perciò ti sei portata la scorta?

Lojacono rimase in silenzio: se il magistrato sperava di scatenare una sua reazione, si sbagliava di grosso. La Piras, rassegnata:

– Come vuoi, peggio per te. Ti avevo avvisato che era inutile, Lojacono. Vieni, andiamocene. Faremo da soli.

Ben giocata, pensò l'ispettore. Buffardi reagí seccato:

– Mamma mia, Piras, come sei rigida. Se uno non ti conoscesse, si convincerebbe che sei sempre cosí. Avanti, in che modo posso aiutarvi?

Con la coda dell'occhio, Lojacono prese atto del rossore improvviso di Laura. Sentí un vuoto nello stomaco, come una piccola vertigine. Ma non doveva distrarsi.

Laura, senza voltarsi, per evitare il suo sguardo, iniziò a riassumere con frasi brevi e dirette quello che avevano concordato di esporre a Buffardi.

Gli rivelò che nel corso delle indagini per il pestaggio di Wood erano arrivati a capire che nel quartiere di Pizzofalcone l'americano chiedeva di Domenico Capasso, defunto nel 2004; costui era il suo padre naturale in virtú di una relazione avuta con Charlotte Wood a Sorrento nel 1962. A forza di porre domande l'uomo era stato notato e probabilmente pedinato fino all'indirizzo della figlia di Capasso che, come sapeva, era anche la moglie del latitante Nicola Picariello.

Buffardi ascoltava il resoconto della Piras con scarso interesse. Si era acceso una sigaretta e fumava con lentezza. Ogni tanto annuiva, osservando la pioggia che rigava la vetrata della finestra. Lojacono, immobile, si interrogava su quale tortura avrebbe scelto per farlo morire fra atroci tormenti.

Laura continuò imperterrita, fingendo di non accorgersi della tensione tra i due. Aggiunse che la squadra di Pizzofalcone, indagando sul passato, e attraverso una corrispondenza epistolare tra la Wood e Capasso di cui era entrata in possesso, era risalita a un contatto diretto tra Angela Picariello ed Ethan Wood. A quel punto l'atteggiamento di Buffardi mutò. Spense la sigaretta e si sporse in avanti, i gomiti sul ripiano della scrivania.

La Piras non modificò il proprio tono. Spiegò che Lojacono, seguendo una traccia estemporanea, un'intuizione, aveva rintracciato Angela Picariello e l'aveva avvicinata.

Buffardi batté una mano sulla scrivania.

– Cazzo, Piras! Eravamo d'accordo che se fosse saltata fuori una qualunque cosa sulla Picariello me l'avresti riferito subito. Quella donna può portarci al marito!

Laura replicò con freddezza:

– Parti dal presupposto che quanto ti stiamo dicendo avresti potuto non saperlo mai. E ti prego, niente manfrine sulla correttezza e sugli obblighi professionali. Tu sei uno squalo.

Buffardi si alzò in piedi gesticolando scomposto.

– Non puoi nemmeno immaginare l'importanza di Picariello, maledizione: muove centinaia di milioni di euro. I Sorbo non sono un piccolo clan di un inutile quartiere, controllano i traffici del porto, manovrano l'ingresso di una buona metà della coca che arriva in città. E lui è quello che regola i pagamenti e gli incassi: se riusciamo a capire come funziona li mettiamo con le spalle al muro. Dove sta, adesso, la moglie? Parla, svelta.

Lojacono intervenne. Voce profonda, volume basso, tono neutro.

– È al sicuro. Nessun problema con lei. E il quadro della situazione, mi creda, non ce l'avete ancora. Non completo.

Buffardi si comportò come se all'improvviso qualcuno, durante un incontro di boxe, gli avesse assestato un cal-

cio nelle parti basse. Strabuzzò gli occhi e si voltò verso
il poliziotto.

Laura sospirò piano. Il sostituto procuratore si mise a
balbettare.

– Ma... ma come sarebbe? E che ne sai tu?

Si rivolse di nuovo a Laura:

– Lo senti? Chi gliel'ha dato il permesso di... Sei impazzita, Piras? Io... io ti faccio mandare in Trentino a
contare le mele.

Lojacono riprese, sicuro, guardando il vuoto davanti a
sé. Sembrava recitare una preghiera tibetana.

– Picariello è un falso obiettivo, dottore. Non è quello
che vi serve.

Buffardi boccheggiò per quasi un minuto. Poi, pian piano, tornò a sedersi dietro la scrivania e respirò a fondo,
le mani sulla faccia, nel tentativo di placarsi e fare mente
locale. Quindi esclamò:

– E va bene. Va bene. Siete due pazzi, e in aggiunta
quando questa conversazione sarà terminata sarete rovi-
nati. Tanto vale concedervi un ultimo valzer. Tu, Lojacono, hai poco da perdere. Niente sei e niente resterai, non
importa quale pavimento andrai a spazzare. Ma tu, Laura, davvero mi deludi. Ti credevo intelligente, al di là del
bel culo. Peccato.

Laura, il viso rosso, le braccia rigide lungo i fianchi, le
mani strette a pugno, sibilò:

– Brutto maschilista bastardo, non hai alcun potere
su di me, capito? Non l'hai mai avuto; è meglio che tu lo
sappia. Io faccio il mio lavoro, tu fai il tuo, che non è piú
importante.

Buffardi scosse il capo.

– Sbagli. Tu non hai la minima idea di quanto sia grossa
questa indagine e da quanti anni la stiamo portando avanti.

Picariello è un testimone chiave, non escludo che sia una delle menti dell'intera organizzazione. L'unica labile traccia per stanarlo è quella stronza della moglie. È incinta, e mi risulta che a lui la cosa stia abbastanza a cuore. Ti ho lasciato lavorare sul caso nella convinzione che non l'avreste rintracciata, ma hai visto mai, magari potevate pure trovare una pista e allora ce ne saremmo occupati noi. Invece avete rovinato tutto. Colpa mia. Questo succede a mettere *'a pucchiacca mmano 'e ccriature*.

La Piras stava per rispondere, ma Lojacono la fermò.

– Mi scusi, dottoressa. Forse posso chiarire meglio la situazione.

Attese qualche secondo, poi riprese a parlare mentre Buffardi si teneva una mano sugli occhi e la Piras somigliava ormai a una pentola a pressione sul punto di esplodere.

– È vero, dottore. Non avevamo idea della gravità della cosa, se non dopo aver parlato con Angela Capasso. Ma se avessimo temporeggiato, se avessimo seguito le procedure, l'avremmo persa di nuovo. Non è affatto una sprovveduta, glielo garantisco. Ed è molto, molto più importante di quanto immaginiate.

Buffardi, con espressione annoiata, mosse la mano nell'aria:

– Non conta un cazzo, in sé. È una donnetta gravida spaventata. Poco più di una segretaria. È il motivo per cui l'hanno lasciata perdere. La sorvegliavano solo perché il marito è un pezzo grosso, e magari le vuole pure bene. Per questo hanno picchiato Wood; gli sarà scappata la mano. È gente così. Ma lei non conta un cazzo.

Lojacono strinse le labbra.

– Così pensano quelli del clan. Ma non è per amore che lui la cerca. Non è per il figlio; non è perché la rivuole vicino. Ci sono altre ragioni che ignorano perfino i Sorbo, perché Picariello ne ha tutto l'interesse.

Il tono piatto, rispettoso e formale di Lojacono erodeva la barriera che Buffardi aveva innalzato attorno alla propria attenzione.

– Che cazzo significa? Che cosa Picariello tiene nascosto ai Sorbo? E che ne sai tu, dei rapporti interni al clan? Credi che funzioni come nella tua isola sperduta? Capisco che quelle dinamiche le conosci bene dal di dentro, ma qui è tutto diverso.

Il riferimento al passato di Lojacono cadde come una bomba fra i tre. La Piras ebbe uno scatto, ma di nuovo il Cinese la fermò con un gesto della mano. Quell'esercizio d'autorità non sfuggí a Buffardi.

– Certo, dottore. Dalle parti mie è tutto diverso. Questi, da voi, sono ottuse bestie incapaci di ragionare. È molto semplice fotterli. Da noi no. Sono loro a fotterci, e come sa ne ho esperienza personale.

Buffardi sogghignò.

– Seh, va be'. Allora, sentiamo che diamine, secondo te, Picariello tiene nascosto ai Sorbo?

Lojacono, serafico:

– Banca di Credito Luganese. Conto sedici chyr zero otto dodici settecentotrenta.

Buffardi lo fissò, spalancando la bocca. Anche Laura si girò verso il Cinese, sorpresa.

Poi il sostituto procuratore urlò:

– Francesca!

La segretaria si materializzò all'istante. Troppo vicina alla porta, pensò Lojacono. Stava origliando.

– Eccomi, dottore.

– Il fascicolo della Svizzera, nello scaffale di Picariello. Subito.

La donna uscí, spaventata e confusa, dopo aver lanciato un'occhiata perplessa all'ispettore. Quando riapparve aveva in mano una cartella voluminosa, che poggiò sulla scrivania e se ne andò. Buffardi cominciò a scartabellare, poi trovò qualcosa e sorrise, feroce.

– Eccolo qui. Mi dispiace per te, Lojacono, ma è un mangime per polli avariato. Una vecchia strada. Lo usavano come specchietto per le allodole e...

L'altro riprese, piatto:

– E come transito, sí. C'è un sottoconto, finale settecentotrentuno, sul quale le somme vanno immediatamente; per cui il saldo del conto principale, il settecentotrenta, è sempre zero. Voi rilevate l'iniziale e il finale, che appunto è zero. Il movimento avviene in giornata, secondo l'accordo col funzionario che gestisce il cifrato.

Buffardi sbatteva le palpebre, come se stesse per scoppiare a piangere. Guardò la Piras, implorando aiuto, poi di nuovo Lojacono:

– Tu ti rendi conto che un'informazione del genere vale oro, vero? E che tenertela per te significa partecipare a un'associazione per delinquere? Che altro hai scoperto?

Lojacono non perse la sua tranquillità. Non aveva mai cambiato tono, da quando aveva iniziato a parlare.

– Io niente, e nemmeno capisco quello che le ho riferito. È solo un esempio. In realtà la persona che operava, che si occupava dei numeri, anche se era ed è all'oscuro delle provenienze e delle destinazioni del denaro, è la moglie. Picariello curava, diciamo cosí, i rapporti personali, ma non è molto capace nelle questioni tecniche. Non è la mente: è una specie di frontman, per usare un'espressione presa dal mondo della musica. Chi fa tutto è Angela Capasso ma, come le accennavo, i Sorbo non lo sanno. È per questo che loro non mostrano particolare interesse a rintracciarla, mentre il marito sí.

Buffardi era rimasto a bocca aperta, l'indice ancora sul foglio dove era scritto il numero del conto svizzero.

– Se ciò che sostieni è vero, – concluse come risvegliandosi da un incubo, – è tanto piú necessario che mettiamo le mani sulla donna. Le informazioni che ha...

Lojacono lo bloccò.

– No, non ci siamo spiegati, allora. È questo il motivo per cui la signora Picariello se ne andrà coi Wood negli Stati Uniti, con una completa documentazione e nuove generalità che ci procurerà lei, dottore, entro oggi. Sono essenziali anche un visto senza scadenza, carta d'imbarco e ingresso al gate tramite fast track. Ci occuperemo noi di scortarla all'aereo, e la lasceremo solo quando avrà allacciato la cintura di sicurezza nella business class.

Buffardi rise.

– Ma davvero? E poi io le servo la colazione a bordo? Tu sei pazzo, Lojacono, e pagherai quest'insolenza cosí cara che...

Il Cinese, per nulla impressionato, proseguí:

– In cambio, e mediante il sottoscritto, la Capasso, che non dovrà incontrare nessuno della vostra struttura, perché a quanto afferma siete sotto stretta sorveglianza, vi farà recapitare un taccuino con la copertina nera nel quale sono annotati tutti i conti internazionali su cui transitano e sostano i fondi affidati alla gestione formale di Picariello Nicola. La gestione sostanziale, le ripeto, è della stessa Angela.

Nella stanza scese di nuovo il silenzio, tanto profondo che si sentí chiaramente un fruscio vicino alla porta. Francesca si è mossa, ipotizzò Lojacono.

Buffardi riprese a respirare e riassunse:

– Ah, un ricatto. E noi saremmo sorvegliati. Addirittura.
Lojacono tacque. La Piras si accomodò meglio sulla sedia, esaminandosi le unghie.

Il sostituto procuratore continuò:

– Immagino non ci sia altro modo. Del resto non è la prima occasione in cui ci ricattano, caro Lojacono. Non sei una novità. Ma la torta è troppo grossa per rischiare che finisca nella merda. Se quello che dici è vero, allora ci costa anche poco; se è falso, non avremo perso che un passaporto e un biglietto aereo, ma io in compenso potrò farti il culo. Comunque sia ci conviene.

Si alzò, rivolgendosi alla Piras:

– Complimenti, Laura. Hai un bel cavallo, nella tua scuderia. Chissà che non mi venga voglia di rubartelo, prima o poi.

Fronteggiò Lojacono, che si era alzato a sua volta. I due uomini erano della stessa altezza.

– Adesso tocca a te, ispettore, concludere lo scambio. Qualora avessi ragione, e non ci crederò fino a quando non avremo completato le verifiche, allora hai fatto piú tu per fottere questi maledetti Sorbo di tutti i miei uomini messi insieme. Certo, puoi esserci inciampato per caso, ma te la sei giocata davvero bene. Non vorrei essere Picariello, che nel caso passerà da latitante a prigioniero. A proposito, chi è stato a pestare l'americano? Lo hai scoperto, vero? Altrimenti non ti saresti fermato.

Lojacono rispose:

– Due fratelli, gli Spasiano. Li andremo a prendere con una scusa, perché non abbiamo prove.

Buffardi, come un tifoso che ricorda con affetto due riserve della sua squadra, commentò:

– Baffone e Carluccio. Due scartine.

La Piras concluse:

– Aspetto la busta con i documenti per la Capasso sulla mia scrivania entro un'ora. Mi raccomando, non dimenticare la carta d'imbarco e il visto. Vieni, Lojacono, andiamo. Abbiamo da fare.

E uscirono in fretta. Lojacono strizzò l'occhio a Francesca, che gli sorrise.

LIII.

Palma alzò lo sguardo dallo schermo del computer di Ottavia strofinandosi una tempia.

– Vediamo se ho capito bene. Tu, Aragona, hai avuto l'impressione di uno strano movimento nei paraggi del magazzino. È cosí?

L'agente scelto annuí tra occhiali e sciarpa:

– Mpf.

Palma continuò:

– Lo prendo per un sí. Quindi hai intuito che qualcosa stesse per accadere e hai deciso di modificare le modalità della sorveglianza, passando da un semplice controllo di routine a un piantonamento stabile.

– Mpf.

– Perciò avevi bisogno di un aiuto e hai chiamato Pisanelli. È corretto, Giorgio?

Il vicecommissario starnutí rumorosamente.

– Sí, capo. Scusa, ma lo sai che ci sta un'umidità bestiale la sera. Quando ho ricevuto la telefonata del collega mi sono recato sul posto e…

– Il verbale lo redigiamo dopo. Mo' era solo per ricostruire ciò che è successo. Insomma, hai sostituito Aragona, che è andato a casa sua – poi mi fai sapere quando ti decidi a trasferirti in un appartamento dalla bettola dove stai – a fare pipí e cambiarsi.

– Mpf.

– Te la ficcherei in bocca quella cazzo di sciarpa. Ma se ti aiuta a funzionare in 'sto modo è meglio che la tieni. E dunque, intanto che Aragona era in bagno hanno portato la merce, e dopo un'ora esatta sono venuti a prelevarla.

Pisanelli, con un altro starnuto, rispose:

– Infatti. Il collega è mancato soltanto un'ora, e in quell'ora si è svolto tutto. Una mera questione di fortuna, dal mio punto di vista, e di sfortuna per Marco, che comunque ha eseguito il compito alla perfezione.

Palma era ammirato e sorpreso al tempo stesso.

– Incredibile, Arago', tu non finisci mai di stupirmi. Sembri talmente fesso da non dare adito a dubbi sul fatto che tu lo sia davvero, e ogni tanto ti produci in qualche colpo di genio che lascia senza parole. Perché lo sembra, fesso, no?

La domanda, rivolta alla totalità dei presenti, ottenne un immediato consenso. Ottavia fu l'unica a protestare:

– Dài, capo, fesso addirittura... È un poco impulsivo, ma se si applica...

Palma scosse la testa con vigore.

– No, no, Otta', proprio fesso. Ma ogni tanto dimostra un autentico talento. In questura mi avevano detto che la Finanza ci stava dietro da un sacco, a questa gente, e che 'sto magazzino a Pizzofalcone non era nemmeno una pista, ma solo una notizia. Mi sembrava strano, che avessero chiesto espressamente di Aragona, e invece avevano ragione.

Pisanelli intervenne:

– Capo, ti ricordo che sono stato io a rilevare il movimento.

– Certo, e anzi complimenti per le foto, non pensavo che fossi capace di maneggiare la tecnologia con tanta perizia. Come ci sei riuscito, a proposito? Il tuo telefonino è un ferro vecchio, mica fa scatti notturni cosí nitidi!

Il vicecommissario sorrise, asciugandosi il naso.

– Per questo Aragona mi ha prestato il suo cellulare. È stato intelligente e previdente. Sí, sembra fesso ma... L'agente scelto sbottò:

– Sfottete, sfottete. Pure Serpico, la figura alla quale mi ispiro, e vorrei che cominciaste a considerarmi al suo livello, pareva un tamarro, ma era il piú grande poliziotto di tutti i tempi.

Palma scoppiò a ridere. Quando smise concesse:

– Siete stati bravi. Le fotografie sono eccellenti. Quello che non capisco è l'altra richiesta. Se avete lavorato insieme, e per di piú stavolta è stato Aragona a concertare la soluzione, per quale ragione non dovrei riferirlo in questura? Parliamoci chiaro, Giorgio nella sua carriera ha ricevuto una marea di encomi, e al giovanotto, invece, un poco di visibilità servirebbe.

Aragona bofonchiò qualcosa al di sotto della sciarpa, poi emerse e, a denti stretti, disse:

– Preside', spiega tu per favore.

Giorgio argomentò:

– Allora, capo, le cose stanno cosí. Marco ha un sogno: spera, prima o poi, di lavorare sotto copertura. È il motivo per cui, come vedi, prova strani travestimenti che gli nascondano il volto. Lo so, è una cosa stramba, ma desidera che il suo nome e la sua faccia vengano a galla il meno possibile. Preferirebbe perciò far sapere in questura che il traffico delle borse da falsificare non è stato smascherato a seguito della sorveglianza, ma solo grazie al mio casuale passaggio in zona. Tanto non cambia niente, no? Siamo sempre stati noi di Pizzofalcone a scoprire il reato.

Palma guardò sullo schermo le foto del furgone che effettuava il carico: la targa era perfettamente leggibile.

– Non lo so. Non mi piace non riconoscere il merito a chi lavora con scrupolo. Sei certo che vuoi questo, Arago'?

La sciarpa rispose:
– Mpf.
– E va bene. Però, ragazzi, d'ora in poi un po' di rispetto per l'agente scelto Aragona Marco, il nuovo Serpico.
Il gruppo applaudí, poco convinto.
Nel frattempo fecero il loro ingresso la Piras e Lojacono, che esibivano indecifrabili espressioni. Il magistrato, senza nemmeno salutare, esordí:
– Ah, ci siete tutti. Ottimo. Allora, la Dda ci ha autorizzato, quindi procediamo secondo i piani. Di Nardo, che notizie abbiamo della Capasso?
Alex intervenne, sicura:
– Come stabilito, dottoressa. In un momento in cui la strada era deserta si è trasferita all'hotel *Tritone*, nella stanza dell'infermiera. Abbiamo curato che nessuno la vedesse entrare, mi sono occupata io stessa di allontanare il personale.
Laura annuí.
– Bene. I documenti sono in corso di emissione, me li recapiteranno nel pomeriggio. Adesso dobbiamo andare a prendere i fratelli Spasiano. Abitano in pieno Pallonetto, quindi non è un'operazione semplice, anche perché dobbiamo fare in modo che reagiscano, altrimenti non avremmo motivi per arrestarli. Siete sicuri di voler seguire la strategia che avete concordato? Secondo me è rischioso.
Palma la rassicurò:
– Tranquilla, dottoressa.
Romano scattò in piedi, una strana luce negli occhi.
– Finalmente un poco di movimento. Troppa scrivania fa venire le piaghe da decubito.
Alex si alzò, e Aragona disse:
– Mpf.
Palma replicò felice:

– Dottore', questi sono i Bastardi di Pizzofalcone. Mica pizza e fichi.

La Piras sorrise, un velo di tristezza sul viso.

– È appunto ciò che mi preoccupa. Andate, va. Io vi aspetto qui.

Lojacono si mosse per primo, senza guardarla.

LIV.

Gaspare Spasiano uscí dal portone tirando su la lampo della giacca di pelle. Ne era molto orgoglioso: i film con i cattivi che indossavano giubbotti lucidi e neri sopra anfibi lucidi e neri e che salivano su moto lucide e nere indossando caschi lucidi e neri gli procuravano ogni volta una scarica di adrenalina emulativa, facendolo sentire forte e bellissimo.

In realtà Gaspare non era particolarmente bello, coi capelli lunghi e stopposi che avevano da tempo lasciato libera una vasta zona sulla sommità del cranio; e anche la dentatura non reggeva la parte, scura e irregolare com'era. Per fortuna i baffi folti e spioventi bilanciavano la situazione, conferendogli l'aria minacciosa che sperava di trasmettere; e d'altra parte la corporatura massiccia e l'altezza, i fattori piú importanti, li possedeva, anche se la pancia prominente per eccesso di birra e vino doveva essere celata sotto un abbigliamento studiato ad arte.

L'aspetto estetico non era tuttavia la principale preoccupazione di Gaspare, al momento. Ciò che lo impensieriva era quel fetente di Quattrocchi, soprannome con cui lui e Carluccio chiamavano Nicola Picariello, il dottore. Si erano fatti scappare sua moglie sotto il naso, e sebbene dividessero la responsabilità con il portiere Dell'Aquila, con questo nessuno se la prendeva, come se la colpa fosse solo di Gaspare e di suo fratello Carlo. Era stata brava, la puttana, a filarsela proprio nei cinque minuti tra la chiusura della guardiola e il loro arrivo, con le moto, sotto casa del Quattrocchi. Mica potevano stare là ventiquattr'ore al giorno, no? E il giovane Sorbo, quando erano andati a dirglielo, terrorizzati dalla possibile reazione, aveva a stento alzato le spalle:

«Baffo', *futtetenne*. Il dottore si è incazzato perché la moglie è gravida, si può capire, ma a noi non ci interessa di lei; anzi, se è sparita non ce l'hanno manco le guardie, quindi è meglio. L'importante è che lui continua a *faticare*, stai tranquillo. Voi tenetemelo d'occhio. Comunque ne parlo a papà».

Ora dovevano tornare alla villetta sul litorale dove svernava Quattrocchi, e sarebbero stati di nuovo costretti a mentire, dicendo che avevano buone speranze di trovarla, la puttana, mentre nemmeno la cercavano. La prospettiva non lo allettava affatto. Per di piú il fratello perdeva tempo in bagno come al solito, e cosí erano pure in ritardo.

Appena all'esterno si accorse con orrore di un vero e proprio atto di lesa maestà che si stava consumando nel vicolo: c'era un tizio in sella alla sua motocicletta, con le scarpe sul sedile di quella gemella di Carlo. Gaspare non si capacitava: tutti sapevano che era sacra, che nessuno poteva neanche immaginare di appoggiarvisi contro. E invece il tizio mandava messaggi col telefonino standoci comodamente seduto sopra; e dalla parte del cavalletto, a rischio di piegarlo.

Lí per lí a Gaspare non venne fuori nemmeno la voce, tanto era sconvolto dall'enormità dell'evento. Di sicuro era un turista, in ogni caso era il momento di spaccare un'altra testa.

– Oh! – urlò.

Carluccio, ritenendo che il richiamo fosse rivolto a lui, rispose dall'interno:

– Sto arrivando, Baffo', eccomi!

Gaspare ripeté l'urlo, avvicinandosi al tizio, che però aveva le cuffiette nelle orecchie e seguiva un ritmo coi piedi. Non ebbe dubbi che il fratello, capace di uccidere per molto meno, gli avrebbe inghiottito il cuore.

Lo ghermí per un braccio, e quello alzò lo sguardo. Almeno a Gaspare parve cosí, perché gli occhi erano schermati da un orribile paio di occhiali azzurrati che probabilmente risalivano agli anni Settanta: e non era neppure l'indumento piú orrido, perché la parte inferiore della faccia era coperta da una terribile sciarpa colorata.

Il tizio tolse una delle cuffiette e disse, serafico:

– Mpf?

Gaspare lo sollevò di peso, ruggendo una bestemmia. Il tizio cominciò a muovere i piedi a mezz'aria, lamentandosi. A quel punto da dietro l'angolo sbucò un secondo tizio con il collo grosso. Nella nebbia della furia, Gaspare si chiese che fine avesse fatto Gigetto, il ragazzino di vedetta all'imbocco del vicolo, il cui fischio avrebbe dovuto avvisarli di presenze estranee. In realtà il ragazzino era lí che mugolava nel tentativo di liberarsi dalla ferrea presa di un determinato Pisanelli, che gli stringeva entrambe le orecchie tra le dita, torcendole.

Tizio due, quello col collo taurino, si avvicinò e, con gli occhi concentrati come se stesse ripassando una lezione, gli sferrò un colpo di taglio sulla spalla, in corrispondenza di un nervo. Il braccio di Gaspare si addormentò all'istante e tizio uno poté rimettere i piedi nel luogo a loro piú consono, cioè per terra.

La scena era durata meno di due secondi, poi fece il proprio ingresso sul palcoscenico Carluccio, che credeva di doversi difendere dalle rimostranze espresse per il suo ritardo. Gli bastò un'occhiata per capire che c'era un problema, anche perché tizio due continuava ad assestare pugni sullo sterno di Baffone, togliendogli il fiato e gran parte dell'aggressività.

Tutto si poteva dire di Carlo Spasiano, tranne che fosse privo di spirito d'iniziativa. Con un solo, fluido movimento, e superando in un decimo di secondo la sorpresa per l'anomala circostanza, estrasse la Glock 17 che portava nella cintura, reggendola come aveva visto fare mille volte in Tv dai criminali del Bronx, e cioè obliqua e alta rispetto al corpo.

– Tengo il ferro! – esclamò, per spiegare il concetto a eventuali spettatori non vedenti.

– Anch'io, – rispose una voce calma alle sue spalle. Con la coda dell'occhio scorse una ragazza sottile e ben vestita che impugnava una Beretta in posizione meno plastica della sua ma piú efficace: con due mani e a gambe larghe. A Carluccio era stato sempre chiaro un precetto della vita in strada, e cioè che si comprende dallo sguardo di chi ha la pistola se realmente sparerà o no. Quello della fanciulla con la Beretta era sicuro e diretto, comunicativo come un'Ave Maria. Lasciò cadere la semiautomatica.

Mai si sarebbe potuto dire, però, che i fratelli Spasiano, ancorché colti di sorpresa e in minoranza, avevano consentito a uno di ascoltare musica coi piedi sulla sella di una delle loro moto e restare vivo per raccontarlo. Pertanto, mentre l'attenzione di tutti era concentrata su Carlo, Gaspare estrasse un coltello a serramanico lungo quanto una notte d'inverno e alzò il braccio per sgozzare tizio due, che si era voltato per raccogliere la Glock.

Fu allora che spuntò a passo lungo un tizio tre, con i lineamenti da orientale e gli zigomi alti, che gli appoggiò sul collo la canna di un'ulteriore Beretta, recitando la seguente formula magica:

– Possesso di armi da fuoco, e non credo detenute con regolare permesso, dato il lungo elenco di precedenti a vostro carico; armi da taglio; resistenza a pubblico ufficiale; tentato omicidio plurimo. Ed è solo l'inizio di una lunga lista. Pertanto, cari fratelli Gaspare e Carlo Spasiano, salutate la luce del sole, perché mi sa che la rivedrete tra parecchio tempo.

Gaspare, a muso duro, e mentre tizio uno gli metteva le manette canticchiando una canzone dietro la sciarpa, ribatté:

– E del fatto che questo stronzo teneva i piedi sulla sella non vogliamo dire niente?

LV

Nicola Picariello cominciò a sospettare che fosse successo qualcosa quando Spadino e Raspone, i due addetti alla sorveglianza di giorno, non ricevettero il cambio all'ora stabilita.

Li vedeva dalla finestra, nervosi, che litigavano; in genere erano praticamente muti. Lui non ci parlava mai, non sapeva nemmeno se quelli fossero i loro cognomi o, come quasi sempre accadeva, dei soprannomi.

Picariello aveva un rapporto strano con quella gente. Ormai, dopo l'emissione del provvedimento nei suoi confronti, si poteva affermare che fosse organico al clan, ma non interagiva con la manovalanza. Lui comunicava col Vecchio e solo di rado col Giovane, che possedeva l'astuzia del padre ma anche una latente brutalità che lo spaventava.

Il Vecchio nutriva nei suoi confronti una forma di rispetto d'altri tempi, quando l'ignorante delegava all'istruito i compiti per cui non era preparato. E del resto, l'impegno di Picariello era stato una delle forze motrici principali, se non la piú importante, per la costruzione del potere di quella famiglia. Un potere che era diventato davvero notevole.

Il pensiero gli trasmise un enorme disagio. Forse era la pioggia che cadeva fitta, o la vista di quei due che gesticolavano sotto un patio costruito per riparare dal sole e non dall'acqua, ma il senso di oppressione che provava da giorni si intensificò.

Maledetta puttana, pensò, dove sei?

Aveva commesso un grave errore di valutazione, che non si perdonava, ritenendo che Angela non sarebbe cambiata; che sarebbe rimasta sempre la ragazza dolce e remissiva, con un passato di solitudine di cui non raccontava nulla, incontrata durante un banale colloquio di lavoro e assunta per il suo grande, assoluto talento. Non immaginava che sarebbe riuscita a raccogliere la forza per scappare, rendendosi introvabile pure a quella gente.

Non aveva tenuto conto della sua condizione. Di come, una volta incinta, quella piccola donna piena di fobie avrebbe avuto accesso a nuove risorse.

Non poteva scartare l'ipotesi che avesse compiuto un gesto estremo. Quasi se lo augurava: almeno non avrebbe potuto vuotare il sacco.

In realtà le aveva anche voluto bene. Certo non l'amava, perché Nicola Picariello amava solo sé stesso, e a essere sinceri i suoi gusti andavano in un'altra direzione, come Mary e il suo splendido fondoschiena potevano testimoniare; ma le capacità della moglie, il suo intuito per le soluzioni migliori e piú convenienti, meritavano un anello. Ora, però, era tutto a rischio, giacché nessuno sapeva che Angela Capasso, di cui aveva sollecitato la ricerca senza poter insistere piú di tanto, era la vera artefice della fortuna finanziaria dei Sorbo.

Gli avevano garantito che era da escludere l'adesione di Angela a un programma di protezione testimoni. I Sorbo avevano uomini all'interno delle strutture che amministravano quelle posizioni e organizzavano le nuove residenze in varie località del Paese; il nome di Angela non era negli elenchi. E fuori dall'Europa non poteva scappare, perché il suo passaporto ce l'aveva lui. Ma allora dove si era cacciata?

La domanda risuonò nella sua mente mentre guardava la pioggia bagnare i due scagnozzi costretti a prolungare a dismisura il proprio turno per il ritardo dei fratelli Spasiano. La necessità di rintracciare Angela aveva una duplice valenza: per lui rappresentava la garanzia di poter continuare a gestire la massa di denaro agli stessi livelli; per gli inconsapevoli Sorbo, il contenimento del rischio che le informazioni di cui la donna era in possesso circa le allocazioni dei soldi potessero trapelare.

In verità sulla seconda questione era ottimista. Non credeva possibile che la moglie ricordasse a memoria i numeri dei conti cifrati, che erano decine, e la quantità dei movimenti. E nemmeno poteva esserseli annotati: non c'erano stati preavvisi alla chiusura dello studio, e lei si fidava di lui ciecamente. Era pur sempre una fragile donnetta insicura. E incinta.

Fu invaso da un'ondata di ottimismo, e provò a coltivarla. Angela poteva sparire senza lasciare traccia, o essere trovata dai Sorbo. E in fondo ciò che era in grado di fare lei era in grado di farlo anche lui, che era piú intelligente. L'importante era la fiducia del Vecchio, e quella era riversata su di lui.

D'un tratto, scorse una grande macchina scura avanzare sul vialetto della villa, spuntando dalla macchia di pini marittimi che nascondeva la costruzione alla vista dalla strada. Ecco il cambio, pensò. Finalmente. Quei fessi dei fratelli Spasiano saranno caduti dalle loro ridicole moto.

Dall'auto, invece, venne fuori il Giovane, insieme a quattro scagnozzi che si fermarono a parlare con Spadino e Raspone. Picariello ne fu sorpreso, perché il Giovane, copiando le abitudini del Vecchio, non si spostava quasi mai dalla residenza di Pizzofalcone.

Dopo qualche attimo entrò, sorridente e ribaldo come sempre. Era bruno, molto bello; aveva i lineamenti regolari della defunta madre, una modella popolarissima negli anni Settanta di cui il Vecchio si era invaghito e che aveva subito comprato. Si mostrava consapevole dell'età, della ricchezza e dell'aspetto; debolezze, rifletté Picariello, che alla lunga avrebbero fregato la famiglia. Il Vecchio era umile e gentile, rispettoso e prudente, e soprattutto ascoltava; qualità che non si possedevano solo per il fatto di imitare un modo di esprimersi o degli atteggiamenti.

Il Giovane esordí:

– Salve, dotto'. Siete contento che vi sono venuto a trovare? Come va la villeggiatura?

Picariello rimase serio.

– Salve, signor Sorbo. Io non sono in vacanza, come sa. Lavoro a pieno regime. Glielo può confermare la signora che avete messo qui per darmi una mano.

L'espressione del Giovane non cambiò.

– Certo, certo. E vedrete che questa situazione sgradevole si risolverà presto, gli avvocati nostri se ne stanno occupando; nemmeno si capisce come si sono permessi di fare una simile stronzata nei vostri riguardi. Mi fa piacere che stiate bene. Però ci sarebbe un altro... inconveniente, una piccola cosa che dobbiamo affrontare.

Il cuore di Picariello mancò un battito.

– Cioè?

Il Giovane scosse appena la testa.

– Niente di che, state tranquillo. È che qualche ora fa si sono pigliati i fratelli Spasiano. Una specie di rissa, non si sa bene che cosa è successo. Però il problema è che quei due dovevano controllare vostra moglie.

Picariello chiese:

– E allora?

Sorbo si strinse nelle spalle.

– E allora, dotto', magari non ci azzecca niente; magari i due imbecilli, che non comprendo perché mio padre
considerava ancora operativi, si sono presi a mazzate con
un agente in borghese e se li sono portati. Però ci sta pure la possibilità che, in qualche modo, la polizia risalga a
qualcos'altro. Questo ci consiglia di metterci in movimento, vi pare?

Il commercialista ripeté:

– E allora?

Il Giovane rise.

– E allora e allora... Dotto', sembrate un disco rotto,
come dice papà. Da un lato significa che le guardie non
tengono a vostra moglie in mano, ed è una cosa buona;
dall'altro può essere che si stanno avvicinando a voi, perché gli Spasiano lo sanno che voi state qua, e gli può scappare l'indirizzo. Quelli sono fessi. E i fessi parlano.

Picariello aprí la bocca e la richiuse. Stava per domandare: E allora?

Come l'avesse detto, Sorbo riprese:

– E allora io e papà abbiamo pensato che vi dovete tra-
sferire subito subito, per evitare eventuali iniziative deri-
vate da quello che potrebbero rivelare i due deficienti. Ce
ne andiamo in montagna, stavolta. Farà un po' freschetto,
ma ci sta un bel riscaldamento, non vi preoccupate.

Si avvicinò a Picariello e gli diede un buffetto sulla
guancia.

LVI

Per il trasferimento avevano a disposizione due automobili prive di ogni contrassegno. Ciò avrebbe consentito di scortare le tre donne in partenza e l'accompagnatrice con un maggior numero di elementi. Le macchine avrebbero mantenuto una certa distanza tra loro, restando però in comunicazione costante.

La scelta di un profilo basso era stata confortata dalla ragionevole convinzione che non ci fosse un reale interesse della malavita a trovare Angela; la strategia era supportata anche dalle informazioni che, in via assai riservata, la Piras aveva assunto da Buffardi quando lui aveva consegnato di persona i documenti della Capasso, che sarebbe diventata la signora Antonella Conte, infermiera professionale. Il sostituto procuratore aveva avuto conferma che i Sorbo si preoccupavano soltanto di mantenere Picariello libero di svolgere la propria attività. Quindi avrebbero presto avuto brutte sorprese.

Le intese tra i due magistrati, secondo le richieste di Lojacono, prevedevano l'inizio delle rogatorie internazionali sui conti e sui movimenti indicati nel taccuino nero non prima di una ventina di giorni dall'arrivo di Angela negli Stati Uniti, cosí da permettere alla donna e alla famiglia Wood di assestarsi nel nuovo contesto. Peraltro, Holly aveva chiarito che la competenza di Angela in materia di transazioni e investimenti sarebbe tornata assai utile alla Fondazione Bill Wood, che gestiva il patrimonio familiare.

Tali rassicuranti considerazioni non autorizzavano però ad abbassare la guardia, e i Bastardi avrebbero curato lo spostamento da Sorrento all'aeroporto muovendosi in forze. Nella prima automobile, con Aragona e Alex, avevano preso posto Holly e Beth, l'infermiera, vestita per l'occasione in abiti borghesi; nell'altra, insieme a Romano e Lojacono, viaggiava Charlotte con Angela, che invece indossava il camice e il cappellino di Beth.

L'arrivo di Lojacono aveva reso felice la vecchia.

– Oh, Vittorio! – aveva esclamato. – Hai visto chi è venuta a trovarmi? Sofia! È ancora piú bella adesso che aspetta un bambino. Dice che le hanno dato la parte di un'infermiera, e abbiamo deciso di fare pratica. Io fingerò di essere vecchia e malata e lei mi assisterà. Vuoi interpretare il nostro autista?

Holly aveva fretta di tornare all'ospedale. I medici le avevano detto che si registrava qualche segnale positivo, ma che Ethan non avrebbe retto a un periodo di incoscienza eccessivamente prolungato. In pratica si avvicinava il momento decisivo, in un senso o nell'altro, e la donna non voleva lasciarlo solo; teneva però anche a salutare la madre, che non avrebbe rivisto per un lasso di tempo indefinito. Alex provava molta pena per lei, che si sforzava sempre di sembrare forte, mentre non lo era affatto.

All'arrivo il gruppo si separò; si sarebbe riunito nell'area degli imbarchi.

Collocarono Charlotte su una sedia a rotelle e, come stabilito, attivarono la procedura per l'accesso dei disabili all'aeromobile.

Il saluto di Holly alla madre fu commovente: l'anziana ebbe uno dei suoi rarissimi momenti di lucidità e si illuminò, rivolgendosi alla figlia:

– Bambina mia, sei cosí stanca. Ti prego, riposati. Lo sai quanto sei importante, per me. Grazie per avermi portato a sentire l'aria del mio amore: mi hai regalato l'ultimo sorriso.

Un attimo dopo si voltò verso Angela, in divisa e con gli occhiali da sole, e le disse:

– Dài, Sofia, devi essere piú pronta: le infermiere non vanno sollecitate, si muovono di loro iniziativa. La vuoi o no, questa parte? Se no la dànno ad Ava.

Lojacono le si avvicinò e la baciò sulla guancia. Charlotte lo fissò, sorridendo, e gli chiese:

– Ciao! Sei un fan?

L'ispettore era disorientato.

– Ma non mi riconosci, Charlotte? Sono Vittorio!

Lei lo squadrò, con gli occhi severi.

– Chi vuoi prendere in giro. Io lo conosco bene, Vittorio. È molto, molto piú bello di te.

E, spinta da Angela, si avviò all'aereo.

Romano posò una mano sulla spalla di Lojacono, per consolarlo.

LVII.

Dopo qualche giorno, anche ottobre finí.

Bene o male aveva portato a termine il suo lavoro, tra-
ghettando il mondo dal caldo dell'estate al freddo umido dell'inverno che sarebbe arrivato; regalando alcune
giornate di sole che contenevano la memoria del mare e
della sabbia, delle canzoni stupide e del gusto di amare-
na e panna, e altre di tramontana, che avevano reso l'aria
limpida e sincera, dolorosa e gravida di promesse di ren-
ne, trapunte e odore di legna bruciata.

Ottobre intermedio, ottobre indefinito. Ottobre tra un
sorriso e una minaccia.

Ottobre da ricordare, ottobre da dimenticare.

Pisanelli arrivò con passo un po' incerto da Samuele,
il ciabattino. L'uomo continuò a estrarre chiodini dalla bocca e martellarli in una suola. Non alzò la testa, ma
sorrise.

– Oh, Giorgio. Ci stiamo vedendo spesso, ultimamente. Tieni una scarpa rotta?

Il poliziotto non replicò niente, per un po'. Si sedette
con un gemito sull'unica sedia della bottega, una vecchia
sedia impagliata con una gamba che tendeva all'esterno e
un po' traballante.

Samuele lo sbirciò di lato, attraverso gli occhiali che
aveva sulla punta del naso. Era pallido; rigirava tra le dita

una penna di quelle da bambino, a tante cariche colorate e con un supereroe sopra. Pisanelli sospirò.

– Samue', secondo te, se uno ha un amico, fino a dove si deve spingere per aiutarlo?

Il ciabattino diede un paio di martellate e si fermò meditabondo.

– Dipende, Giorgio. Amico quanto? Amico come? Gli sei grato per qualcosa? Allora nella stessa misura ti devi spingere. Bevete e mangiate insieme? Comportati nel limite di quello che credi giusto. È una parte di te? Puoi fare quello che faresti per te, giudicandolo come giudicheresti te stesso.

Pisanelli respirava pesante. Samuele si preoccupò; abbassò il martello.

– Pisane', stai bene, sí? Che succede?

L'altro guardò fuori dalla porta il piccolo fiume d'acqua che correva in discesa nella strada verso un tombino.

– Quindi, se uno mente per sé stesso, deve mentire anche per l'amico. Ma se l'amico, amico assai, fa qualcosa di male? Di terribile?

Samuele scosse la testa e riprese a martellare.

– Il male, il bene. Chi li giudica, il male e il bene? La legge? Gli uomini? Uno deve seguire quello che gli dice il cuore, Pisane'. È sempre la cosa migliore.

L'anziano poliziotto si alzò a fatica, diede un colpetto sulla spalla curva del ciabattino e uscí nella pioggia.

Ottobre da perdonare, ottobre senza colpe.

Il generale Adolfo Di Nardo caricò la pistola e infilò le cuffie per proteggersi le orecchie. Tirò un respiro profondo, sistemò gli occhiali sul naso e si mise in posizione: le due mani impugnavano l'arma, salde.

Fermò il fiato al punto giusto e cominciò a sparare.

I colpi perforarono la sagoma all'altezza del petto e della testa; tre e tre, precisi. Il meccanismo gli portò il bersaglio davanti agli occhi, ma lui non controllò. Era già impegnato a ricaricare.

A chi spari, generale? A che serve tutta questa rabbia, questo inferno in corpo? Erano interrogativi che si poneva da parecchio tempo, nel segreto della sua anima, nella camera oscura interiore in fondo alla quale nemmeno uno spiffero entrava dall'esterno.

Sono le regole, no? Quelle stesse regole che non ti permettono di spingerti oltre un cenno del capo; mai una carezza, mai un bacio.

Le mura servono a non far entrare. La difesa, no? La difesa. In quanti sono disposti ad ammettere che le mura servono anche a non uscire?

Il generale sparò di nuovo, le braccia tese, gli occhi puntati sul nemico innocente, un pezzo di carta o un soldato, un rapinatore o una figlia. Le mura per non far entrare. Le mura per non uscire.

La maledetta paura che non lo aveva mai abbandonato, che teneva nascosta come una belva sudicia di cui vergognarsi. Quella paura che gli aveva fatto perdere il sorriso dell'unica persona che davvero amava al mondo.

Mentre esauriva i colpi, rivide una bambina che dormiva al buio. Lui rientrava da un campo, quattro mesi nel bosco coi suoi ragazzi: stelle e luna e pioggia e fiume. Era stato bene, stava sempre bene in quelle situazioni. E quella bambina, rannicchiata nel suo letto, una bambina sconosciuta, lo accusava proprio di questo: di stare bene lontano da lei.

Con la pistola in mano, ricordò che proprio quella bambina era stata la ragione per cui aveva rinunciato a un pez-

zo importante della sua carriera, e che lo aveva convinto
cosí, assopita su un fianco, senza dire nulla. Non c'erano
stati piú campi o addestramenti o missioni all'estero: aveva scambiato tutto con una scrivania, e con gli occhi neri
di sua figlia. Con lei.

E adesso l'aveva persa, perché non era capace di accettare che fosse cresciuta, che fosse ciò che sperava di
diventare, che fosse indipendente. Mura per non far entrare, mura per non uscire.

Se avesse avuto un'altra occasione, solo un'altra, le
avrebbe detto di stare tranquilla. Le avrebbe chiesto se
dormiva ancora sul fianco, ora che era una donna. Sarebbe andato a trovarla, a vedere come s'era sistemata.
Le avrebbe domandato se aveva bisogno di aiuto, magari
per inchiodare un quadro in alto, lei che era cosí piccola
e cosí testarda.

Le avrebbe detto che l'amava e che se non gliel'aveva
mai confessato prima era perché viveva dietro quelle mura.

Se avesse avuto un'altra occasione.

Si tolse le cuffie per massaggiarsi le orecchie.

Dietro di lui, Alex disse: Ciao, papà.

Ottobre per avvicinarsi, ottobre per allontanarsi.

Romano uscí di casa e salí in macchina col cuore in tu-
multo.

L'avvocato lo aveva avvertito che la data per l'incontro
con la presidente del Tribunale dei minori era stata fis-
sata per la fine di novembre. Aveva sorriso, l'avvocato,
con quegli occhi verdi e quel naso un po' lungo che rassi-
curavano. Gli aveva detto che non aveva dubbi, che lui
e Giorgia sarebbero andati benissimo, e che comunque,
prima di allora, li avrebbe ricevuti un paio di volte, po-

nendo loro le domande che, probabilmente, gli avrebbe
rivolto la presidente.

Gli aveva detto, l'avvocato, che una sola cosa era importante: voler bene. Voler bene alla bambina, volersi bene
fra loro. Se dimostravano questo, il piú era fatto.

Guidando, Romano risentí queste parole e sentí anche
il calore della mano di Giorgia sulla sua, che lo accarezzava per confortarlo. Rammentò il sorriso dell'avvocato che
notava questa manifestazione d'affetto. Appunto, aveva
detto. E tutti e tre avevano riso.

La bambina, pensò Romano cercando un posto per l'auto, era di nuovo in salute. L'infezione era rientrata, la terapia antibiotica aveva funzionato. Giorgia gli era stata
vicino per tutto il tempo, dandogli il cambio quando lui
doveva andare al lavoro, prendendo permessi presso lo
studio dove era impiegata.

Era una donna meravigliosa. Sarebbe stata una madre
meravigliosa.

Aspettò un po', sorridendo incantato perché, dopo tanto tempo, sentiva ancora quel vuoto nel cuore, quell'incanto dato dal sangue che scorreva nelle vene. La bellezza dell'attesa.

Lo sportello si aprí e sentí la sua voce dolcissima: Ciao,
tesoro.

Ciao, rispose. E baciò la dottoressa Susy sulla bocca.

Ottobre per chiudere, ottobre per aprire.

Finita. La giornata è finita.

Questo diceva un tempo, Ottavia. Quando Riccardo
era piccolo e non era poi cosí diverso dagli altri bambini.
Quando Gaetano, il marito, era ancora capace di strappar-
le un sorriso con la sua impacciata tenerezza.

Adesso, invece, attendeva a occhi aperti la mattina, fissando il soffitto muto e immutabile che sovrastava i suoi dubbi e le sue incertezze. Riccardo stava diventando l'immenso, insuperabile problema che già sapevano sarebbe diventato: la voce che cominciava ad avere un tono cavernoso e quella cantilena, mamma, mamma, mamma e basta, pronunciata da un bambino stringeva il cuore, ma se era un adulto, a farlo, metteva paura. Anche Gaetano era diventato insopportabile. La sua silenziosa dedizione e il suo comportamento impeccabile suonavano come un'accusa.

Arresta il sistema, le disse il computer. E lei lo arrestò, sperando che l'indomani arrivasse prima possibile.

Le restava però da godersi l'ultimo piacere della giornata, quel saluto di un attimo tanto bello e fugace. Prese un respiro e si affacciò alla porta dell'altro ufficio, dicendo: Ciao, capo. A domani.

Lui alzò la testa con quegli adorabili capelli scompigliati, mostrando il nodo della cravatta perennemente allentato, le rughe meravigliose ai lati degli occhi che si accentuavano per un sorriso che era per lei, solo per lei. Ciao, Otta'. A domani.

Stava per chiudere la porta quando lo sentí dire: Amore mio. Si riaffacciò, il cuore che balzava in petto, gonfio di terrore e aspettativa: Hai detto qualcosa?

La voce nella mente di Palma ripeteva: Sí, ho detto amore mio. Ma dalla sua bocca uscí solo un nuovo sorriso, triste: No, Otta'. Niente. A domani.

Ottobre per il passato, ottobre per il futuro.

La musica veniva fuori dolce dalle casse. Musica classica, una passione segreta. Un'altra.

Lojacono era convinto che il passato meritasse una chance, nei gusti come nella vita. Bisognava essere obiettivi, magari qualcosa poteva essere bello, anche se si riteneva di averlo superato, di averlo archiviato. Aveva la sindrome dell'usato sicuro, insomma.

Marinella, che ultimamente lo prendeva per i fondelli come le figlie adolescenti devono fare per statuto, gli contestava di aver cominciato a dire: Ai miei tempi. E di manifestare una curiosa ostinazione nei confronti della tecnologia: non fotografava col cellulare, non usava nuovi metodi di comunicazione. Magari aveva ragione lei. Magari non voleva invecchiare perciò tentava di fermare il tempo. E magari, facendo cosí, sembrava vecchio, invece.

Era felice di come si era conclusa la vicenda Wood. Aveva seguito la giustizia superando la legge. Non si era comportato in maniera ortodossa, ma gli obiettivi erano stati raggiunti. E aveva pure avuto l'occasione di guardare dentro di sé, di ricomporre le priorità.

Marinella veniva prima di tutto. I figli sono il souvenir piú prezioso, stanno lí per ribadirti chi eri e chi sei, per rimettere sempre in discussione i tuoi comportamenti.

Ed era meravigliosa pure la consapevolezza di aver ricominciato a fare il proprio lavoro, quello per cui era nato, e aver compreso che era bello farlo da soli, ma che in squadra era meglio. I Bastardi di Pizzofalcone erano la squadra migliore in cui avesse mai giocato.

Tutti valori fondamentali, sí. Però, e questo l'aveva capito con altrettanta chiarezza, aveva anche un altro importante dovere da assolvere. Un obbligo immenso verso qualcuno al quale occorreva rendere conto per forza.

Qualcuno che gli compariva nello specchio ogni mattina.

Rimpianti e rimorsi, insomma, avevano lo stesso giudice che non concedeva appelli né dimostrava magnanimità: lui stesso.

La vita passa, ripeteva Pisanelli con la malinconia nella voce. E loro, i colleghi, sapevano che aveva in mente la sua Carmen, e quante cose avrebbe potuto ancora fare e dire e vivere con lei, se non l'avesse perduta.

Era per questo, pensò Lojacono mentre sorseggiava il suo bicchiere di vino rosso ascoltando Gershwin, che la vita, al netto di tutto, andava vissuta, e nel modo migliore possibile. Era per questo che, un paio di giorni dopo aver arrestato gli Spasiano, aveva trovato il coraggio di ripresentarsi in un certo bar, dove di nuovo due di un gruppo di tre amici erano usciti subito ridacchiando.

Era per questo che adesso, bevendo nudo il suo vino, poteva sentire il calore del corpo altrettanto nudo della dottoressa Laura Piras accoccolata al suo fianco. Vino. Gershwin. Laura. Aveva assolto agli obblighi che aveva nei confronti di Lojacono Giuseppe, il suo personale magistrato.

Il cellulare vibrò sul tavolino accanto a lui. Fu tentato di infischiarsene, non voleva che nulla inquinasse il momento perfetto; poi ricordò che Marinella era andata al compleanno di quella sua amica scombinata, e rispose. Laura brontolò nel sonno.

La voce all'altro capo telefono disse: «Peppuccio, ciao. Io sono. Ti ambientasti bene nella città nuova?»

Lo stomaco di Lojacono si strinse in un pugno.

Ottobre per finire, ottobre per ricominciare.

Holly cantava una canzone.

La cantava in un soffio, per rispettare gli altri pazienti,

anche se quasi nessuno tra loro poteva udirla. Era un vecchio pezzo che parlava di estate. Gershwin.

C'era stato un tempo in cui aveva sognato di percorrere la stessa strada della madre, la via che aveva portato Charlotte dal ghetto alla cima del mondo. Non possedeva la raffinata bellezza di lei, ma in compenso la natura, attraverso i geni di quel folle padre biologico, l'aveva dotata di una voce meravigliosa. Aveva anche studiato, poi aveva capito che non desiderava trovarsi al centro dell'attenzione, che i riflettori le incutevano paura.

E allora se l'era tenuta per sé, la voce. La usava quand'era sola, per accennare i motivi che avevano segnato le epoche della sua vita. Ora le serviva per far capire a Ethan che non voleva che se ne andasse, che doveva tornare.

Aveva sentito Angela quel pomeriggio, tenendo conto del fuso orario. Si era sistemata, stava vicino a Charlotte; il ginecologo le aveva confermato che tutto procedeva bene. Non vedeva l'ora che lei arrivasse, aveva voglia di rendersi utile, di dimostrare che non avevano sbagliato, che poteva diventare una della famiglia.

Noi, Ethan, le diremo che non deve dimostrare proprio niente. Che nella nostra famiglia c'era bisogno di lei e di suo figlio. Che nostra madre portò te, da qui, come souvenir, e lei invece ha portato il senso di noi tutti, il souvenir che ci ricorderà di non aver vissuto invano.

Però devi esserci anche tu, Ethan, fratello mio dolcissimo. Lei ha bisogno di te. Io ho bisogno di te. Mamma, nel suo mondo sospeso, ha bisogno di te. Torna, fratello mio. *Summertime, and the livin' is easy.* Anche se piove.

Le palpebre di Ethan vibrarono e si schiusero.

Piangendo, Holly proseguí a cantare.

Ottobre per il coraggio, ottobre per la paura.

Aragona decise di cenare in hotel, da solo. Si sentiva inquieto.

Aveva dovuto sostenere un lungo, penoso colloquio con il padre. L'uomo era isterico, non voleva ascoltare ragioni. Con una calma e una capacità dialettica che ignorava di possedere, Marco gli aveva spiegato un po' alla volta che non aveva colpa se un collega anziano, passando proprio di là a quell'ora, aveva visto un movimento strano e aveva scattato delle foto. E non era certo responsabilità sua se non era riuscito a impedire la successiva retata, con conseguente sequestro della merce. Per non parlare della ricostruzione effettuata dalla Guardia di Finanza, che aveva portato alla chiusura di negozi un po' dovunque nella regione.

Alla fine il padre gli aveva dato un minimo di credito, e la petulanza della madre aveva fatto il resto. Il beneficio del bonifico mensile era stato prorogato con riserva, ma il rischio di una revoca gli pendeva sulla testa.

Non era pentito, per carità. Lui era un poliziotto serio, e Pisanelli aveva solo dato voce alla sua coscienza. Inoltre non poteva continuare con questa esistenza precaria, e non voleva piú dipendere dai suoi. Prima o poi doveva lasciarlo, l'hotel *Mediterraneo*, anche se il solo pensiero lo distruggeva.

Mentre fissava la pioggia cadere al di là delle vetrate sul magnifico roof garden, rifletté che una soluzione sarebbe stata quella di parlare a Irina. Trovare il coraggio di chiederle di uscire, almeno.

Una voce dolce, dietro di lui, disse: Il signore ha deciso?

Non ebbe necessità di voltarsi per sapere che era lei, e le indirizzò il suo miglior sorriso; senza alcun esito perché la bocca era integralmente celata dalla sciarpa del detective Hollander. Spostò l'indumento, eliminò con un veloce movimento delle dita il quantitativo di lana multicolore tenacemente aggrappato ai denti e ordinò.

Prima di allontanarsi la ragazza mormorò: Scusi se mi permetto, signore, ma è un peccato questa sciarpa, mi ricorda il gelo del mio Paese. Invece il sorriso del signore è cosí caldo.

Marco, bisognava riconoscerlo, era uno che sapeva adattarsi alle circostanze. In un lampo esclamò: Ah, questa? È un regalo di mia madre: diventa insopportabile se non la indosso. Non vedevo l'ora di sbarazzarmene. Anzi, Irina, mi faccia un piacere, me la butta lei? Grazie.

La ragazza sorrise e lui, mentre l'osservava andar via tenendo la sciarpa con due dita, concluse che la perdita secca di quattrocentoventi euro era un prezzo basso per quello spettacolo.

Finita la cena prese una decisione: voleva raccontare l'intera storia a Pisanelli. Glielo doveva, gli aveva salvato il sedere due volte, ed era pure la cosa piú vicina a un amico che avesse. Magari aveva qualche consiglio da dargli su come corteggiare Irina, dopotutto quella città era cosí arretrata che forse funzionava ancora come all'epoca del Presidente, cioè nel secolo, anzi, nel millennio passato.

Arrivò fischiettando a casa di Giorgio, salí le scale, di nuovo allegro dopo lo scontro col padre, pensando che sarebbe stato bello essere figlio del vicecommissario, e che se non fosse stato un duro gli avrebbe confessato che gli voleva bene.

Arrivato sul pianerottolo scivolò su qualcosa. Abbassò gli occhi e vide che era sangue. A terra, raggomitolato davanti alla porta, c'era il corpo di Pisanelli.

E Aragona Marco, il duro agente speciale che avrebbe voluto essere chiamato Serpico, cominciò a piangere cercando il cellulare.

Ottobre.
Ottobre che finisce.

Epilogo

I due ragazzi terminarono di fare l'amore e cominciarono ad accarezzarsi nel buio.

Le mani seguivano i contorni dei visi, dei corpi. La dolcezza aveva seguito la tenerezza, che era venuta dopo la furia.

Sai, ti amo, disse lui.

Lei rise, poi diventò seria: Davvero?, disse.

Certo, disse lui. E nemmeno una fibra del suo corpo, nemmeno un'impalpabile molecola della sua anima mentiva.

Anch'io, disse lei allora.

Noi due, disse lui, staremo insieme per sempre. Per sempre. Tu sarai il mio ultimo pensiero ogni sera e il mio primo ogni mattina.

Lei si passò una mano sul ventre e disse: Io non avrò mai un altro amore, perché il mio amore sei tu. Sei tu.

La luna, che conosceva il futuro, seppe che avevano ragione. E lasciò andare una lacrima.

Il mare, che conosceva il futuro, accolse la lacrima della luna.

E, con un'onda lenta, la portò sulla spiaggia magica di Sorrento.

Nota.

I versi a p. 325 sono tratti dalla canzone *Summertime*. Testo di Du-Bose Heyward e Ira Gershwin e musica di George Gershwin (1935).

Ringraziamenti.

Questo romanzo è dedicato a due persone che sono fondamentali per la mia anima, e che saranno presenti in ogni parola che scriverò fin quando smetterò di farlo. A loro ogni mio pensiero, e molte lacrime di un cuore che continua a piangere nel silenzio.

Ringrazio, per aver immaginato questa storia con me, il mio amico Dido Castelli.

Ringrazio, per il fondamentale apporto: Stefania Negro, Giulio Di Mizio, Giusy Mazzarella, Roberto de Giovanni.

Ringrazio, per la costruzione e la pubblicazione del libro, tutta la squadra Einaudi: Paolo Repetti, Francesco Colombo, Rosella Postorino, Chiara Bertolone, Daniela La Rosa, Maria Luisa Putti, Riccardo Falcinelli, Paola Novarese, le ragazze dell'Ufficio Stampa e Stefano Jugo.

Ringrazio, per i pensieri e le parole, per il sole e per il vento e per aver tenuto vivo il mio sorriso quando ha rischiato di spegnersi, la mia Paola.

*Questo libro è stampato su carta contenente fibre certificate FSC®
e con fibre provenienti da altre fonti controllate.*

*Stampato per conto della Casa editrice Einaudi
presso ELCOGRAF S.p.A. - Stabilimento di Cles (Tn)
nel mese di novembre 2017*

C.L. 23138

Edizione

1   2   3   4   5   6   7

Anno

2017   2018   2019   2020